170	儀	ギ	礼儀正しい
171	容	ヨウ	内容
172	労	ロウ いた	苦労
173	応	オウ こた	対応
174	頼	ライ たの	頼む
175	片	ヘン かた	片づけ
176	勤	キン つと	勤勉さ
177	熱	ネツ あつ	熱心に
178	驚	キョウ おどろ	驚く
179	育	イク そだ	教育
180	識	シキ	プロ意識 意識

第5課

181	門	モン	入門
182	級	キュウ	高級な
183	鮮	セン	新鮮な
184	看	カン	看板
185	板	バン いた	看板
186	豊	ホウ ゆた	豊富な
187	富	フ とみ	豊富な
188	定	テイ さだ	～限定 定番
189	増	ゾウ ふ	増える
190	帯	タイ おび	時間帯
191	列	レツ	行列
192	置	チ お	置く
193	順	ジュン	順番に
194	呼	コ よ	呼ぶ
195	湯	トウ ゆ	湯のみ 湯
196	粉	フン こな	粉末
197	付	フ つ	付く
198	押	オウ お	押す
199	便	ベン たよ	便利な
200	利	リ	便利な
201	面	メン おも	画面 表面
202	巻	カン まき	巻物
203	詳	ショウ くわ	詳しい
204	示	シ しめ	表示
205	繰	く	繰り返す

206	庭	テイ にわ	家庭
207	甘	カン あま	甘辛い
208	辛	シン から	甘辛い
209	材	ザイ	材料
210	玉	ギョク たま	玉ねぎ
211	薄	ハク うす	薄切り 薄く
212	油	ユ あぶら	サラダ油
213	皮	ヒ かわ	皮
214	縦	ジュウ たて	縦に
215	幅	フク はば	幅
216	煮	シャ に	煮る 煮出す 煮込む
217	弱	ジャク よわ	弱火
218	整	セイ ととの	調整
219	完	カン	完成
220	汁	ジュウ しる	汁
221	余	ヨ あま	余る
222	捨	シャ す	捨てる

第6課

223	投	トウ な	投書
224	包	ホウ つつ	包装 包装紙 包む
225	雑	ザツ	雑誌
226	誌	シ	雑誌
227	資	シ	資源
228	源	ゲン みなもと	資源
229	燃	ネン も	燃える 燃えるゴミ
230	局	キョク	結局
231	商	ショウ	商品
232	袋	ふくろ	袋 紙袋
233	疑	ギ うたが	疑問
234	丁	テイ	丁寧に
235	寧	ネイ	丁寧に

236	賛	サン	賛成
237	反	ハン	反対
238	制	セイ	制度
239	進	シン すす	進む
240	関	カン かか	関心 関係
241	状	ジョウ	現状
242	第	ダイ	第一に
243	齢	レイ	年齢
244	超	チョウ こ	超える
245	係	ケイ かかり	関係
246	吸	キュウ す	吸収
247	収	シュウ	吸収
248	効	コウ き	効果的な
249	抵	テイ	抵抗感
250	抗	コウ	抵抗感
251	恥	チ は	恥ずかしい
252	周	シュウ まわ	周り
253	失	シツ うしな	失敗
254	敗	ハイ やぶ	失敗
255	恐	キョウ おそ	恐れる
256	躍	ヤク おど	活躍
257	可	カ	可能性
258	能	ノウ	可能性
259	述	ジュツ の	述べる
260	影	エイ かげ	影響
261	響	キョウ ひび	影響
262	混	コン ま	混乱
263	乱	ラン	混乱
264	論	ロン	論理的に
265	嫌	ケン いや きら	英語嫌いな
266	輩	ハイ	先輩
267	張	チョウ は	主張

漢字チャレンジ①

268	氷	ヒョウ こおり	氷
269	干	カン ほ	干す
270	毛	モウ け	毛
271	老	ロウ お	老人

漢字チャレンジ②

272	姓	セイ	姓名
273	紅	コウ べに	紅葉
274	帳	チョウ	手帳
275	郊	コウ	郊外
276	凍	トウ こお	凍結
277	招	ショウ まね	招待

漢字チャレンジ③

278	倍	バイ	二倍
279	伺	うかが	伺う
280	億	オク	一億

	林	リン はやし	林
284	森	シン もり	森
285	杯	ハイ	三杯
286	柔	ジュウ やわ	柔道 柔らかい
287	植	ショク う	植物 植える

漢字チャレンジ⑤

288	糖	トウ	無糖
289	等	トウ ひと	不平等
290	印	イン しるし	好印象
291	再	サイ ふたた	再～
292	検	ケン	再検査
293	熟	ジュク う	未熟な

漢字チャレンジ⑥

294	筆	ヒツ ふで	筆者
295	駐	チュウ	駐車場
296	辞	ジ や	辞書
297	籍	セキ	書籍化

漢字チャレンジ⑦

298	含	ガン ふく	含む
299	告	コク つ	告白
300	命	メイ いのち	命
301	叫	キョウ さけ	叫ぶ
302	喫	キツ	喫茶店

漢字チャレンジ⑧

303	晴	セイ は	晴れ
304	曇	ドン くも	曇り
305	星	セイ ほし	星
306	暖	ダン あたた	暖かい
307	替	タイ か	両替

漢字チャレンジ⑨

308	減	ゲン へ	減る
309	離	リ はな	離婚
310	抽	チュウ	抽象的な
311	房	ボウ ふさ	冷房 暖房

漢字チャレンジ⑩

312	撮	サツ と	撮る
313	泣	キュウ な	泣く
314	鳴	メイ な	鳴く
315	革	カク かわ	革
316	聖	セイ	聖歌
317	為	イ ため	行為

漢字チャレンジ⑪

318	追	ツイ お	追う
319	逃	トウ に	逃げる
320	途	ト	途中
321	退	タイ しりぞ	退学
322	適	テキ	適当な

漢字チャレンジ⑫

323	許	キョ ゆる	許す
324	訓	クン	訓練
325	詞	シ	歌詞
326	誤	ゴ あやま	誤解
327	警	ケイ	警察

QUARTET

INTERMEDIATE JAPANESE ACROSS THE FOUR LANGUAGE SKILLS

SUPERVISOR | TADASHI SAKAMOTO
AUTHORS | AKEMI YASUI / YURIKO IDE / MIYUKI DOI / HIDEKI HAMADA

2.5 hours of free audio downloads

4技能でひろがる 中級日本語カルテット I

監修 坂本正
著 安井朱美／井手友里子
土居美有紀／浜田英紀

 **補助教材ダウンロードのご案内 About downloading**

本書の学習に役立つワークシートを、ウェブサイト「カルテットオンライン」で提供しています。
https://quartet.japantimes.co.jp/

The worksheets for this textbook can be downloaded from the following link.
https://quartet.japantimes.co.jp/en/

■ 写真提供

iStock.com/whim_dachs（p. 89 上左・下）／ iStock.com/CreativeNature_nl（p. 89 上右）／共同通信社 (pp. 2－5)／
京都着物レンタル 花かんざし (p. 125)／スシロー (pp. 136－138)／つぼ八 (p. 72)／
日清製粉グループ Webサイト こむぎ粉くらぶ (p. 149)／
PIXTA (p. 3, p. 35, pp. 69－72, p. 82, p. 91, pp. 94－96, p. 125, p. 135, p. 140, p. 141, p. 149, p. 166, p. 172, p. 173)

4技能でひろがる　中級日本語 カルテット Ⅰ
Quartet: Intermediate Japanese Across the Four Language Skills I

2019年7月20日　初版発行
2024年2月5日　第9刷発行

監修者：坂本 正
著　者：安井朱美・井手友里子・土居美有紀・浜田英紀
発行者：伊藤秀樹
発行所：株式会社 ジャパンタイムズ出版
〒102-0082 東京都千代田区一番町 2-2
一番町第二 TG ビル 2F

ISBN978-4-7890-1695-7

First edition: July 2019
9th printing: February 2024

Narrators: Saeri Yokota, Mizuki Fujita, Akira Sada and Homare Horikawa
Recordings: The English Language Education Council, Inc.
English translations: Ayaka Masumoto and Umes Corp.
English copyreading: Umes Corp.
Illustrations: Atsushi Shimazu (Pesco Paint)
Layout, typesetting and cover art: Hirohisa Shimizu (Pesco Paint)
Printing: Koho Co., Ltd.

Published by The Japan Times Publishing, Ltd.
2F Ichibancho Daini TG Bldg., 2-2 Ichibancho, Chiyoda-ku, Tokyo 102-0082, Japan
Website: https://jtpublishing.co.jp

ISBN978-4-7890-1695-7

Printed in Japan

はじめに

本書『4技能でひろがる 中級日本語 カルテット』は、その名の通り、中級レベルの日本語学習者が「読む」「書く」「話す」「聞く」の4技能をバランスよく伸ばすことを目標としています。

初級が終わっても中級レベルへの移行がスムーズにいかない学生たちを、これまで私たちは数多く見てきました。初級レベルで学んだはずの文法がきちんと定着していない学生、漢字が多くて長い読み物を一瞥しただけであきらめてしまう学生、日本や母国について豊富な知識があるにもかかわらず、それを日本語でうまく表現できない学生……彼らみんなが本書の出発点となっています。

教材開発にあたっては、「読む」の読み物のトピックで「書く」の作文を書き、「話す」の会話や「聞く」の聴解へとつながることを目指し、現場での試用を繰り返しながら改訂を重ねてきました。構想から出版まで気づけば6年余りの長い年月を要してしまいましたが、やっと私たちなりに満足できるものが完成したと感じています。

本書の作成には本当に多くの方々にお世話になりました。南山大学外国人留学生別科には本書を試用する機会を与えていただき、終始温かく見守っていただきました。同僚や常葉大学の坂本勝信先生からは適切な助言を、また試用版の翻訳に協力してくれた修了生のDan Bentleyさんをはじめ、常に私たちの原動力の源であり続けてくれた別科の留学生からは、率直な意見とともに励ましの言葉もいただきました。ここに深く感謝の意を表します。また、本書に準拠した単語・漢字アプリ制作のためのクラウドファンディングに多額のご寄付をいただきましたすべての皆様、緻密かつ丁寧な翻訳で多大な貢献をいただきました増本朱華さんにも心よりお礼を申し上げます。

最後に、気の遠くなるような膨大な作業量にとまどい、幾度となく道を見失いそうになった私たちを叱咤激励し、出版まで支え続けてくださったジャパンタイムズ日本語出版編集部の関戸千明さんにはひとかたならぬお世話になりました。深謝申し上げます。

学習者が楽しみながらも一歩一歩着実に中級の日本語力を伸ばしていく――本書がその一助になることを心から願っております。

2019年（令和元年）5月

著者一同

Contents

本書について

1 『中級日本語 カルテット』とは

『中級日本語 カルテット』は初級（250～300 時間）が終わった学生のための中級総合教材です。中級レベルに必要な文法・表現・ストラテジーを学び、4 つのスキル（読む・書く・話す・聞く）をバランスよく身につけることを目標にしています。

教材はⅠ（第 1 課～第 6 課）とⅡ（第 7 課～第 12 課）に分かれていて、それぞれにテキストとワークブックがあります。2 冊で CEFR（ヨーロッパ言語共通参照枠）の B1 レベルの内容を学び、B2 レベル入り口までの到達を目指します。

学習内容は、Ⅰは日本語能力試験の N3 レベル、Ⅱは N2 レベルを中心に、各課、文型・表現を約 10 項目ずつ、漢字は約 45 字ずつ、読みのストラテジーを 1 ～ 2 項目を学びます。第Ⅰ巻全体では、文型・表現 55 項目、漢字 327 字、読みのストラテジー 10 項目になります。

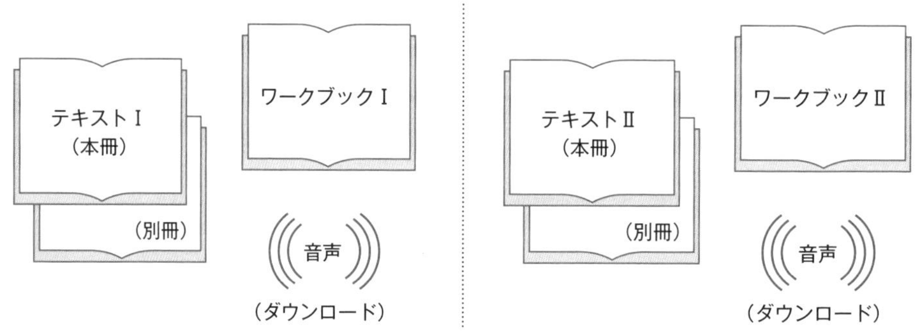

2 テキストⅠの構成と内容

『中級日本語 カルテット』のテキストには、1 つの課に「**読む**」「**書く**」「**話す**」「**聞く**」のセクションがあり、共通するテーマでつながっています。「読む」の読み物のトピックが「書く」の作文や「話す」の会話、「聞く」の聴解でも取り上げられていたり、聴解には読み物の文型・表現が使われていたりと、各セクションが様々な形で関連していることで、4 つのスキルを自然にバランスよく伸ばすことができます。読み物の単語リスト・漢字リストは、本文を見ながら使えるように、テキストに付属する「**別冊**」に収録しています。また、課の後ろに「**ブラッシュアップ**」として、各課の学習をサポートする初級文法と漢字に関するセクションがあります。

以下、テキストⅠの構成と内容について説明します。

(1) 第1課〜第6課

読む 2つの読み物で「文型・表現」や「読みのストラテジー」を学ぶ

■**読む前に・読んだ後で**　「読む前に」では、読み物のトピックについて質問に答える形でスキーマを活性化させ、読む準備をします。「読んだ後で」では、読み物の内容を自分の言葉でまとめたり、自分の国と比べたり、自分の経験や意見について話したりします。

■**読み物**　各課に「**読み物1**」「**読み物2**」の2つがあり、課が進むにつれて少しずつ難易度を上げてあります。トピックには、多くの学習者が興味を持っている日本文化や社会に関するものを中心に取り上げています。テキストⅠでは読み物はすべて書き下ろしで、学習者が効率よく、かつ達成感を感じながら学習が進められるようにしました。

■**読みのストラテジー**　その課の読み物を理解するのに有効なだけでなく、読解全般に広く応用が利くストラテジーを学習します。テキストⅠでは、文の読み方に関わるものと文章構成を理解するためのストラテジーを取り上げています。

■**文型・表現ノート**　読み物で使われている文型や表現の解説です。テキストⅠでは日本語能力試験のN3文法を中心に、中級レベルで必須の文型・表現を取り上げました。英文の説明と共に例文を数多く載せて、例文から文型・表現の意味や使い方が確認できるようにしてあります。見出しに「★」が付いている項目は、話せること・書けることを目指すもの、「★」がない項目は意味がわかればいいものです。

書く モデル作文をもとにして作文を書く

「書く」では、「読む」で学んだことを使って、読み物と関連したテーマで短い文章を書きます。実際に作文を書く前に、「**モデル作文**」や「**書くポイント**」を読んで文章の構成や書く時の注意点を理解したり、「**書いてみよう**」の質問に答えてブレインストーミングをしたりすることができるようになっています。

話す モデル会話をもとに会話パターンの練習を行う

「話す」には、「**会話1**」「**会話2**」のセクションがあり、それぞれ1つのモデル会話をもとに、インプットからアウトプットまで段階を追って練習します。ほぼすべての会話で、カジュアルとフォーマルの2つのスタイルが練習できます。

1. **やってみよう**　モデル会話に入る前に、その会話の状況でまずロールプレイをすることで、自分が今どのくらい話せるかチェックします。
2. **聞いてみよう**　モデル会話を聞き、内容や流れをつかみます。
3. **モデル会話**　スクリプトを読んでモデル会話を文字で確認するとともに、「フローチャート」で会話全体の流れを視覚的に確認します。
4. **練習しよう**　モデル会話から抽出された会話パターンに沿って、自分の言葉でアウトプットする練習をします。

聞く **2つの異なるタイプの聴解練習を行う**

「聞く」には「**聴解1**」「**聴解2**」の2つがあります。**聴解1**は読み物に関連した内容で、できるだけ実際の情報を使った日常会話になっています。問題は、図表を見ながら会話を聞いて必要な情報を読み取る「聴読解形式」です。**聴解2**はモノローグで、日本に来た留学生が日本で気づいたこと・疑問に思ったことについて話しているスピーチを聞いて、質問に答えます。議論しやすいテーマになっているので、聞く練習をした後、ディスカッションもできます。

(2)「ブラッシュアップ」セクション

第1課～第6課の学習とは別に、初級文法の復習や漢字学習の役に立つストラテジーを課の後ろにまとめました。

初級文法チェック

初級文法の中でも特に身に付きにくい文法7項目が復習できるようになっています。以下の項目については、その該当課の関連箇所と同時に学習すると効果的です。

初級文法チェック	関連する本文の部分
②そうだ／らしい／ようだ／みたいだ	**第1課 文型・表現ノート4「～らしい」**
③敬語	**第2課 読み物1・読み物2**
⑤受身形／使役形／使役受身形	**第4課 読みのストラテジー❼「動詞の形と動作主」**
⑥条件文 ~たら／~と／~ば／~なら	**第5課 読み物1・読み物2**

漢字チャレンジ

部首に関する知識や、接頭辞、接尾辞、反対語、読みのヒントとなる「音符」に関する知識など、中級以降の漢字学習に必要なストラテジーを12項目取り上げました。これらを学習することで、漢字の意味や読みが推測しやすくなったり、これまでに学んだ漢字の知識を整理し直したりすることができ、中級以降ますます重要になる漢字力を効率よく伸ばすことができます。

(3) 巻末

■**聴解 解答・スクリプト** 「聞く」セクションの2つの聴解問題の解答とスクリプト全文。選択問題・○×問題の解答と記述式の問題の模範解答を載せています。

■**文型・表現さくいん** 「文型・表現ノート」の項目の五十音順リスト。

■**単語さくいん** 別冊の「単語リスト」に収録した単語の五十音順リスト。

(4) 別冊

テキストに付属する「別冊」には、**単語リスト**と「**覚える単語と例文**」、および**漢字リスト**を収録しました。

■ **単語リスト**　読み物に出てくる未習単語のリスト。このうち、覚えるべき重要な単語については、リストの後に「**覚える単語と例文**」として例文とともに示しています。

■ **漢字リスト**　読み物に含まれる学習漢字のリスト。漢字の読みと意味、書き順、熟語とその英訳を載せました。アミがけされた漢字は必修漢字で、書けるようにする必要があります。

［単語リスト］

	漢	行	単語	読み	意味
❶		0	監督	かんとく	director
			宮崎駿	みやざきはやお	Hayao Miyazaki
❸ 1.		1	やはり	やはり	undoubtedly; after all
			千と千尋の神隠し	せんとちひろのかみかくし	*Spirited Away* [movie title]
		2	作品	さくひん	a work
2.			特に	とくに	especially
❷	◇		アカデミー<u>賞</u>	あかでみーしょう	Academy Award
3.	◆		<u>取</u>る	とる	to win (a prize); to take
4.	◇	3	<u>興</u>味	きょうみ	interest
			もののけ姫	もののけひめ	*Princess Mononoke* [movie title]

［覚える単語と例文］

❸	1. やはり	日本はやはり東京（とうきょう）が一番おもしろいと思います。
	2. 特に	私は食べられないものが多いが、特にトマトが嫌（きら）いだ。
	3. 取る	今年のスピーチコンテストで賞を取りたい。
	4. 興味	日本のアニメに興味があったので、日本語の勉強を始めた。

❶ 読み物内でこの単語が出る行数を示す。「0」はタイトルの意味。

❷ その課で学習する漢字が含まれている単語には◆か◇が付く。◆は読み書きできるようにすべき単語、◇は読めればいい単語。単語内で下線が付いている字が学習漢字。

❸「覚える単語と例文」の番号。

［漢字リスト］

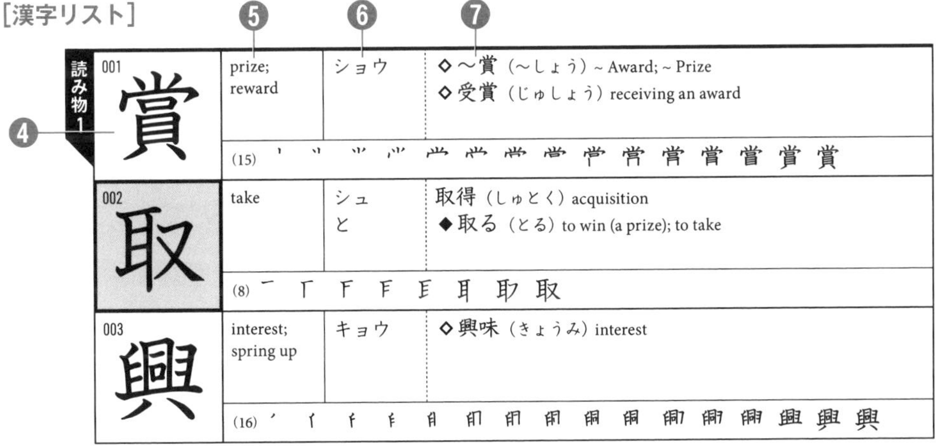

読み物1	漢字 ❹	意味 ❺	読み ❻	単語 ❼
001	賞	prize; reward	ショウ	◇～賞（～しょう）~ Award; ~ Prize ◇受賞（じゅしょう）receiving an award
	(15)			
002	取	take	シュ と	取得（しゅとく）acquisition ◆取る（とる）to win (a prize); to take
	(8)			
003	興	interest; spring up	キョウ	◇興味（きょうみ）interest
	(16)			

❹ **学習漢字**　アミがかかっている漢字は、書けるようにすべき必修漢字。

❺ **漢字の意味**

❻ **漢字の読み**　音読みはカタカナ、訓読みはひらがなで示す。

❼ **漢字を使った単語**　◆◇は読み物に出てくる単語（＝単語リストに載っている単語）。◆は読み書きできるようにすべき単語、◇は読めればいい単語。

（5）音声ファイル

以下のセクションには、ダウンロードできる音声が付いており、テキストではヘッドフォンのマーク（🎧）で示しています。

- ■**読む** 「読み物 1」「読み物 2」の本文、「文型・表現ノート」の各項目最初の例文
- ■**話す** 「会話 1」「会話 2」のモデル会話
- ■**聞く** 「聴解 1」「聴解 2」
- ■**別冊** 「覚える単語と例文」

ダウンロード方法

▶ スマートフォンやタブレットから（iOS / Android）

ジャパンタイムズ出版の音声アプリ「OTO Navi」をインストールして、本書のファイルをダウンロードしてください。

▶ パソコンから

以下の URL にアクセスして、該当する Zip ファイルをダウンロードしてください。

https://bookclub.japantimes.co.jp/jp/book/b456866.html

（6）その他

「QUARTET Vocab & Kanji」(iOS/Android)

テキストの単語や漢字が学習できるアプリを別売しています。

3 ワークブックⅠの構成と内容

ワークブックには、テキスト各課の「読み物」と「文型・表現ノート」に関する練習問題があります。

- ■**読み物ワーク** 「読み物 1」「読み物 2」それぞれについて、A. 読み物の内容に関する正誤問題、B. 読みのストラテジーの問題、C. 内容についてより詳しく問う質問タイプの問題、の 3 つを用意しました。
- ■**文型・表現ワーク** 「文型・表現ノート」の項目に関する練習問題にも 3 タイプあり、A はアウトプットまで求める項目（テキストで★がついているもの）に関する基本問題、B はその課で出ているすべての文型・表現を網羅したまとめの問題、そして C はその課の文型・表現を使って口頭で答える練習問題です。

また、テキストの「ブラッシュアップ」にある「初級文法チェック」と「漢字チャレンジ」の練習問題も用意しました。**「初級文法チェック」のワークシート**は、学習者の定着度を確認するために、まずテキストを見る前に行い、その後、理解が不十分な箇所をテキストで確認するのが効果的です。一方、**「漢字チャレンジ」のワークシート**は、テキストで学んだ後にその確認として練習問題を行ってください。

About This Book

1 What's *Quartet?*

Quartet: Intermediate Japanese Across the Four Language Skills is a comprehensive intermediate learning resource for Japanese-language learners who have completed around 250 to 300 hours of elementary study. It is designed to provide well-balanced development of the four language skills—reading, writing, speaking and listening—through the study of grammar, expressions and strategies needed to communicate at the intermediate level.

Quartet is divided into two textbook volumes, each with a supplement, a workbook, and downloadable audio material. Volume I presents Lessons 1–6, and Volume II covers Lessons 7–12. Together, the two volumes are intended to help learners study for level B1 of the Common European Framework of Reference for Languages (CEFR), with the goal of advancing to the start of level B2.

The material in Volume I is roughly equivalent to level N3 of the Japanese Language Proficiency Test, while that in Volume II is on par with N2. Each lesson focuses on approximately ten grammatical patterns and expressions, around 45 kanji, and one or two reading strategies. In total, Volume I presents 55 grammatical patterns and expressions, 327 kanji, and ten reading strategies.

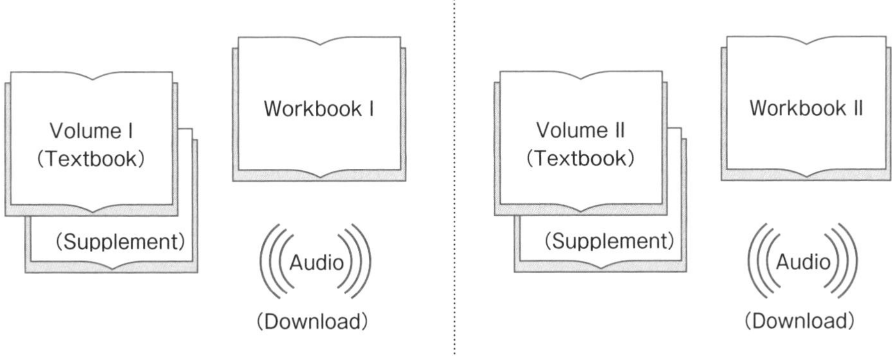

2 Structure and Content of Volume I

Every textbook lesson has four sections for the four language skills—**読む**, **書く**, **話す** and **聞く**—with each sharing the same theme. The sections are interconnected in various ways. For instance, the topic of the readings in 読む is taken up in the compositions of 書く, the dialogues of 話す, and the listening comprehension material of 聞く. As another example, the grammatical patterns and expressions used in the readings are also encountered in the listening comprehension tasks. This interlinking enables you to build up the four skills in a natural, well-balanced manner. The vocabulary and kanji lists have been compiled into a separate supplement (**別冊**(べっさつ)) so that they can be viewed alongside the textbook material. The textbook's six lessons are followed by a section entitled ブラッシュアップ, which contains various additional material on elementary grammar, expressions, and kanji to assist your study of the lessons.

The structure and content of Volume I are as follows.

(1) Lessons 1–6

読む Study grammatical patterns expressions and reading strategies through two readings

- **読む前に・読んだ後で** 読む前に prepares you for each reading with schema activation in the form of questions on the reading's topic. 読んだ後で involves tasks such as summarizing the reading in your own words, comparing the content with the situation in your homeland, and discussing your experiences and opinions in relation to the reading.
- **読み物** Each lesson has two readings (読み物 1／読み物 2). The readings gradually become more challenging with each new lesson, and generally focus on topics concerning Japanese culture and society that are of interest to many students. All the readings in Volume I were newly created for this textbook and have been designed to help learners study more efficiently and gain a greater sense of progress.
- **読みのストラテジー** This part presents reading strategies that not only are useful for developing a better understanding of the readings, but can also be effectively applied to reading comprehension in general. The strategies covered in Volume I offer tips on how to parse sentences and follow the structure of compositions.
- **文型・表現ノート** Commentary is provided on the grammatical patterns and expressions used in the readings. Volume I covers patterns and expressions essential to intermediate-level communication, centering on JLPT N3 grammar. This section is designed to foster your ability to understand difficult words and sentences from context, offering explanations in English and numerous example sentences to assist you. Items marked with ★ are ones that you should strive to master for spoken/written communication, while those not so marked are ones that you just need to understand the meaning.

書く Write compositions based on the model text

This section challenges you to use what you learned in 読む to write short compositions on subjects related to the readings. Before that, you go over **モデル作文** and **書くポイント** to acquire a better understanding of text structure and writing pointers, and you respond to the questions in **書いてみよう** to brainstorm for your composition.

話す Practice conversation patterns using a model dialogue

This section is divided into two parts, **会話** 1 and **会話** 2. Each part offers conversation practice that is based on a model dialogue and progresses from input to output. Almost all the conversations can be practiced in both casual and formal styles.

1. **やってみよう** Before going through the model dialogue, you do a little role-playing in the dialogue's context to see how well you can communicate in that situation.
2. **聞いてみよう** As you listen to the model dialogue, you try to understand its content and flow.

3. **モデル会話** Next, you read a script of the dialogue to check your understanding. フローチャート serves as a visual aid for gaining a handle on the overall flow of the dialogue.
4. **練習しよう** You then practice creating output in your own words, following patterns of expression drawn from the dialogue.

聞く Practice two types of listening comprehension

聞く is also divided into two parts, **聴解** 1 and **聴解** 2. 聴解 1 provides listening comprehension practice with an everyday conversation that is tied to the topic of the readings and incorporates real-world information as much as possible. You look at a figure or chart as you listen to the conversation and try to pick out the information requested. In 聴解 2, you listen to a monologue and answer questions about it. The monologues cover discoveries and questions about Japan experienced by international students after arriving. The subject matter lends well to discussion, so this material can also be used for discussion after listening comprehension practice.

(2) Brush-ups (ブラッシュアップ)

The six lessons are followed by a separate section that offers elementary grammar reviews and handy strategies for mastering kanji.

初級文法チェック

This part provides reviews of seven particularly tricky aspects of elementary grammar. Some of these items can be reviewed more effectively when studied along with certain parts of the lessons. The table below lists those pairings.

初級文法チェック	Corresponding sections of lessons
② そうだ／らしい／ようだ／みたいだ	**Lesson 1** 文型・表現ノート 4「～らしい」
③ 敬語	**Lesson 2** 読み物 1・読み物 2
⑤ 受身形／使役形／使役受身形	**Lesson 4** 読みのストラテジー❼「動詞の形と動作主」
⑥ 条件文 ～たら／～と／～ば／～なら	**Lesson 5** 読み物 1・読み物 2

漢字チャレンジ

This section presents 12 strategies essential for kanji studies at the intermediate level and beyond, including strategies concerning radicals, prefixes, suffixes, antonyms, and phonetic indicators providing clues to the kanji readings. By equipping yourself with these strategies, you'll have an easier time surmising the meaning and reading of unfamiliar kanji and tidy up your knowledge of kanji already learned. This, in turn, will enable you to efficiently expand the kanji knowledge and skills that will become all the more important from the intermediate level onward.

(3) Appendices (巻末（かんまつ）)

■ **聴解（ちょうかい） 解答（かいとう）・スクリプト** This appendix contains the answers to the two listening comprehension tasks in each 聞く section and full scripts of the audio material. It provides the correct answers to multiple-choice and true/false questions, and model answers for the writing problems.

■ **文型（ぶんけい）・表現（ひょうげん）さくいん** This is a list of the items presented in 文型・表現ノート, arranged in *a-i-u-e-o* order.

■ **単語（たんご）さくいん** This lists the words included on the supplement's vocabulary list, in *a-i-u-e-o* order.

(4) Supplement (別冊（べっさつ）)

The supplement accompanying the textbook contains vocabulary lists, lists of words that should be memorized and sample sentences using them, and kanji lists.

■ **単語リスト** These list the vocabulary in the readings that have not yet been studied. The words in each list that should especially be learned are presented again in the subsequent **覚（おぼ）える単語と例文（れいぶん）** list, along with sample sentences using them.

■ **漢字リスト** These lists contain the target kanji found in the reading material, along with their readings, meanings, stroke orders, compounds and English translations. Shaded characters are essential kanji that you need to learn how to write.

[単語リスト]

		漢	行	単語	読み	意味
❶			0	監督	かんとく	director
				宮崎駿	みやざきはやお	Hayao Miyazaki
❸	1.		1	やはり	やはり	undoubtedly; after all
				千と千尋の神隠し	せんとちひろのかみかくし	*Spirited Away* [movie title]
			2	作品	さくひん	a work
	2.			特に	とくに	especially
❷		◇		アカデミー賞	あかでみーしょう	Academy Award
	3.	◆		取る	とる	to win (a prize); to take
	4.	◇	3	興味	きょうみ	interest
				もののけ姫	もののけひめ	*Princess Mononoke* [movie title]

[覚える単語と例文]

❸	1.	やはり	日本はやはり東京（とうきょう）が一番おもしろいと思います。
	2.	特に	私は食べられないものが多いが、特にトマトが嫌（きら）いだ。
	3.	取る	今年のスピーチコンテストで賞を取りたい。
	4.	興味	日本のアニメに興味があったので、日本語の勉強を始めた。

❶ These numerals represent the number of the line where each word first appears in the reading. Zero indicates the title.

❷ Words containing a kanji studied in that lesson are marked with ◆ or ◇. ◆ indicates that you should learn to read and write the word, while ◇ indicates that just learning the reading will suffice. The underlined kanji in the vocabulary list are the ones studied in the lesson.

❸ This is the number of the entry as listed in 覚える単語と例文.

[漢字リスト]

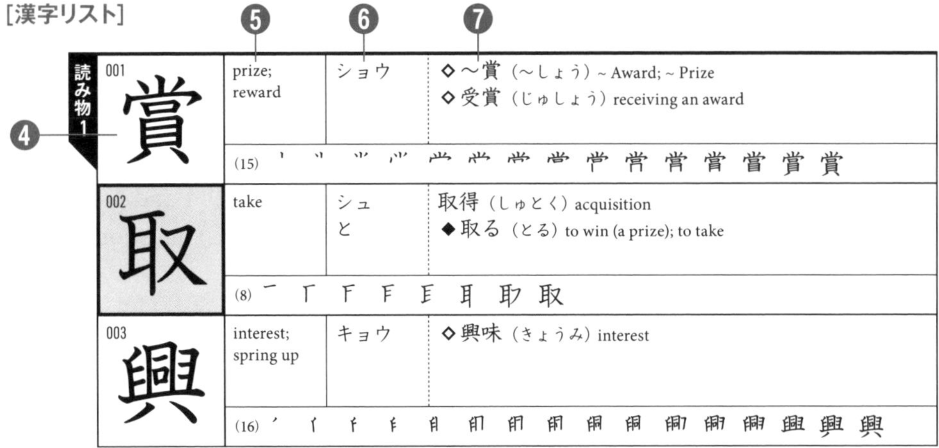

❹ **Target kanji** Shaded characters are essential kanji that you should learn how to write.

❺ **Meanings**

❻ **Readings** *On-yomi* are given in *katakana*, *kun-yomi* in *hiragana*.

❼ **Words containing the kanji** ◆and◇mark words that appear in the reading material and the vocabulary list.◆indicates words that you should learn how to read and write;◇indicates that just learning the reading will suffice.

(5) Audio files

Downloadable audio material is offered for the following sections. These sections are marked with a headphone symbol (🎧) in the textbook.

- ■ **読む** Text of 読み物 1 and 2; the first sample sentence of each entry in 文型(ぶんけい)・表現(ひょうげん)ノート
- ■ **話す** The model dialogues of 会話 1 and 2
- ■ **聞く** 聴解(ちょうかい) 1 and 2
- ■ **別冊(べっさつ)** 覚(おぼ)える単語(たんご)と例文(れいぶん)

How to download the files

▶ **Smartphone / Tablet (iOS / Android)**

Install the Japan Times Publishing's OTO Navi app and use it to download the audio material.

▶ **Personal computer**

Access the following webpage and download the Zip files containing this textbook's audio material.

https://bookclub.japantimes.co.jp/en/book/b456886.html

(6) Study app

QUARTET Vocab & Kanji (iOS/Android)

The app for studying vocabulary and kanji covered in the textbook is available.

3 Structure and Content of Workbook I

The workbook offers practice exercises related to each textbook lesson's 読み物 and 文型・表現ノート.

- **■ 読み物ワーク** This section provides three types of exercises for 読み物 1 and 2——(A) true/false questions on the readings, (B) reading strategy exercises, and (C) questions that delve into the readings' content in greater detail.
- **■ 文型・表現ワーク** Three sets of exercises are provided for the items covered by 文型・表現ノート——(A) basic problems on items that require output (marked with ★ in the textbook), (B) exercises covering all grammatical patterns and expressions presented in the lesson, and (C) problems requiring oral responses using the lesson's grammatical patterns and expressions.

The workbook also includes practices for the 初級文法チェック and 漢字チャレンジ sections of ブラッシュアップ in the textbook. The effective way to use the 初級文法チェック worksheets is to do them before going through the corresponding textbook lesson; first check your understanding of elementary grammar points by doing the worksheets, and then use the textbook to brush up on the points that need more work. The 漢字チャレンジ worksheets should be used after studying the corresponding part of the textbook in order to check your mastery of the kanji.

品詞と活用の記号 Symbols for Parts of Speech and Conjugations

	品詞と活用形 Parts of Speech and Conjugations		例 Examples
普	すべての普通形	short form / plain form	読む・読まない・読んだ・読まなかった 大きい・大きくない・大きかった・大きくなかった 元気だ・元気じゃない・元気だった・元気じゃなかった 学生だ・学生じゃない・学生だった・学生じゃなかった
V る	動詞の終止形	short present form of verb	読む　食べる　来る
V た	動詞のた形	short past form of verb	読んだ　食べた　来た
V て	動詞のて形	て-form of verb	読んで　食べて　来て
V ~~ます~~	動詞の語幹 （ます形から「ます」を取った形）	stem of verb (form made by omitting ます from ます-form)	読み　食べ　来
V ない	動詞のない形	short present negative form of verb	読まない　食べない　来ない
V ず	動詞のない形の古い形 （ない形から「ない」を取って「ず」をつけた形。ただし、「しない」は「せず」になる）	old negative form of verb (form made by omitting ない of ない-form and adding ず. Note that しない becomes せず.)	読まず　食べず　来ず （「しない」は「せず」になる）
V ば	動詞の条件形	conditional form of verb	読めば　食べれば　来れば
V（よ）う	動詞の意志形	volitional form of verb	読もう　食べよう　来よう
い **A** い	い形容詞の終止形	short present form of い-adjective	大きい
い **A** くて	い形容詞のて形	て-form of い-adjective	大きくて
い **A** ~~い~~	い形容詞の語幹 （終止形から「い」を取った形）	stem of い-adjective (form made by omitting い from short present form)	大き
い **A** ければ	い形容詞の条件形 （「い」を「ければ」に変えた形）	conditional form of い-adjective (form made by replacing い with ければ)	大きければ
な **A**	な形容詞の語幹	stem of な-adjective	元気
N	名詞	noun	学生

「文型・表現ノート」での接続の表し方　Symbols for Connections in Grammar Notes

	意味 Meanings		例 Examples
普 *なA(だ) *N(だ)	普通形に接続。ただし、な形容詞と名詞の現在形の場合、「だ」は省略できる。	Connects to plain form. だ can be omitted in the case of な-adjectives and nouns in the present tense.	読む・読まない・読んだ・読まなかった 大きい・大きくない・大きかった・大きくなかった **元気(だ)**・元気じゃない・元気だった・元気じゃなかった **学生(だ)**・学生じゃない・学生だった・学生じゃなかった
普 *なA~~だ~~ *N~~だ~~	普通形に接続。ただし、な形容詞と名詞の現在形の場合、「だ」は省略される。	Connects to plain form. だ is omitted in the case of な-adjectives and nouns in the present tense.	読む・読まない・読んだ・読まなかった 大きい・大きくない・大きかった・大きくなかった **元気**・元気じゃない・元気だった・元気じゃなかった **学生**・学生じゃない・学生だった・学生じゃなかった
普 *なA~~だ~~→な *N~~だ~~→の	普通形に接続。ただし、な形容詞の現在形は「だ」が「な」に、名詞の現在形は「だ」が「の」になる。	Connects to plain form. だ changes to な in the case of な-adjectives in the present tense, and changes to の in the case of nouns in the present tense.	読む・読まない・読んだ・読まなかった 大きい・大きくない・大きかった・大きくなかった **元気な**・元気じゃない・元気だった・元気じゃなかった **学生の**・学生じゃない・学生だった・学生じゃなかった
普 *なA~~だ~~→な *N~~だ~~→な／である	普通形に接続。ただし、な形容詞の現在形は「だ」が「な」に、名詞の現在形は「だ」が「な」か「である」になる。	Connects to plain form. だ changes to な in the case of な-adjectives in the present tense, and changes to な or である in the case of nouns in the present tense.	読む・読まない・読んだ・読まなかった 大きい・大きくない・大きかった・大きくなかった **元気な**・元気じゃない・元気だった・元気じゃなかった **学生な／である**・学生じゃない・学生だった・学生じゃなかった
普 *なA~~だ~~→な *N~~だ~~→な	普通形に接続。ただし、な形容詞と名詞の現在形は「だ」が「な」になる。	Connects to plain form. だ changes to な in the case of な-adjectives and nouns in the present tense.	読む・読まない・読んだ・読まなかった 大きい・大きくない・大きかった・大きくなかった **元気な**・元気じゃない・元気だった・元気じゃなかった **学生な**・学生じゃない・学生だった・学生じゃなかった
普 *なA~~だ~~→な *N~~だ~~→である	普通形に接続。ただし、な形容詞の現在形は「だ」が「な」に、名詞の現在形は「だ」が「である」になる。	Connects to plain form. だ changes to な in the case of な-adjectives in the present tense, and changes to である in the case of nouns in the present tense.	読む・読まない・読んだ・読まなかった 大きい・大きくない・大きかった・大きくなかった **元気な**・元気じゃない・元気だった・元気じゃなかった **学生である**・学生じゃない・学生だった・学生じゃなかった
普 *なA~~だ~~→な *N~~だ~~	普通形に接続。ただし、な形容詞の現在形は「だ」が「な」になり、名詞の現在形は「だ」が省略される。	Connects to plain form. だ changes to な in the case of な-adjectives in the present tense, and is omitted in the case of nouns in the present tense.	読む・読まない・読んだ・読まなかった 大きい・大きくない・大きかった・大きくなかった **元気な**・元気じゃない・元気だった・元気じゃなかった **学生**・学生じゃない・学生だった・学生じゃなかった

第(だい)1課(か)

読む　日本を代表する有名人

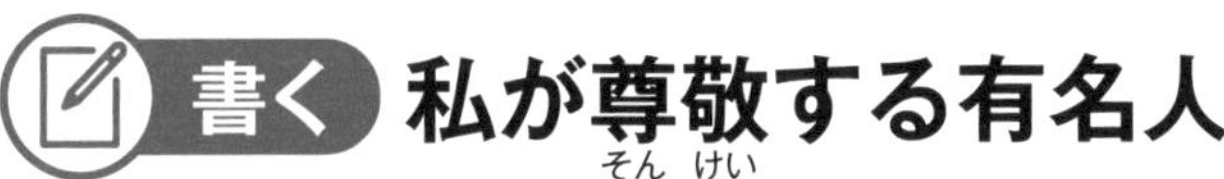

書く　私が尊敬(そんけい)する有名人

- プロフィールや伝記(でんき)を読んで、その人物についてわかる
- 人物紹介(しょうかい)文が書ける

話す　新しい出会い

聞く　アメリカ人留学生から見た日本

- これからお世話になる人に自己(じこ)紹介ができる
- 話が続けられる（雑談(ざつだん)ができる）

日本を代表する有名人

読む前に・読んだ後で

読み物1 アニメ映画監督 宮崎駿

読む前に

1. あなたはどんなアニメを見たことがありますか。

2. あなたの国で、日本のアニメは人気がありますか。

読んだ後で

3. 宮崎監督についてわかったことを、下の単語を使って話しましょう。

[アカデミー賞　環境問題　厳しい　芸術的]

4. あなたの国で宮崎監督の作品は人気がありますか。どうしてだと思いますか。

 読み物2　ノーベル賞を取った研究者 山中伸弥教授

読む前に

1. ノーベル賞を取った人をだれか知っていますか。何をした人ですか。

2. あなたの国で尊敬されている人はどんな人ですか。

読んだ後で

3. 山中教授についてわかったことを、下の単語を使って話しましょう。

　［ iPS細胞　　ノーベル賞　　目標　　尊敬 ］

4. ノーベル賞を取るために必要なものは何だと思いますか。

5. ノーベル賞を取った人のエピソードを何か知っていますか。

読み物1 アニメ映画監督 宮崎駿

宮崎駿監督

1.Yomimono_L1-1

日本のアニメ映画の監督といえば、やはり宮崎駿だ。「千と千尋の神隠し」は、彼の作品の中で特に人気がある。これは2003年にアカデミー賞を取った映画だ。アニメに興味がある人なら、「もののけ姫」や「となりのトトロ」も見たことがあるかもしれない。彼のアニメのストーリーには環境問題のメッセージがあって、大人も考えさせられるものが多い。

宮崎監督は、髪とひげが白くて、黒いふちのメガネをかけている。笑顔の監督は優しそうに見えるが、映画を作る時にはとても厳しくなる。例えば、自分が言うとおりに描けるまでスタッフに何度も絵を直させる。スタッフが描いた肉の絵を見て、「この肉はゴムのようだ。かたいのか、やわらかいのか、考えて描きなさい」と怒ったこともあるらしい。また、たった4秒のシーンを1年以上かけて作ったこともあるそうだ。

「はずかしい作品は作りたくない」と監督は言っている。だから、いい作品を作るために、朝から晩までほとんど休まないで仕事をする。昼ご飯と晩ご飯も5分で食べる。テレビや趣味に大切な時間を使わない。若い時は、朝9時から次の日の朝5時まで仕事をしていたそうだ。このように自分にも厳しいから、美しくて芸術的なアニメが作れるのだ。

絵もストーリーもすばらしい彼の作品は、いつまでも世界中で愛され続けるだろう。

プロフィール紹介

1941年東京生まれ。子どもの時から絵が得意で、マンガを読むのも描くのも大好きだった。高校の時にアニメ映画を見たのがきっかけで、アニメにも興味を持つようになる。大学卒業後、アニメ作家になるためにアニメ会社に就職。その後、多くのアニメ作品を発表してベルリン国際映画祭などにも出品。2014年には、日本人で2人目のアカデミー名誉賞を受賞した。

読み物2　ノーベル賞を取った研究者　山中伸弥(やまなかしんや)教授

山中教授

1Yomimono_L1-2

「iPS細胞(さいぼう)」という言葉を聞いたことがありますか。iPS細胞というのは、体のいろいろな部分になることができる細胞です。近い将来、iPS細胞で難しい病気の人を助けられるようになる[7]と考えられていて、「夢の細胞」とも言われています。この細胞を作ったのが、研究者の山中伸弥(やまなかしんや)教授です。彼は2012年、50歳の時に、iPS細胞の研究でノーベル賞を受賞しました。

山中教授は1962年生まれで、出身は大阪(おおさか)です。彼は学生時代に柔道(じゅうどう)やラグビーをしていて、何回もけがをしました。そのことがきっかけで[6]、けがをした人を助けられる医者になろうと決心しました。しかし、病院で働き始めた時、病気をなおすための[5]方法がなくて苦しんでいる人がたくさんいるのを知って、ショックを受けました。それが、医者をやめて研究をしようと思った理由の一つだったそうです。

山中教授は明るい性格でおもしろい人です。講演では必ず1回は笑わせるようにしている[8]そうです。例えば、医者だった時にした手術の話があります。患者(かんじゃ)は山中教授の友人でした。15分ほどの簡単な手術だったのですが、山中教授は手術が苦手なので、1時間以上かかってしまいました。それで、手術中の友人に「すまん」とあやまりました。声が聞こえた友人は、「すまんって……」と不安になったそうです。

教授によると[9]、「人生の目標は、iPSの技術をベッドサイドに届(とど)けて、多くの患者を救(すく)うこと」だそうです。教授がアメリカ留学中に学んで大切にしている「VW」という言葉があります。これは、研究で結果を出すために[5]はV(Vision)とW(Work hard)、つまり、「目標を決めてがんばる」ことが必要だという意味です。「9回失敗(しっぱい)しないと1回成功(せいこう)しない。失敗するのは、はずかしいことではない」という言葉どおり[3]、山中教授はiPS細胞ができるまで決して研究をやめませんでした。これが、彼が多くの人に尊敬されている理由なのかもしれません。

読みのストラテジー ❶

名詞修飾 Noun modification

めいし しゅうしょく

Sentences that contain noun-modifying clauses are much easier to decipher if you're able to accurately parse their structure. The key here is to understand where the noun-modifying clause starts and ends.

ストラテジー

- Noun-modifying clauses always come before the modified noun, and their predicate is in the plain form. If you find a verb right before a noun, it is very likely the end of a noun-modifying clause.
- The subject of a noun-modifying clause is typically marked with が rather than は, so look for a が that might help you figure out where the noun-modifying clause starts.

1 名詞修飾部を見つける Identifying the noun-modifying clause

(a) 田中さんは　パーティーで　日本語を　**勉強している**　人に会った。 (Noun: 人)

(b) 田中さんは　パーティーで　**日本語を**　**勉強している**　人に会った。

・勉強している is a plain-form verb placed right before the noun 人, so we know that it is the predicate of a noun-modifying clause.

・日本語を is the object of 勉強している, so it has to be part of the noun-modifying clause. What about the パーティーで before that? Since parties aren't usually an occasion for studying Japanese, we can assume that it is not part of the noun-modifying clause.

2 助詞「が」に注目する Using the particle が as a clue

(a) 母は 作ったケーキ を食べた。　→「食べた」人＝母。「作った」人は？

(b) 母が 作ったケーキ を食べた。　→「作った」人＝母。「食べた」人は？

・Since the particle in 母は is は, we can tell that 母 is the subject of the entire sentence predicated by 食べた. As the subject of 作った is omitted, we can assume that it is the same as the subject of the sentence, meaning 母 is also the subject of 作った.

・Here, the particle used with 母 is が, which means 母 is the subject of a noun-modifying clause whose predicate is 作った. Since the subject of 食べた has been left out, it is likely "I," the person making the statement.

「肉の絵」を修飾する部分はどこからどこまでか。また「描いた」と「見て」の主語はだれか。

Where does the clause modifying 肉の絵 start and end? What is the subject of 描いた, and of 見て?

(読み物１：行 8～10)

スタッフが描いた肉の絵を見て、「この肉はゴムのようだ。かたいのか、やわらかいのか、考えて描きなさい」と怒ったこともあるらしい。

読みのストラテジー❷

指示詞(しじし) Demonstrative words

Words starting with こ, そ or あ that serve as simple substitutes for other words (such as これ / それ / あれ, この / その / あの, and ここ / そこ / あそこ) are called demonstrative words. Once you determine the referent of a demonstrative word in a sentence, you'll have an easier time understanding how that sentence relates to the preceding one.

ストラテジー

- In most cases, demonstrative words point to something that closely precedes them in the text, so when you need to figure out what a demonstrative word is referring to, carefully scan the words that come before it. Once you think you've found the referent, test it by seeing whether the sentence makes sense when that word or phrase is used in place of the demonstrative word.
- Keep in mind that demonstrative words sometimes refer to an idea encapsulated in longer text, such as the entire preceding sentence or paragraph.

1 「それ」が指(さ)すものを見つける Identifying the referent of それ

週末、カレーを食べた。それは、彼女が初めて作ってくれた料理だった。

(a) それは、彼女が初めて作ってくれた料理だった。 それ = 料理

↓

(b) 週末、カレーを食べた。それは、彼女が初めて作ってくれた料理だった。 料理 → カレー

↓

(c) 週末、カレーを食べた。カレーは、彼女が初めて作ってくれた料理だった。 それ = カレー

- In the sentence (a), the portion 彼女が初めて作ってくれた is a clause modifying 料理. This means that the main part of this sentence is それは料理だった, and thus we know that the referent of それ is some form of 料理.
- Search for words associated with 料理 that precede それ. カレー seems to be the best choice. (b)
- Next, test it out by replacing それ with カレー. (c)
  The sentence makes sense, so we can safely assume that カレー is the referent.

2 指示詞(しじし)が文を指(さ)す場合(ばあい)もある Sometimes the demonstrative word refers to the preceding sentence

昨日(きのう)カラオケに行った。その時、好きなアニメソングを歌った。

「それ」が指(さ)すものは何か。What does それ refer to in the following? (読み物2：行11～15)

病院で働き始めた時、病気をなおすための方法がなくて苦しんでいる人がたくさんいるのを知って、ショックを受けました。それが、医者をやめて研究をしようと思った理由の一つだったそうです。

文型・表現ノート

2.Bunkei_L1

1. Nといえば 〈speaking of N; N reminds me . . .〉

[読み物1-行1]

A：夏休みに札幌(さっぽろ)に行くんだ。
I'm going to Sapporo during the summer break.

B：へえ。札幌**といえば**、やっぱりビールだよね！
Oh, (that reminds me) beer from Sapporo is so good!

1 世界で人気がある日本料理**といえば**、すしだろう。

2 先生　：みなさん。難しい外国語**といえば**、何語だと思いますか。
学生A：中国語だと思います。
学生B：私はギリシア語だと思います。

3 A：冬休みに温泉(おんせん)に行くんです。
B：いいですね。日本の冬**といえば**、温泉ですよね。

Nといえば

・Nといえば X states the speaker's opinion that X is the first thing that comes to his/her mind when he/she thinks of N.

・This structure is also used when a speaker quotes a part of the statement made by their conversation partner in order to bring up a new—but related—topic (e.g., "speaking of which," "speaking of N").

2. ～なら

1 ～なら 〈if ~ is the case〉

[読み物1-行3]

A：ちょっと図書館に行ってくるね。
I'm going to the library. I'll be right back.

B：図書館に行く**なら**、この本を返(かえ)してきてくれない？
If you're going to the library, can you return this book (for me)?

1 パク：将来、日本で働きたいんです。
青山(あおやま)：日本で働きたい**なら**、敬語を勉強しておいたほうがいいよ。

2 A：今晩カラオケに行かない？
B：行きたいけど、明日までにレポートを書かなきゃいけないし、宿題もあるし……。
A：忙しい**なら**、しかたがないね。また今度。

3 A：文法の試験でいい成績が取れないんです。
B：文法が苦手(にがて)**なら**、この本を使ってみたらどうですか。

④ A：（ゴホ、ゴホ）のどが痛いなあ。

B：風邪(かぜ)**なら**、この薬(くすり)を飲んでみて。すぐよくなるよ。

- X なら Y is used to request or advise Y, while stating X as a basis for the request/advice.
- Typically, X takes a statement previously made by the conversation partner or the condition he/she is in, and Y is the speaker's request or advice.

2 N なら 〈as for N〉

A：さくら病院はどこですか。

Where is Sakura Hospital?

B：さくら病院**なら**、あのビルのとなりですよ。

Sakura Hospital is next to that building.

⑤ 学生　：すみません、川村(かわむら)先生はいらっしゃいますか。

事務員(じむいん)：川村先生**なら**、もうお帰りになりましたよ。

N なら

- N なら establishes N as a topic by directly quoting the noun previously mentioned by someone else.

3 N なら 〈N in contrast to something else〉

A：えんぴつ、貸してくれない？

Can I borrow a pencil?

B：ごめん、持ってないんだ。ペン**なら**あるんだけど。

Sorry, I don't have one with me. I have a pen (instead).

⑥ A：明日、時間がありますか。

B：えーと、午前は忙(いそが)しいんですが、午後**なら**大丈夫(だいじょうぶ)です。

N なら

- The structure N なら Y makes a statement about N in comparison to other items.
- Y usually takes a positive comment.

3. 〜とおり(に)／Nどおり(に) 〈as〉

[読み物1-行8
読み物2-行31]

A：昨日の試合、思ったとおりブラジルが勝ったね。
Brazil won the soccer game last night, as we thought.

B：うん。やっぱりブラジルは強いね。
Yeah, Brazil really is strong.

1 私が言う**とおりに**作ったら、おいしいカレーができますよ。

2 A：来週、仕事の面接があるんだ。初めてだから心配で……。
B：先輩が教えてくれた**とおりに**準備すれば、大丈夫だよ。

3 ジョージ：中村先生って、どんな先生か知ってる？
サラ　　：うん。昨日初めてお話ししたんだけど、うわさで聞いていた**とおり**、優しい先生だったよ。

4 計画**どおりに**仕事をするのは難しい。

V る／ V た とおり(に)
N どおり(に)

- X とおり(に) means "exactly the same way as X." とおり(に) is used when X is a verb, and どおり(に) is used when X is a noun.
- X can be instructions (e.g., "if you make [curry] *following the directions I give you*" in 1), or a source of information (e.g., "just as I heard in a rumor").
- Common verbs used in X are verbs that express one's opinion and/or statement, such as 言う, 話す, 聞く, 思う and 考える. Some examples of nouns used in X are 予定, 計画, 希望, 想像, 予想, 練習, レシピ and マニュアル.
- The particle に can be used only when X とおり/どおり explains the manner in which the action expressed by the following verb is performed (as shown in 1, 2 and 4). In other cases, に should be omitted (3).

4. 〜らしい

[読み物1-行10]

1 〜らしい 〈it seems that ~〉

A：ジブリ美術館に行ったことある？
Have you been to the Ghibli Museum?

B：ううん。でも、友達が言ってたんだけど、すごく楽しい**らしい**よ。
No, but my friend told me about it, and it seems like it's a lot of fun.

1 研の話では、ジョージは日本人の彼女がいる**らしい**。

2 ジョージ：寮に引っ越してくる日本人のこと、聞いた？
ジフン　：うん。うわさによると、文学部の3年生**らしい**よ。

3 A：「マウント」っていう喫茶店、行ったことある？
B：うん。あそこのケーキ、おいしいよね。
→ C：(上の会話を聞いて、心の中で)
「マウント」っていう喫茶店のケーキはおいしい**らしい**。

4 A：ホラー映画を見に行きませんか。

B：私、ホラーはちょっと……。

→ C：（上の会話を聞いて、心の中で） Bさんはホラー映画が嫌(きら)い**らしい**。

普
*なAだ
*Nだ
} らしい

- ～らしい is used to convey information the speaker learned from another source by reading or hearing about it.
- ～らしい and ～そうだ for hearsay can be used interchangeably.

例）研(けん)の話では、ジョージは日本人の彼女がいる**らしい／そうだ**。 （1）

- However, while ～そうだ is used to report exactly what the original source stated, ～らしい includes inferences made by the speaker as well.
- When the source of the information is judged to be unreliable (such as the rumor used in 2), ～らしい is more commonly used than ～そうだ.
- ～らしい is also used when the speaker did not hear the original statement directly from the source (such as the case in 3) or the speaker did not hear explicit statement (as in 4), but the speaker makes an inference based on what he/she heard.

2 （～は）N らしい 〈~ is the epitome of N; ~ is a perfect example of N〉

A：今日は暖(あたた)かくて、春**らしい**ね。

It's warm today just how spring should be.

B：もうすぐ４月だからね。

Yeah, as it will be April soon.

5 梅雨(つゆ)のイメージ＝「雨の日が続く」

A：最近、雨が降(ふ)らないね。

B：本当に全然(ぜんぜん)梅雨**らしくない**よね。毎年、この季節(きせつ)は雨の日が続くのに。

6 子どものイメージ＝「勉強より遊(あそ)ぶほうが好きだ」

a）将(しょう)くんはいつも元気に遊んでいて、子ども**らしい**。

b）愛(あい)ちゃんはいつも一人で難しい本を読んでいて、あまり子ども**らしくない**。

N らしい

- （X は）N らしい states that X possesses characteristics typical of N.

5. ～ために／～ための N

[読み物 1- 行 13-22
読み物 2- 行 12-27]

1 ～ために 〈in order to do〉

A：どうして日本に来たんですか。

Why did you come to Japan?

B：日本語と日本文化を勉強する**ために**来ました。

To study Japanese language and Japanese culture.

1 彼は旅行に行く**ために**、アルバイトをしています。

2 A：昔のレコードを聞く**ために**レコードプレーヤーを買ったんだ。
B：いいね。今度聞かせて。

3 A：いつも漢字の勉強をしていますね。
B：ええ、漢字を覚(おぼ)える**ために**は、毎日少しずつ勉強するのが一番なんです。

V_1る ために V_2

- V_1る ために V_2 means, "V_2 in order to V_1."
- V_1 and V_2 in this structure take the same subject.
- Both verbs must be verbs that express one's will; verbs in the potential form or stative verbs cannot be used in this structure.

例 1) × 漢字が覚(おぼ)えられるために、毎日 100 回練習(れんしゅう)している。
○ 漢字を覚えるために、毎日 100 回練習している。

I'm practicing kanji 100 times every day to memorize them.

例 2) × 黒板(こくばん)の字が見えるために、前に座(すわ)った。
○ 黒板の字を見るために、前に座った。

I sat in the front to see the writing on the blackboard.

2 ～ための N 〈N for ~ing〉

A：それ、何のアプリ？

What is that app?

B：音楽を聞く**ための**アプリだよ。

It's an app for listening to music.

4 A：高校を卒業した後、どうするつもりですか。
B：デザイナーになる**ための**学校に行くつもりです。

5 図書館は勉強したり、本を読んだりする**ための**場所だ。

6 お見合(みあ)いパーティーは、結婚したい人がパートナーを探(さが)す**ための**パーティーだ。

V る ための N

- When a noun follows V る ため , の is used in front of the noun.

6. ～がきっかけで 〈being motivated by ~; for the initial reason of ~〉

[読み物1-行21
読み物2-行10]

サラ：絵理(えり)って、ジョージと友達(ともだち)なの？
Eri, are you friends with George?

絵理：うん。サークルの飲み会**がきっかけで**仲(なか)よくなったんだ。
Yeah, I initially met him at a party for my club, then we became friends.

1 子どもの頃(ころ)、日本のアニメを見たの**がきっかけで**、日本語を勉強し始めた。

2 英会話学校でアルバイトをしたこと**がきっかけで**、将来日本で英語を教える仕事がしたいと思うようになった。

3 A：どうしてジョギングを始めたんですか。
B：実(じつ)は、医者に言われたの**がきっかけで**、走るようになったんです。

N
V たの／こと } **がきっかけで**

- X がきっかけで Y means that X is the reason or triggering factor that started Y. X can be a noun, or a verb in past tense followed by の or こと .
- X typically represents an event or an action that served as a turning point, and Y conveys some change from the time prior to the occurrence of X (e.g., new opinion, action, habit, etc.).

★ 7. ～ようになる 〈come to do; begin to do〉

[読み物1-行21
読み物2-行4]

研(けん)　　：何がきっかけで、絵理(えり)と話す**ようになった**の？
What was originally the reason you started to talk to Eri?

ジョージ：うーん、サークルの飲み会がきっかけだったかな。
Hmm, I think it was the party for our club.

1 日本語の勉強を始めてから、日本語でマンガを読む**ようになりました**。(＝前は読まなかった)

2 A：大学に入ってから、何か変わったことってある？
B：自分でお弁当(べんとう)を作る**ようになった**よ。
高校の時までは母が作ってくれていたんだけど……。

3 日本語の新聞が少しずつ読める**ようになった**。(＝前は全然(ぜんぜん)読めなかった)

4 A：書道を習い始めたそうですね。
B：ええ。きれいな字が書ける**ようになり**たかったので。

5 上手にスピーチができる**ようになる**ために、スピーチクラブに入った。

Vる ようになる

- ～ようになる expresses a change. When the verb is in dictionary form, as in 1 and 2, it means the subject of the sentence previously did not do the action but came to do it habitually. When the potential form of verb is used, as seen in 3 through 5, it expresses that the action was not possible before, but now is.
- Since the structure ようになる expresses a change, verbs that inherently describe a change (e.g., 太る(ふと), やせる, 慣れる(な), 増える(ふ)) cannot be used with this structure.

例) × 最近よく運動しているから、少しやせるようになった。
　　○ 最近よく運動しているから、少しやせた。
　　I lost a little weight because I've been exercising recently.

☛ ～ないようになる and ～なくなる 〈cease to do〉

Both structures are used when the subject no longer does something that he/she used to do. However, ～なくなる is more common.

例) ○ 大学に入ってから、全然テレビを見なくなった。
　　Since I started college, I ceased to watch TV.
　? 大学に入ってから、全然テレビを見ないようになった。

8. ～ようにする 〈make a point of ~ing; make sure to do〉

[読み物 2- 行 17]

A：昨日(きのう)の夜、音楽がうるさかったんだけど……。
Your music was loud last night . . .

B：ごめん。これからはヘッドフォンを使う**ようにする**よ。
I'm sorry—I'll make sure to wear headphones next time.

1 先生：スミスさん、今日も授業に遅れましたね。
　学生：すみません。明日から遅れない**ようにします**。

2 また電車にかさを忘れてしまった。今日で５回目なので、もう忘れない**ようにしたい**。

3 a) 日本語が上手になりたいので、友達(ともだち)と日本語で話す**ようにしてい**ます。
　b) 日本語が上手になりたいので、友達と英語で話さない**ようにしてい**ます。

4 A：体にいいことって、何かしている？
　B：そうだなあ。なるべく毎日、運動する**ようにしている**よ。

Vる／Vない ようにする

- ～ようにする means that the subject of the sentence *will* be making a conscious effort to do (or not to do) something.
- ～ようにしている, on the other hand, means that the subject of the sentence *currently* is making an effort to do (or not to do) something. Verbs in this construction are typically used for habitual actions, and verbs that express one-time action (such as 入る in the example below) cannot be used.

例) × 友達を作りたいので、サークルに入るようにしている。(入る＝一回だけ)
　　○ 日本人の友達を作りたいので、毎日サークルの練習(れんしゅう)に行くようにしている。
　　As I want to make Japanese friends, I make a point of going to club practice every day.

9. Nによると〈according to N〉

[読み物2-行24]

A：今朝の地震（じしん）、すごかったですね。
The earthquake this morning was really strong.

B：ニュース**によると**、８人の方がなくなったそうですよ。
According to the news, eight people died in it.

1 天気予報（よほう）**によると**、明日は雨が降（ふ）らないそうだ。

2 ジョージの話**によると**、研（けん）の彼女は英語がペラペラらしい。

3 フランス出身のサラ**によると**、日本のコンビニはとても便利（べんり）らしい。

Nによると
- This structure is used when conveying information gained from another source and to make the source of the information clear.
- そうだ or らしい is often used at the end of the sentence.

私が尊敬(そんけい)する有名人

1 モデル作文

尊敬する有名人を紹介する。

努力(どりょく)の人 イチロー

❶ はじめに 尊敬する人はだれか

　私が尊敬する有名人は野球選手(やきゅうせんしゅ)だったイチローだ。愛知県(あいちけん)出身で、日本のプロ野球で10年プレーした後、アメリカのメジャーリーグの選手になった。

❷ どんな人か

　イチローは、努力(どりょく)と結果で人々を感動させるすばらしい選手だった(a)。「今、どんな練習(れんしゅう)が、どのくらい必要なのか」といつも考えていたらしい(b)。自分に厳(きび)しくて、練習を休むのは年に数日(すうじつ)だけだったそうだ(b)。イチローは「小さいことでもがんばって続けていけば、大きなゴールに着く」と言っている。2016年にはプロになってから打(う)ったヒットの数(かず)が4,300本を超(こ)え、世界最多記録(さいたきろく)になった。それに、守るのも上手でゴールドグラブ賞を10回も取っている。2019年に引退(いんたい)を発表したが、きっと彼の記録はこれからも長い間残るだろう。

❸ まとめ どうして尊敬できるのか

　イチローは、結果を出すまで決してあきらめなかったし、いつもチャレンジし続けていた。努力を続けて結果もきちんと出したところが本当に尊敬できる。

単語 努力(どりょく) effort　選手(せんしゅ) player　愛知県(あいちけん) Aichi prefecture (Chubu area)　数日(すうじつ) several days　打(う)つ to strike　超(こ)える to be over　記録(きろく) a record　引退(いんたい) retirement　残(のこ)る to remain　きちんと properly

■ 書くポイント

1. どんな人か説明する時に名詞修飾(めいししゅうしょく) (noun modification) を使う。…… (a)

(行5) イチローは、努力(どりょく)と結果で人々を感動させる すばらしい 選手(せんしゅ)だった。

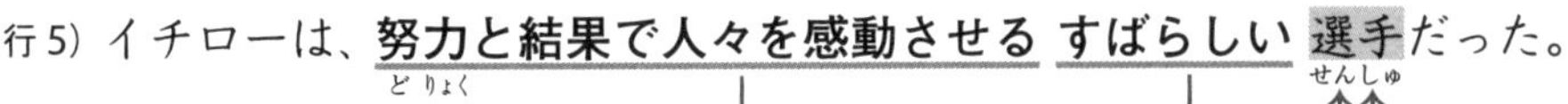

2. 調べたことを引用(いんよう)する (quote) 時は「(~によると)~そうだ」や「らしい」を使う。…… (b)

(行6) (イチローは)「今、どんな練習(れんしゅう)が、どのくらい必要なのか」といつも考えていた**らしい**。

(行7) (イチローは) 自分に厳(きび)しくて、練習を休むのは年に数日(すうじつ)だけだった**そうだ**。

2 タスク

■ 書く前に

(1) あなたが尊敬する有名人はだれですか。

(2) その人はどんな人ですか。

(3) その人をどうして尊敬しているのですか。

■ 書いてみよう

下の文法や表現(ひょうげん)を使って、「私が尊敬する有名人」という題で作文を書きなさい。(300~400字)

・名詞修飾(めいししゅうしょく)
・「(~によると) ~そうだ」「らしい」

新しい出会い

はじめまして

1-1 やってみよう

1）これからお世話になる人に自己紹介（じこ）する時、何を話しますか。どんな質問をしますか。また、手みやげをわたす (give a small present) なら何をわたしますか。下にメモしなさい。

① 自己（じこ）紹介で何を話す？

② どんな質問をする？

③ どんな手みやげをわたす？

2）1）で考えたことを使って、ロールプレイをしなさい。

カジュアルな会話

A あなた（新入生）	B Aの新しいルームメート
新しいルームメートに 自己（じこ）紹介しなさい。	Aさんの話を聞いて 対応（たいおう）しなさい (respond)。

1-2 聞いてみよう

🎧 3.Kaiwa_L1-1

1）モデル会話を聞いて、下の質問に答えなさい。

① ジョージの出身はどこですか。

② ジョージは何学部ですか。

③ ジョージは研(けん)に何をあげましたか。

2）ジョージは初めて会った研に何と言っていましたか。

① 自己紹介する時

ジョージ・テイラー ＿＿＿＿＿＿＿＿ 。ジョージ ＿＿＿＿＿＿＿＿

＿＿＿＿＿＿＿＿ 。……これから１年間、＿＿＿＿＿＿＿＿ 。

② 手みやげをわたす時

あの、これ、＿＿＿＿＿＿＿＿＿＿＿＿ んだけど、

シアトルで＿＿＿＿＿＿＿＿＿＿ です。

ここにも注目

▶「ちなみに」

前に言ったことに、情報(じょうほう) (information) を付(つ)け加(くわ)える (add) 時に使います。

例1 「佐藤(さとう)」という名前は日本で一番多い。ちなみに、このクラスにも「佐藤さん」は３人いる。

例2 A：今日雨が降(ふ)ると思う？

B：天気予報(よほう)によると、雨だって。ちなみに、今週はずっと雨だって。

▶ 初めて会った人と話す時

初めて会った人と話す時、その人が自分と同じくらいの年でも、初めは「です・ます体」で話したほうが丁寧(ていねい) (polite) です。そして仲(なか)よくなったら、だんだん (gradually) カジュアルな話し方をします。

例 A：ここ、座(すわ)ってもいいですか。

B：どうぞ。あの、国際学部の学生ですか。

A：はい。国際学部の２年生です。

B：えっ、私も国際学部の２年！ じゃあ、田中(たなか)先生の授業、取(と)ってる？

A：うん。あの先生、怖(こわ)いよね？

書く

話す

新しい出会い 会話1

1-3 モデル会話

3.Kaiwa_L1-1

カジュアルな会話

新しいルームメート

ジョージ・テイラー（ジ:）が、寮(りょう)で日本人学生の本田研(ほんだけん)（研:）に初めて会う。

研:　〈ノックの音〉はい、どうぞ。

ジ:　❶ **はじめまして。**

研:　あ、もしかして新しいルームメートの？

ジ:　はい。ジョージ・テイラー**って言います**。ジョージ**って呼(よ)んでください。**
アメリカのシアトル**出身です。** ❷ **これから１年間、お世話(せわ)になります。**
よろしくお願(ねが)いします。

研:　こちらこそ、よろしく。本田研です。

ジ:　❸ **何て呼んだらいいですか。**

研:　研でいいよ。

ジ:　❹ 研は何年生ですか。

研:　３年生。ちなみに、国際学部です。

ジ:　えっ、僕(ぼく)も国際学部の３年生！

研:　偶然(ぐうぜん)だね。何かわからないことがあったら、いつでも僕に聞いて。

ジ:　ありがとう。…… ❺ **あの、これ、たいしたものじゃないんだけど、**シアトルで
有名なコーヒー豆(まめ)です。

研:　わあ、ありがとう。僕、コーヒー、大好きなんだ。

ジ:　❻ **喜(よろこ)んでもらえてよかった。**

研:　じゃあ、早速(さっそく)コーヒーいれるから、飲みながらゆっくり話そうよ。

ジ:　うん。

単語　もしかして by any chance　お世話(せわ)になります Thank you in advance for taking care of me.
ちなみに for your information; incidentally　国際学部(こくさいがくぶ) department of international studies
偶然(ぐうぜん) coincidence　たいしたものじゃないんだけど it's nothing special but
コーヒー豆(まめ) coffee beans　早速(さっそく) right now; right away

フローチャート

あなた：自己紹介する	新しいルームメート：自己紹介する

パートA

❶ 名前と出身を言う
はじめまして。ジョージ・テイラーって言います。
ジョージって呼んでください。
アメリカのシアトル出身です。

❷ あいさつをする
これから（1年間）、お世話になります。
よろしくお願いします。

　　こちらこそ、よろしく。本田研です。

❸ 呼び方を聞く
何て呼んだらいいですか。

　　研でいいよ。

❹ 質問する
研は何年生ですか。

　　3年生。ちなみに、国際学部です。

パートB

❺ 手みやげをわたす (give a small present)
あの、これ、たいしたものじゃないんだけど、
シアトルで有名なコーヒー豆です。

　　わあ、ありがとう。
　　コーヒー、大好きなんだ。

❻ 喜んでもらえてうれしいと言う
喜んでもらえてよかった。

1-4 練習しよう(れんしゅう)

▶ のパターンを使って話してみましょう。

パートA ❶ 名前と出身を言う → ❷ あいさつをする → ❸ 呼び方を聞く → ❹ 質問する

あなた： ❶ **はじめまして。○○って言います。○○って呼んでください。**
　　　　アメリカ　の　シアトル　**出身です。**
　　　　❷ **これから（1年間）、お世話になります。よろしくお願いします。**
ルームメート： こちらこそ、よろしく。○○です。
あなた： ❸ **何て呼んだらいいですか。**
ルームメート： ○○でいいよ。
あなた： ❹ [　質問する　]。
ルームメート： [　答える　]。

1. 新しいルームメートに自己紹介しなさい。

2. 「1-1. やってみよう」の 1) ① ② (p. 18) で考えたことを使って話してみよう。

パートB ❺ 手みやげをわたす (give a small present) → ❻ 喜んでもらえてうれしいと言う

あなた： ❺ **あの、これ、たいしたものじゃないんだけど、** シアトルで有名な
　　　　コーヒー豆　**です。**
ルームメート： ありがとう。○○、大好きなんだ。
あなた： ❻ **喜んでもらえてよかった。**

1. 「1-1. やってみよう」の 1) ③ (p. 18) で考えたことを使って話してみよう。

☛ ペアを変えて、パートA と パートB を続けてやってみましょう！

フォーマルな会話にチャレンジ！

1 ロールプレイをやってみよう

A あなた

新しい先生に自己紹介しなさい。

B Aの新しい先生

Aさんの話を聞いて対応しなさい (respond)。

2 練習しよう

パートA

あなた：❶はじめまして。○○と申します。＿アメリカ＿の＿シアトル＿から
まいりました。❷これから（1年間）、お世話になります。
どうぞよろしくお願いいたします。
先生：こちらこそ、よろしくお願いします。○○です。
あなた：❹［　質問する　］。
先生：［　答える　］。

▶新しい日本語の先生に自己紹介をしなさい。

パートB

あなた：❺あの、これ、たいしたものではないんですが、＿シアトルで有名な
コーヒー豆＿です。
先生：ありがとうございます。○○、大好きなんです。
あなた：❻喜んでいただけてうれしいです。

▶先生に、あなたの国から持ってきた手みやげ (small present) をわたしなさい。

ペアを変えて、パートA と パートB を続けてやってみましょう！

会話2 友達(ともだち)とのおしゃべり

2-1 やってみよう

1）休み時間や授業が始まる前に友達(ともだち)にどのように話しかけますか。下にメモしなさい。

① はじめの一言(ひとこと)は？

② 話したい話題(わだい)（topic）は？

2）1）で考えたことを使って、ロールプレイをしなさい。

カジュアルな会話

A あなた	B Aの友達(ともだち)
朝、友達(ともだち)に会いました。 話しかけて、話を続けなさい。	朝、友達に会いました。 話を続けなさい。

読む

2-2 聞いてみよう

3.Kaiwa_L1-2

1）モデル会話を聞いて、下の質問に答えなさい。

① 今日はどんな天気ですか。

② ジョージは週末、どこに行きましたか。

③ メイリンは週末、何をしましたか。

書く

話す

新しい出会い 会話2

2）話題（わだい）を変える時、ジョージとメイリンは何と言っていましたか。

① メイリンが話題を「天気」から「週末」に変える時

……もうすぐ10月なのに、信じられない。

本当。＿＿＿＿＿＿＿＿＿＿、週末は何してたの？

② メイリンがジョージの答えについて、もっとくわしく聞いた時

そうそう。

いいなあ。＿＿＿＿＿＿＿＿＿＿、どうだった？

聞く

ここにも注目

▸「～なきゃ」

「～なければいけません」は、カジュアルな会話では「～なきゃ」になります。

例1 もっと野菜（やさい）を食べなければいけません。 → もっと野菜を食べなきゃ。

例2 明日、早く起きなければいけません。 → 明日、早く起きなきゃ。

例3 勉強しなければいけません。 → 勉強しなきゃ。

▸「天気」

「天気」という言葉の使い方に気をつけましょう。「いい天気」とは言いますが、「悪い天気」「寒（さむ）い天気」「暑（あつ）い天気」とは言いません。

例1 ×悪い天気 → ○天気が悪い　○いい天気／天気がいい

例2 ×寒い天気／暑い天気 → ○（今日は）寒い／暑い

2-3 モデル会話

3.Kaiwa_L1-2

カジュアルな会話

授業の前に

授業の前にジョージ（ジ:）がメイリン（メ:）に話しかける。

ジ: メイリン、おはよう。

メ: おはよう。❶今日も朝から**むし暑**(あつ)**いね。**

ジ: そうだね。もうすぐ10月なのに、信じられない。

メ: 本当。❷**ところで**、週末は何してたの？

ジ: 友達(ともだち)と東京(とうきょう)に行ったんだ。

メ: えっ、そうだったの？❹**で**、どこに行ったの？

ジ: ジブリ美術館(びじゅつかん)。

メ: え、あの宮崎監督(みやざきかんとく)の？

ジ: そうそう。

メ: ❸いいなあ。❹**それで**、どうだった？

ジ: 宮崎監督が描(か)いた本物の絵があって感動したよ。

メ: へえ。他(ほか)にはどんなものがあるの？

ジ: 15分ぐらいのオリジナル映画がすごくよかったよ。

メ: おもしろそう。私もいつか行きたいな。

ジ: ❺**ところで**、メイリンは週末、何をしてたの？

メ: 寮(りょう)の友達とぎょうざパーティーをしたんだ。いろんな国の人が住んでいるから、毎週順番(じゅんばん)に国の料理を作ってるの。

ジ: えー！ 今度、僕(ぼく)も行ってもいい？

メ: もちろん！ でも、食べるだけじゃなくて、ジョージも何か作ってね。

ジ: ……作らなきゃだめ？ 僕、食べるの専門(せんもん)がいいな。

単語 むし暑(あつ)い muggy　ジブリ美術館(びじゅつかん) Ghibli Museum (the animation and art museum of Studio Ghibli, the animation studio founded by Hayao Miyazaki)　ぎょうざ dumpling　順番(じゅんばん)に in turn　～専門(せんもん) specialized in ~

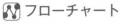

フローチャート

あなた：話を続ける	友達：話を続ける
❶ 天気の話で会話を始める 今日もむし暑いね。	
	そうだね。もうすぐ10月なのに、信じられない。
❷ 話題（topic）を変えて質問する 本当。ところで、週末は何してたの？	
	友達と東京に行ったんだ。 ジブリ美術館に行ったよ。
❸ コメントをする いいなあ。	

パートA

あなた：話を続ける	友達：話を続ける
❹ くわしく聞く それで、どうだった？	
	宮崎監督が描いた本物の絵があって感動したよ。
へえ。他にはどんなものがあるの？	
	オリジナル映画がすごくよかったよ。
	❺ 同じ話題の質問をする ところで、〇〇さんは週末、何をしてたの？
質問に答える	
	❸ コメントをする ❹ くわしく聞く

パートB

2-4 練習しよう（れんしゅう）

▶ 　　　　のパターンを使って話してみましょう。

パートA ❶天気の話で会話を始める → ❷話題（わだい）(topic) を変えて質問する → ❸コメントをする

あなた：❶ 今日もむし暑（あつ）いね 。
友達（ともだち）：そうだね。 もうすぐ10月なのに、信じられない 。
あなた：本当。❷**ところで、** 週末は何してたの ？
友達：ジブリ美術館（びじゅつかん）に行ったよ 。
あなた：❸ いいなあ 。

1. 友達に今日の天気の話をした後、今学期（こんがっき）取っている授業について聞きなさい。
2. 友達に今日の天気の話をした後、昨日（きのう）授業の後、何をしたかについて聞きなさい。
3. 「2-1. やってみよう」の 1) (p. 24) で考えたことを使って話してみよう。

パートB ❹くわしく聞く → ❺（友達が）同じ話題の質問をする

あなた：❹**それで、** どうだった ？
友達：宮崎監督（みやざきかんとく）が描（か）いた本物の絵があって感動したよ 。
あなた：へえ。[もっと質問する]。
友達：[質問に答える]。❺**ところで、** メイリンは週末、何をしてたの ？

1. 今学期取っている授業について、友達の答えを聞いて、もっと質問しなさい。
2. 昨日授業の後、何をしたかについて、友達の答えを聞いて、もっと質問しなさい。
3. 上の パートA の 3. の友達の答えを聞いて、もっと質問しなさい。

☛ ペアを変えて、パートA と パートB を続けてやってみましょう！

アメリカ人留学生から見た日本

聴解 1　ジブリ美術館

4.Chokai_L1-1

留学生のジョージとルームメートの研（けん）が「ジブリ美術館」について話しています。
会話を聞いて内容（ないよう）と合（あ）うものに○をつけなさい。

a.（　　）

休 館 日：火曜日
入場時間：
10 時・12 時・14 時・16 時
（予約（よやく）が必要です）
入場料金：
大人・大学生　1,000 円
高校・中学生　700 円

b.（　　）

休 館 日：火曜日
入場時間：
10 時・12 時・14 時・16 時
（予約（よやく）できません）
入場料金：
大人・大学生　1,200 円
高校・中学生　800 円

c.（　　）

休 館 日：火曜日
入場時間：
10 時・12 時・14 時・16 時・18 時
（予約（よやく）が必要です）
入場料金：
大人・大学生　1,000 円
高校・中学生　700 円

d.（　　）

休 館 日：火曜日
入場時間：
10 時・12 時・14 時・16 時・18 時
（予約（よやく）できません）
入場料金：
大人・大学生　1,200 円
高校・中学生　800 円

聴解 2　店員へのあいさつ

4.Chokai_L1-2

聞く前に

あなたはスーパーのレジで、店員にあいさつをしたり、店員と話したりしますか。

リスニング

アメリカ人留学生のジョージが、クラスで「店員へのあいさつ」というタイトルでスピーチをしています。スピーチを聞いて質問に答えなさい。

単語　変な顔をする to have a puzzled look　不思議に思う to wonder　様子を見る to watch

1. スピーチの内容に合うものに○、合わないものに×をつけなさい。

① (　　　) 店員はジョージにあいさつしなかった。

② (　　　) ジョージは店員にあいさつしなかった。

③ (　　　) ジョージはスーパーで「こんにちは」と言われた。

④ (　　　) 他の日本人は、店員に返事をしない。

⑤ (　　　) コンビニの店員の「こんにちは」にはあまり意味がないらしい。

2. ジョージがコンビニに行った時に、店員が変な顔をしたのはどうしてですか。

3. ジョージは、どうして店員にあいさつを返したほうがいいと思っていますか。

ディスカッション

1. あなたの国では、衣料品店 (clothing store)、スーパー、レストランなどの店員に、あいさつをしますか。

2. ジョージの意見に賛成ですか。反対ですか。

第2課

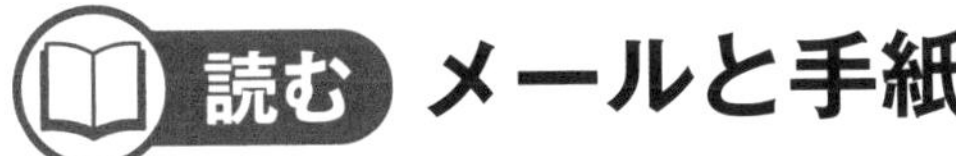

読む　メールと手紙

書く　お礼の手紙

- メールや手紙が書かれた目的がわかる
- お世話になった人にお礼の手紙が書ける

話す　先生とのやりとり

聞く　フランス人留学生から見た日本

- 丁寧にお願いができる
- お礼が言える

メールと手紙

読む前に・読んだ後で

 読み物1 留学先からのメール

読む前に

1. あなたはどんな時にメールを書きますか。

2. 友達（ともだち）へのメールと先生へのメールでは、何が違いますか。

読んだ後で

3. ジョージはメールのはじめにどんなことを書いていましたか。
日本語とあなたの母語では、メールのはじめに書くことに何か違いがありますか。

4. どんなインターンシップがしてみたいですか。どうしてですか。

5. あなたの国には、ある季節（きせつ）に食べる特別な料理がありますか。

 読み物2 先生への手紙

読む前に

1. あなたはどんな時に手紙を送りますか。

2. 今までで一番うれしかった手紙はどんな手紙ですか。

読んだ後で

3. ジョージの手紙の中でジョージのお礼(れい)の気持ちが感じられるのはどこですか。

4. あなたの国ではどんな時にお礼の手紙を書きますか。
お礼に何か物を贈(おく)った経験はありますか。

5. あなたの国には、ある季節(きせつ)に必ず行う習慣(しゅうかん)がありますか。どんな習慣ですか。

読み物 1　留学先からのメール

1.Yomimono_L2-1

ジョージがアメリカの大学の鈴木(すずき)先生にメールを書く。

宛先(あてさき)：鈴木礼子(れいこ)先生 <r.suzuki@nau.edu>

件名(けんめい)：推薦状(すいせんじょう)のお願い

鈴木先生

日本は冷たい風が吹き[1]、毎日寒いです。そちらは、雪の降る日が続いていると思いますが、お元気でいらっしゃいますか。私はやっと日本の生活に慣れてきて[2]、毎日楽しんでいます。お正月には初めておせち料理を食べました。ホストファミリーに一つ一つの料理の意味や作り方を教えてもらい[1]、和食についてもっと知りたくなりました。

さて、実は今日はお願いしたいことがあり[1]、メールしました。大学がある南山(みなみやま)市では、毎年春に留学生のインターンシッププログラムがあります。これは、市の国際交流課の仕事を手伝いながら、小・中学校やコミュニティーセンターで異文化交流イベントを毎週行うものです。イベントでは、料理や言葉など、自分の国の文化を町の人に教えるそうです。このようなプログラムは日本にいる時しか[3]経験できないし、将来就職する時にもきっと役に立つだろうと思ったので、申し込むことにしました[4]。

それで、お忙しいところ急なお願いなのですが、推薦状が必要なので書いていただけないでしょうか。申し込みの締め切り(しめきり)は1カ月後なので、2月上旬(じょうじゅん)までに送っていただければ大丈夫(だいじょうぶ)です。突然のメールで申し訳ありませんが、お返事をいただけるとうれしいです。よろしくお願いいたします。

風邪(かぜ)をひきやすい季節ですので、どうぞお体にお気をつけ[5]ください。

ジョージ・テイラー

georgetaylor@abcde.com

おせち料理の意味

❶ こぶ巻き：喜ぶことがある。
❷ くりきんとん：金をイメージしている。お金持ちになれる。
❸ 黒豆：黒く日焼けする (get a tan) まで、マメに働ける (work like a bee)。
❹ えび：えびのように、腰が曲がる (be bent with age) まで、長生きできる。

先生にメールでファイルを送る時

先生に添付ファイル (attachment file) を送る時には、必ずメッセージも書きましょう。
何も書かないで送るのは失礼です。

差出人：georgetaylor@abcde.com
宛先：nakamura@hokuto.ac.jp
件名：日本語 300 の宿題の作文 ◁ 件名にどんなファイルを送るか書く
添付：日本語 300 作文（テイラー）.docx ◁ 先生に送る時はファイル名に自分の名前を入れるとわかりやすい

中村先生

日本語 300 クラスのジョージ・テイラーです。
宿題の作文を添付でお送りします。
よろしくお願いいたします。

◁ メッセージには名前と何を送るかを書く

ジョージ・テイラー

このインターンシップは終わってしまいましたが、実は来月からボランティアで、別の国際交流活動を始める[9]ことになりました。今回のプログラムで友達になった人に誘われて、週に一度、小学生にアメリカの文化や習慣を教えます。このような機会ができたのも先生の[6]おかげです。本当にありがとうございました。つまらないものですが、こちらの大学のペンを一緒(いっしょ)にお送りします。[5]気に入っていただけたらうれしいです。

では、夏休みにそちらに帰った時に先生にまたお会いして、いろいろなお話ができるのを楽しみにしています。

お忙しいと思いますが、どうぞお体を大切になさってください。佐藤(さとう)先生にもよろしくお伝えください。

敬具

五月二十五日

ジョージ・テイラー

鈴木礼子(れいこ)先生

読み物2 先生への手紙

ジョージが鈴木先生にお礼の手紙を書く。

1Yomimono_L2-2

拝啓

日本は桜が終わり[1]、緑が美しい季節になりました。そちらは、そろそろ暑くなってきた頃[2]だと思いますが、いかがお過ごしですか。もうすぐ夏休みですね。今年の夏もサマーコースを教えられるのでしょうか。

さて、先日、無事に二カ月のインターンシッププログラムがすべて終わりました。その節は、お忙しいところ推薦状を書いてくださって、ありがとうございました。短い期間でしたが、おかげさまで[6]、教科書では学べないすばらしい経験ができました。英語を教えるのは難しく[1]、準備が大変でしたが、やればやるほど[7]楽しめるようになりました。また、異なる年代の人と知り合うことができ[1]、日本についての理解が深まりました。

それに、日本の文化について新しい発見もできました。例えば、国際交流課のイベントで公園にお花見に行った時のことです。お花見は桜を見るだけだと思っていましたが、そうではないことに気がつきました[5]。桜の木の下に多くの人が集まって、お弁当を食べたり、お酒を飲んだりしていて、そこはまるで居酒屋のようでした[8]。アメリカでは決して見られないものなので、とてもおもしろかったです。

読みのストラテジー ❸

手紙やメールの本題 The subject of a letter/e-mail

Most letters and e-mail messages are written for a specific purpose. In typical Japanese correspondence, the subject is presented in the main body of the message, instead of the opening or closing.

ストラテジー

- Look at the beginning of paragraphs for expressions commonly used to introduce the main subject of a message, such as さて, ところで or 実は. The writer's purpose will usually follow these expressions.

■ メールの本題部分を探す(さが) Searching for the subject of an e-mail

田中(たなか)先生
こちらは梅雨(つゆ)に入り、毎日のように雨が降り続いています。そちらはいかがですか。夏休みは何をされますか。
さて、今日はお知らせしたいことがあり、メールしました。実は、留学が終わった後、日本で就職することになりました。仕事は……。 【本題】
では、またご連絡(れんらく)いたします。夏風邪(かぜ)にお気をつけください。山下(やました)先生にもよろしくお伝えください。
サラ・ゴミス

- Look for a paragraph starting with an expression used to introduce the subject of correspondence (e.g., さて, ところで or 実は). How about the one that begins with さて? Read it and you'll find that this e-mail is being sent to notify the recipient of a recent development.
- Expressions for broaching the subject of a letter or e-mail are not placed at the beginning. Instead, they usually come after an opening paragraph containing a seasonal greeting or the writer's personal news. Also, the main message is typically followed by a closing line or paragraph wishing the recipient good health or fortune. The closing is often marked by では.

✎ 読み物２を読んで本題の部分を探(さが)し、この手紙の書き手の目的が何か答えなさい。
Read 読み物２ and search for the subject of this letter. What is the writer's purpose? (読み物２)

拝啓
　日本は桜(さくら)が終わり、緑(みどり)が美しい季節になりました。そちらは、…………………………………………………………今年の夏もサマーコースを教えられるのでしょうか。
　さて、先日、無事に二カ月のインターンシッププログラムがすべて終わりました。その節は、お忙しいところ推薦状(すいせんじょう)を書いてくださって、ありがとうございました。短い期間…………………………………………。
　では、夏休みにそちらに帰った時に先生にまたお会いして、いろいろなお話が……。

読みのストラテジー❹

お願いやお礼の表現 Expressing requests and gratitude

Japanese letters and e-mail often employ certain set expressions to convey requests or gratitude to superiors.

ストラテジー

- Look for set expressions and use them as a clue to determine what the writer is requesting or offering thanks for.

1 目上の相手にお願いする表現 Expressions for making a request to a superior

(a) ご都合を教え**ていただけないでしょうか。**

(b) ご都合を教え**ていただけるとうれしいです。**

(c) 来週までにご都合を教え**ていただければ大丈夫です。**

- Examples (a) and (b) are both expressions used to convey（教え）てほしい in the form of a request, but differ in tone. ～ていただけないでしょうか in (a) is a relatively direct way to make this request to a superior. ～ていただけるとうれしいです in (b) makes for a softer and thus more polite request. For some nouns, いただく itself is used as a verb to mean "humbly receive," as in お時間をいただけるとうれしいです.
- ～ていただければ大丈夫です in (c) expresses the writer's minimum need, and can be used to reduce the mental pressure placed on the recipient.

2 目上の相手への感謝を表す表現 Expressions for thanking a superior

(a) 日本語を教え**てくださって／ていただき、ありがとうございました。おかげさまで／**先生**のおかげで、**試験に合格する**ことができました。**

(b) 試験に合格する**ことができたのは、**先生**のおかげです。本当にありがとうございました。**

- ～てくださってありがとうございました in (a) is used to thank a superior. The おかげ that follows is used to express gratitude for a specific success made possible by the superior's support. ～てくださって can be substituted with ～ていただき . (b) is an example of how to thank the superior again at the end of the letter/e-mail.

✎ お願い、またはお礼の表現に、下線を引きなさい。Underline the expressions for making a request or conveying gratitude.（読み物１：行 17～20）

それで、お忙しいところ急なお願いなのですが、推薦状が必要なので書いていただけないでしょうか。申し込みの締め切りは１カ月後なので、２月上旬までに送っていただければ大丈夫です。突然のメールで申し訳ありませんが、お返事をいただけるとうれしいです。よろしくお願いいたします。

文型・表現ノート

2.Bunkei_L2

1. 動詞て-form のフォーマルな表現
〈Formal expression of verb て-form〉

[読み物 1- 行 5・8・10
読み物 2- 行 3・7・8]

金曜日に東京に**行き**、仕事の面接を受ける予定だ。
I'm planning to go to Tokyo on Friday, and have a job interview.

1 昨日は雪が**降り**、風も強くて寒かった。(←雪が降って)
2 事故が**あり**、道が込んでいた。(←事故があって)
3 兄は海外の大学に**留学しており**、今、家族と一緒に住んでいない。(←留学していて)
4 試験では、辞書を**使わず(に)**作文を書かなければいけない。(←使わないで)
5 電話を**せずに**、人の家に行かないほうがいい。(←しないで)

Vて	→	**V**~~ます~~、～。
Vていて	→	**V**ており、～。
Vないで	→	**V**ず(に)、～。
*しないで	→	せず(に)、～。

- The stem in V ます form is a formal equivalent of ～て.
- As seen in examples 3, 4 and 5, formal equivalents for derivatives of て-forms would be Vて おり for Vて いて, Vず に for Vない で, and せずに for しないで.

い形容詞 て-form のフォーマルな表現 〈Formal expression of て-form of い-adjectives〉

In the case of て-form of い-adjectives (～くて), the formal expression would be ～く.

例) この町は物価が安くて、住みやすい。
この町は物価が安く、住みやすい。(more formal)
This town is easy to live in, as the cost of living is cheap.

2. ～てくる／～ていく

[読み物 1- 行 7
読み物 2- 行 3]

1 ～てくる 〈has begun to do; is beginning to do〉

A：最近寒くなって**きた**ね。
It's starting to get cold lately.
B：うん。もうすぐ 11 月だからね。
Yeah, November is just around the corner.

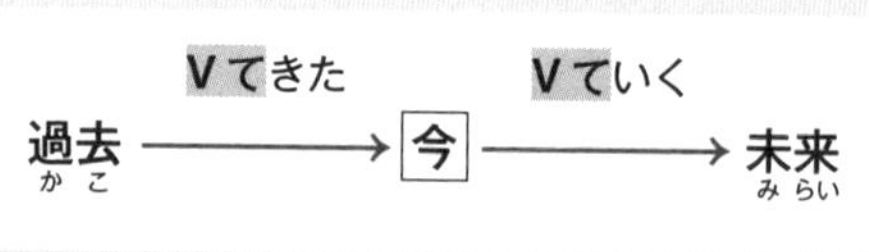

1 最近運動していないので、太って**きた**。
2 先生　：もう日本の習慣には慣れましたか。
学生 A：はい。少しずつ慣れて**きました**。
学生 B：私はもう 1 年もいるので慣れました。

3 絵理（えり）　：ジョージ、日本語が上手になったよね。
ジョージ：ありがとう。最近やっと日本語だけで話せるようになって**きた**よ。

4 私の娘（むすめ）は中学に入ってから、だんだん勉強するようになって**きた**。

Vてくる

- [Vて]くる is often used in the past tense ([Vて]きた) and expresses that a change has occurred in the past and is continuing to take place currently.
- Verbs used in [Vて]くる are verbs that inherently express changes, such as 太（ふと）る, やせる, 増（ふ）える, 減（へ）る, なる and 慣れる. When other types of verbs are used, the structure would be modified to [Vる]ようになってきた.

2 ～ていく 〈will begin to do; is going to do〉

A：日本の生活に全然慣れないんです。
I can't get used to living in Japan.

B：日本に来てまだ１カ月でしょう？ これから少しずつ慣れて**いきます**よ。
It's only been one month since you came to Japan. You'll start to get used to it soon.

5 A：日本には女性の CEO があまり多くないそうですね。
B：ええ。でも、これから増（ふ）えて**いく**と思いますよ。

6 今後、ロボットが増えると、仕事の仕方は変わって**いく**でしょう。

7 子どもはいつの間にかいろいろなことができるようになって**いきます**。

Vていく

- [Vて]いく expresses that a change is currently taking place (or will soon begin to take place) and the change is expected to continue into the future.
- Similarly to [Vて]くる, verbs that inherently express changes (e.g., 太（ふと）る, やせる, 増（ふ）える, 減（へ）る, なる, 慣れる) are used in [Vて]いく, and when other types of verbs are used, the structure would be modified to [Vる]ようになっていく, as shown in [7].

3. しか～ない

［読み物 1- 行 15］

1 Number + counter しか～ない 〈only a small number of〉

A：家から学校まで遠（とお）い？
Is it far from your house to school?

B：ううん。３分**しか**かから**ない**よ。
No, it only takes 3 minutes.

1 A：パーティーにはたくさん人が来た？
B：ううん。なぜか５人**しか**来**なかった**んだ。

2 昨日（きのう）の漢字テストで、漢字が１つ**しか**書け**なかった**。

3 このサークルには留学生が１人**しか**い**ない**。

書く

話す

聞く

Number + counter しか〜ない

・This structure (number + counter しか〜ない) is used when emphasizing that the quantity is very small or not enough. For instance, in [3], the same fact can be expressed using だけ (e.g., このサークルには留学生が１人だけいます); however, using しか〜ない emphasizes that one student is considered very few.

[2] N しか〜ない 〈only N ~〉

A：日本にいる間に何かしたいことがありますか。

Is there anything you want to do while you are in Japan?

B：そうですね。富士山(ふじさん)に登(のぼ)るとか、日本で**しか**でき**ない**ことがしたいです。

Let's see . . . I want to do something I can do only in Japan, like climbing Mt. Fuji.

[4] A：だれでもこのバスツアーに申し込めますか。

B：いいえ、留学生**しか**申し込め**ません**。

[5] 今朝はヨーグルト**しか**食べ**なかった**から、おなかがすいた。

[6] A：今度、カラオケに行こうよ。いつがいい？

B：月曜日から土曜日まで毎日バイトがあるから、日曜日に**しか**時間が**ない**んだ。

[7] A：あっ、もう４時半か。今日中にオフィスに行かなきゃいけなくて……。

B：５時まで**しか**開(あ)いて**ない**から、急いだほうがいいよ。

[8] 私に恋人(こいびと)がいることは、母に**しか**話してい**ません**。父には秘密(ひみつ)です。

N (prt.) しか〜ない

・N しか X ない emphasizes that X is limited to the noun mentioned. For instance, [4] can be rephrased as 留学生だけが申し込める to convey the same condition, but using しか〜ない emphasizes the fact that people other than international students cannot apply.

・As in [4] and [5], in sentences where N would normally be followed by the particle は, が or を, the particle is omitted and しか is used alone.

例）留学生が申し込めます。

留学生~~が~~ **しか**申し込め**ません**。([4])

However, in the case of other particles, しか is used along with the particle.

例）日曜日に時間がある。

日曜日に**しか**時間が**ない**。([6])

4. ～ことにする 〈decide to do; make it a rule to do〉

[読み物 1-行 16]

A：今度の休み、北海道(ほっかいどう)と沖縄(おきなわ)、どっちに行くか決めた？
Have you decided whether you're going to Hokkaido or Okinawa for your next vacation?

B：うん。北海道に行く**ことにした**。
Yeah, I decided to go to Hokkaido.

1 卒業後は就職しないで大学院に行く**ことにした**。

2 A：新しいパソコン、いつ買うの？
B：実は、パソコンは買わない**ことにした**んだ。タブレットを買うつもり。

3 A：寮(りょう)でいつも同じ人がゴミ出しをしているよね。
B：じゃあ、みんなで順番(じゅんばん)にゴミを出す**ことにしよう**。

4 私は毎朝６時に起きる**ことにしています**。

5 A：家族との時間が大切なので、休みの日は仕事をしない**ことにしています**。
B：家族の方(かた)はうれしいでしょうね。

6 A：環境のために何かしていますか。
B：買い物に行く時は必ずエコバッグを持って行く**ことにしています**。

Vる／Vない ことにする

- ～ことにする is used to state the subject's own decision or determination regarding their action in the future.
- ～ことにしている describes an action that the subject decided to do and is now continuing as a routine.
- Verbs in the potential form cannot be used in place of Vる or Vない.

☛ **～ようにしている** (make sure to do) **and ～ことにしている** (make it a rule to do)
～ようにしている conveys that the subject is making a conscious effort to do something as much as he/she can, whereas ～ことにしている conveys that the subject has a firm determination to do something consistently.

例 1）トマトはあまり好きではないが、健康(けんこう)のためになるべく食べる**ようにしている**。
Even though I do not like tomatoes, I try to eat them for my health.

例 2）健康のために、毎日１リットル水を飲む**ことにしています**。
I make it a rule to drink 1 liter of water every day.

5.「気」を使った表現(ひょうげん) 〈Expressions using 気〉

[読み物 1-行 21
読み物 2-行 11·17]

1 ～に気がつく 〈notice ～〉

先生：どうして授業に遅れたんですか。
Why were you late for class?

学生：すみません。アラームの音**に気がつかなかった**んです。
I'm sorry. I slept through my alarm (lit., I didn't notice the sound of my alarm).

1 初めてインドに行った時、日本との習慣の違い**に気がつきました**。

2 A：日本に来てどんなこと**に気がつきました**か。

B：日本人は車に乗らずによく歩くこと**に気がつきました**。

3 駅に着いてから、財布(さいふ)を忘れたの**に気がついた**。

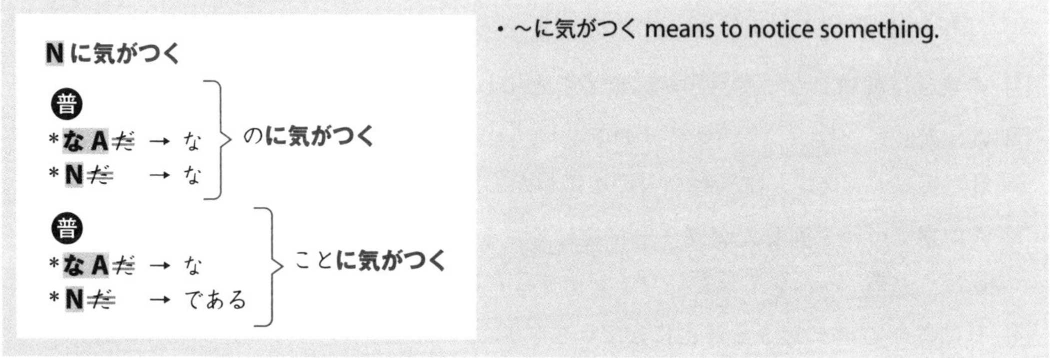

N に気がつく

普
*な A ~~だ~~ → な
*N ~~だ~~ → な
} のに気がつく

普
*な A ~~だ~~ → な
*N ~~だ~~ → である
} ことに気がつく

・～に気がつく means to notice something.

2 ～に気をつける 〈be careful about ~〉

A：最近、寒くなってきたね。

It's been getting cold lately.

B：うん。風邪(かぜ)**に気をつけ**なきゃね。

Yeah, we should be careful not to catch a cold.

4 先生：日本語で話す時、どんなこと**に気をつけて**いますか。

学生：助詞(じょし)**に気をつける**ようにしています。

5 道を歩く時は、車**に気をつけて**ください。

N に気をつける

・N に気をつける means the same as N に注意する , but is more colloquial.

3 ～が気に入(い)る 〈be fond of ~〉

A：これ、誕生日(たんじょうび)のプレゼント。**気に入(い)って**くれるといいんだけど……。

This is your birthday present. I hope you like it.

B：ありがとう。うれしい！

Thank you. I'm so happy!

6 A：そのかばん、毎日使ってるね。

B：うん。とても**気に入って**いるんだ。

7 妹は母が買ってくる服**が気に入らない**ようで、あまり着ていない。

Nが気に入る

- Nが気に入る means that N suits the speaker's taste, and expresses a milder liking than the word 好き.
- This structure expresses a liking for a specific item within a broader category of things, so N cannot be a term describing a general category of objects.

例）× 甘い物が気に入っている。→ ○ 甘い物が好きだ。
○ このカフェのケーキが気に入っている。

6.「おかげ」を使った表現 〈Expressions using おかげ〉

[読み物2-行6·16]

1 ～おかげで 〈thanks to ~〉

A：旅行、どうだった？
How was your trip?

B：一緒に行った友達の**おかげで**、とても楽しい旅行になったよ。
Thanks to my friends who went with me, it was a very fun trip.

1 奨学金がもらえた**おかげで**、日本に留学できた。

2 学生：先生が推薦状を書いてくださった**おかげで**、大学院に入ることができました。ありがとうございました。
先生：よかったですね。これからもがんばってください。

3 雨が急に降り始めたが、家が駅から近い**おかげで**、ぬれなかった。

4 ルームメートが料理が上手な**おかげで**、いろいろなレシピを教えてもらえる。

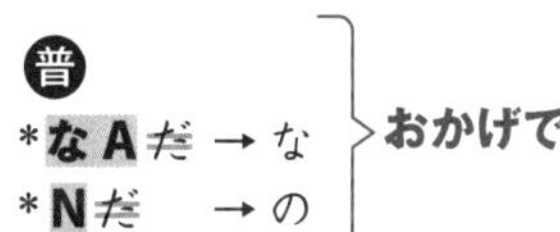

- X おかげで Y is used when there is a cause and effect relationship between X and Y, with X being the cause and Y being the effect. Y is a desirable state resulting from X (such as an act of kindness), and this structure is used typically to express gratitude toward X. Y is often something that is otherwise not controllable by the speaker.
- When someone did a favor for the speaker and the speaker wants to express gratitude, [Vて]くれた (or [Vて]くださった) おかげで is used.
- When the causality is not obvious but it is speculated that X is the cause for Y, X おかげか Y is used.

例）昼間によく運動した**おかげか**、昨日の夜はよく寝られた。

2 おかげさまで 〈fortunately〉

A：お久(ひさ)しぶりですね。お元気でしたか。

It's been so long. How have you been?

B：ええ。**おかげさまで**。

I'm doing well, thank you.

5 山下(やました)：リーさん、風邪(かぜ)はもう治(なお)りましたか。
リー：ええ、**おかげさまで**。

6 先生：中山(なかやま)さん、就職が決まったそうですね。おめでとう！
中山：ありがとうございます。**おかげさまで**、４月から大阪(おおさか)で働くことになりました。

おかげさまで

- おかげさまで is used as a set phrase, often in greetings. It is not meant to state the cause for the speaker's current state, but rather to simply express that the speaker is appreciative of his/her present condition. This phrase can be used even when the listener has not done anything in particular for the speaker.
- 6 shows a usage where おかげさまで is followed by an explicit statement of the result that the speaker had wanted.

7. XばXほどY 〈the more/less X, the more/less Y〉

［読み物 2- 行 7］

A：４月から住むアパートは、どんなところがいい？

What kind of apartment do you want to live in, starting April?

B：駅から近け**れば**近い**ほど**便利(べんり)でいいよね。

The closer it is to the station, the more convenient it is.

1 外国語は話せ**ば**話す**ほど**上手になります。

2 勉強すれ**ば**（勉強）する**ほど**知識(ちしき)が増(ふ)える。

3 仕事は、大変であれ**ば**（大変で）ある**ほど**、チャレンジしたくなる。

4 値段(ねだん)が高いホテルであれ**ば**（値段が高いホテルで）ある**ほど**、サービスもよくなるだろう。

5 A：何を専攻(せんこう)するか決めた？
B：ううん、まだ。考えれ**ば**考える**ほど**わからなくなってしまって。

Vば	**V**る	ほど
いAければ	**いA**い	
なAであれば	（**なA**で）ある	
Nであれば	（**N**で）ある	

- XばXほどY expresses that X and Y are in a proportional relationship, meaning that the degree of Y increases as X increases.

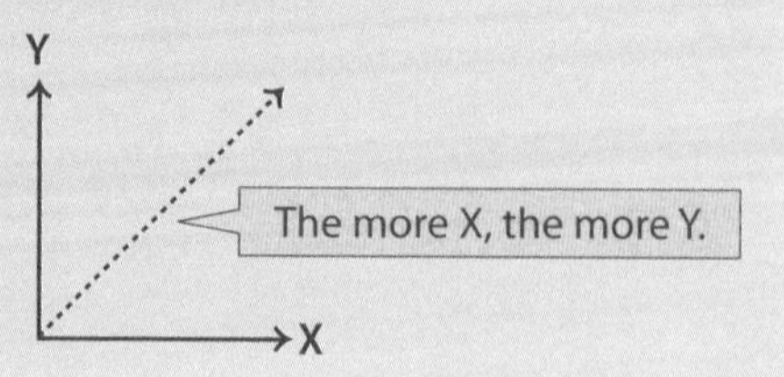

- As shown in [2], [3] and [4], when X is a する-verb, a な-adjective or a noun, then the second X usually takes する or ある, rather than repeating the whole word (i.e., 勉強, 大変で and 値段が高いホテルで would be omitted).
- Y can be a word/phrase with negative meaning, as in [5].

8. (まるで) N のようだ 〈(as if it were) like N; (as if it were) similar to N〉

[読み物 2- 行 12]

A：絵理(えり)って、カラオケが上手だよね。
Eri is really good at karaoke.

B：うん。**まるで**歌手**のようだ**よね。
I know. It's as if she were a professional singer.

[1] ジョージは日本語が上手だ。**まるで**日本人**のように**話す。

[2] a) サラは背(せ)が高くてきれいだ。**まるで**モデル**のようだ**。
b) サラは背が高くてきれいだ。**まるで**モデル**のような**人だ。
c) サラは背が高くてきれいだ。**まるで**モデル**のように**きれいだ。

[3] a) 今日は**山のように**宿題が出た。
b) 今日は**山のような**宿題が出た。

[4] **雪のように**白い花が咲(さ)いていた。

[5] 彼女は友達が困(こま)っていても助けない。彼女の心は**氷(こおり)のように**冷たい。

Nの { ようだ / ような **N** / ように **V**／**A** }

- (まるで)N のようだ is an expression of simile in which something is compared to N.
- N みたいだ is a more colloquial version of N のようだ.
- [3], [4] and [5] show idiomatic use of N のようだ: 山のようにある means, "there is a ton of . . . ," 花のように美しい means, "as beautiful as flower," 雪のように白い means, "as white as snow," and 氷のように冷たい means, "as cold as ice."

9. ～ことになる

[読み物 2- 行 15]

1 ～ことになった 〈it has been decided that ~〉

A：プロジェクトリーダーって、結局(けっきょく)だれに決まったの？
Who ended up becoming the project leader?

B：安田(やすだ)さんがする**ことになった**そうだよ。会議(かいぎ)で決まったんだって。
I heard it's been decided that Mr. Yasuda will take that role—they decided at a meeting.

1 先輩が仕事を紹介してくれたおかげで、日本で働ける**ことになりました**。

2 A：来年は奨学金（しょうがくきん）がもらえない**ことになって**しまいました。
B：そうですか。残念（ざんねん）ですね。

3 来月結婚する**ことになりました**。

Vる／Vない ことになった

- This structure states that something that will occur in the future has been decided or agreed on. It implies that the decision or agreement has been made by someone other than the speaker (e.g., another person, an organization, or society in general), and the decision maker is typically not made clear in the context.
- It could also be used when the speaker was involved in the decision-making process, but it was ultimately decided not just by the speaker, but in conjunction with another person or party (such as the marriage in 3).

2 ～ことになっている 〈it is expected that ~〉

A：もう帰るの？ まだ10時だよ。

Are you going home already? It's only 10 o'clock.

B：うん。寮（りょう）は夜11時までに帰らなきゃいけない**ことになっている**んだ。

Yeah, I'm expected to be back at my dorm by 11 p.m.

4 ここでたばこを吸（す）ってはいけない**ことになっています**。〔ルール〕

5 日本では結婚式に呼（よ）ばれたらお金を持って行く**ことになっています**。〔習慣〕

6 社長：私の午後の予定（よてい）は？
秘書（ひしょ）：3時にT社の山田（やまだ）社長と会う**ことになっています**。〔予定〕

Vる／Vない ことになっている

- This expression states an agreement such as a rule, custom or plan.

読む

メールと手紙

☛「ようにする」「ようになる」「ことにする」「ことになる」の違い

する expresses an action or a condition that is related to the speaker's will, whereas なる is not related to the speaker's will. Given this distinction between する and なる , refer to the table below for an overview of structures covered thus far:

	する: presence of speaker's will	なる: absence of speaker's will
ように	① ～ようにする (keep in mind to do) Used for something you make an effort to do.	③ ～ようになる (start doing) Used for a change of habit/situation or ability.
ことに	② ～ことにする (decide to do) Used for something you decide yourself.	④ ～ことになる (be decided that) Used for something decided by another person or something that naturally comes to be the case.
		⑤ ～ことになっている (it is expected that) Used for something that has been decided as a rule or plan.

書く

話す

聞く

① ～ようにする

a) いつも声が小さいので、今度のスピーチでは大きい声で話す**ようにします。**

Since I tend to have a quiet voice, I will make sure to speak louder when I give my next speech.

b) 健康(けんこう)のために、なるべく甘(あま)い物を食べすぎない**ようにしています。**

For the sake of my health, I'm trying not to indulge in sweets as much as possible.

② ～ことにする

a) 今学期、経済(けいざい)の授業を取る**ことにしました。**

I've decided to take an economics class this semester.

b) 忙しい時も、毎朝必ずニュースを見る**ことにしています。**

I've decided to watch the news every morning, even when I'm busy.

③ ～ようになる

a) 最近、朝のバイトを始めたので、早く寝(ね)る**ようになりました。**

As I started working part-time in the morning, I've started going to bed early.

b) 前は刺身(さしみ)が食べられませんでしたが、今は食べられる**ようになりました。**

I couldn't eat raw fish before, but now I can.

④ ～ことになる

来月から大阪(おおさか)で働く**ことになりました。**

It has been decided that I will work in Osaka, starting next month.

⑤ ～ことになっている

サークルを休む時は、メールをする**ことになっている。**

Students are expected to send an e-mail when they will be absent from a club gathering.

お礼の手紙

1 モデル作文

お世話になった人に手紙を書く。

（ジョージはアメリカに帰った後、お世話になった国際交流課の人に手紙を書きました。）

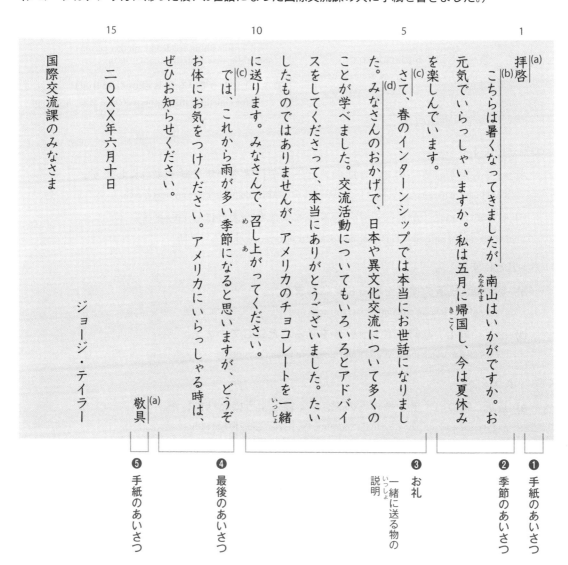

拝啓(a)

(b)こちらは暑くなってきましたが、南山（みなみやま）はいかがですか。お元気でいらっしゃいますか。私は五月に帰国（きこく）し、今は夏休みを楽しんでいます。

(c)さて、春のインターンシップでは本当にお世話になりました。(d)みなさんのおかげで、日本や異文化交流について多くのことが学べました。交流活動についてもいろいろとアドバイスをしてくださって、本当にありがとうございました。たいしたものではありませんが、アメリカのチョコレートを一緒（いっしょ）に送ります。みなさんで、召（め）し上（あ）がってください。

(c)では、これから雨が多い季節になると思いますが、どうぞお体にお気をつけください。アメリカにいらっしゃる時は、ぜひお知らせください。

敬具(a)

ジョージ・テイラー

二〇XX年六月十日

国際交流課のみなさま

❶ 手紙のあいさつ

❷ 季節のあいさつ

❸ お礼
一緒（いっしょ）に送る物の説明

❹ 最後のあいさつ

❺ 手紙のあいさつ

■ 書くポイント

1. フォーマルな手紙のための表現(ひょうげん)を使う。…… (a) (b) (c)

(a) 手紙のあいさつ　拝啓（初めのあいさつ）　敬具（終わりのあいさつ）

(b) 季節のあいさつ　桜(さくら)が美しい季節になりました。(春)
暑い日が続いています。(夏)
だんだん秋が深まってきました。(秋)
雪が降る日が続いています。(冬)

(c) 接続詞(せつぞくし)　さて（本題［お礼］の段落(だんらく)に入る時に使う）
では（最後のあいさつの段落に入る時に使う）

2. お礼を述(の)べる時に「おかげで」を使う。…… (d)

(行6) みなさんの**おかげで**、日本や異文化交流について多くのことが学べました。

2 タスク

■ 書く前に

(1) だれかにお世話になった経験がありますか。

(2) その人は何をしてくれましたか。

(3) その結果、どうなりましたか。

■ 書いてみよう

下の文法や表現(ひょうげん)を使って、お世話になった人にていねいなお礼の手紙を書きなさい。(300～350字)

・手紙のあいさつ「拝啓」「敬具」
・季節のあいさつ
・接続詞(せつぞくし)「さて」「では」
・「おかげで」

先生とのやりとり

会話1 先生へのお願い

1-1 やってみよう

1）先生に何かお願いしたいことがありますか。①先生にしてもらいたいこと、②先生の許可（きょか）(permission) をもらいたいことを１つずつ考えて、下の表に書きなさい。理由もメモしなさい。

	a. どんなお願い？	b. どうして？
お願い①	例 推薦状（すいせんじょう）を書いて もらいたい	大学院に入りたいから
	＿＿＿＿＿＿＿＿ もらいたい	
お願い②	例 宿題を明日出したい ので、許可（きょか）がほしい	昨日（きのう）まで熱（ねつ）があってできなかったから
	＿＿＿＿＿＿＿＿ ので、許可がほしい	

2）1）で考えたことを使って、ロールプレイをしなさい。

フォーマルな会話

A あなた

先生に何か２つ
お願いをしなさい。

B 先生

学生の話を聞いて
対応（たいおう）しなさい (respond)。

1-2 聞いてみよう

3.Kaiwa_L2-1

1）モデル会話を聞いて、下の質問に答えなさい。

① メイリンはだれにお願いをしましたか。

② メイリンはどんなお願いをしましたか。何をしてもらいたいか／したいかを２つ答えなさい。

③ メイリンはいつ大使館(たいしかん) (embassy) に行きますか。

2）メイリンは、２つお願いしました。それぞれ、何と言っていましたか。

お願い ①

実(じつ)は、南山市(みなみやまし)の国際交流課(こくさいこうりゅうか)のインターンシップに ＿＿＿＿＿＿＿＿

んですが、＿＿＿＿＿＿＿＿＿＿＿＿＿＿＿＿ ないでしょうか。

お願い ②

大使館(たいしかん)に行かなければいけない用事(ようじ)があるので、

その日の ＿＿＿＿＿＿＿＿＿＿＿＿＿＿＿＿ ませんか。

ここにも注目

▸「～ていただけないでしょうか」……………相手に何かをしてほしい
「～(さ)せていただけないでしょうか」……自分が何かをしたい／許可(きょか) (permission) がほしい

だれが聞きますか。

例1 学生：コンテストに出るので、一度スピーチを聞いていただけないでしょうか。
先生：はい。いいですよ。
➞ 聞くのは **先生**

例2 学生：先生、リスニングの問題をもう一度聞かせていただけないでしょうか。
先生：はい。いいですよ。
➞ 聞くのは **学生**

▸ お願いする時によく使う表現(ひょうげん)
「お忙しいところ、申し訳ありません。」……相手に時間を使わせる時に使う
「よろしくお願いします。」……何かをしてもらう前に使う

3.Kaiwa_L2-1

フォーマルな会話

推薦状のお願い

授業の後、ワン・メイリン（メ:）が中村先生（中:）に話しかける。

メ: ❶ **中村先生、今、少しよろしいでしょうか。お願いがあるんですが……。**

中: はい、何ですか。

メ: ❷ **実は、**南山市の国際交流課のインターンシップに申し込みたい**んですが、**推薦状を書い**ていただけないでしょうか。**ぜひやってみたいんです。

中: インターンシップですか。おもしろそうですね。いいですよ。

メ: ❸ **ありがとうございます。お忙しいところ、申し訳ありません。**

中: それで、締め切りはいつですか。

メ: 2月14日です。後で推薦状のフォームをメールでお送りします。

中: わかりました。

メ: ❹ **あの、もう一つお願いがあるんですが……。**

中: 何ですか。

メ: ❺ 3月10日に大使館に行かなければいけない用事がある**ので、**その日の授業を休ま**せていただけませんか。**

中: そうですか。しかたがないですね。わかりました。

メ: ❻ **ありがとうございます。よろしくお願いいたします。**

単語 大使館 embassy　用事 business; things to do　しかたがないですね It cannot be helped.
よろしくお願いいたします Thank you for your help in advance.

フローチャート

あなた：お願いする	先生：お願いされる

パートA

❶ 話しかける
先生、今、少しよろしいでしょうか。
お願いがあるんですが……。

　　　　はい、何ですか。

❷ お願いする
実は、インターンシップに申し込みたいんですが、
推薦状（すいせんじょう）を書いていただけないでしょうか。

　　　　いいですよ。

❸ お礼を言う
ありがとうございます。
お忙しいところ、申し訳ありません。

パートB

❹ 前置き（まえお）き (preliminary) をする
あの、もう一つお願いがあるんですが……。

　　　　何ですか。

❺ もう一つお願いをする（許可（きょか）を求（もと）める ask for permission）
３月１０日に大使館（たいしかん）に行かなければいけない用事があるので、
その日の授業を休ませていただけませんか。

　　　　わかりました。

❻ もう一度お礼を言って会話を終える
ありがとうございます。
よろしくお願いいたします。

1-4 練習しよう（れんしゅう）

▶ 　　　　のパターンを使って話してみましょう。

パートA ❶話しかける ➔ ❷お願いする ➔ ❸お礼を言う

あなた：❶**先生、今、少しよろしいでしょうか。お願いがあるんですが……。**
先生：　はい、何ですか。
あなた：❷**実は、～んですが、～ていただけないでしょうか。**
先生：　ええ、いいですよ。
あなた：❸**ありがとうございます。お忙しいところ、申し訳ありません。**

1. スピーチコンテストのために書いた原稿（げんこう）(script) を、先生に直してもらいなさい。

2. 「1-1. やってみよう」の 1) (p. 52) の「お願い ①」を使って話してみよう。

パートB ❹前置き（まえお）(preliminary) をする ➔ ❺もう一つお願いをする（許可を求める ask for permission） ➔ ❻もう一度お礼を言って会話を終える

あなた：❹**あの、もう一つお願いがあるんですが……。**
先生：　何ですか。
あなた：❺**～ので、～(さ)せていただけませんか。**
先生：　わかりました。
あなた：❻**ありがとうございます。(よろしくお願いいたします。)**

1. 来週の金曜日の午後は奨学金（しょうがくきん）の面接（めんせつ）があるので、その日は早く帰りたいと思っています。早く帰っていいかどうか、先生に聞きなさい。

2. 「1-1. やってみよう」の 1) (p. 52) の「お願い ②」を使って話してみよう。

☛ ペアを変えて、**パートA** と パートB を続けてやってみましょう！

カジュアルな会話にチャレンジ！

1 ロールプレイをやってみよう

A あなた	B Aのクラスメート
クラスメートに何か２つお願いをしなさい。	Aさんの話を聞いて対応(たいおう)しなさい (respond)。

2 練習(れんしゅう)しよう

パートA

あなた：❶ねえ、今、ちょっといい？ お願いがあるんだけど……。
クラスメート： 何？
あなた：❷実は、～んだけど、～てもらえないかな？
クラスメート： うん、いいよ。
あなた：❸ありがとう。忙しいのにごめんね。

▶あなたは病気でクラスを休みました。クラスメートに授業のノートを見せてもらいなさい。

パートB

あなた：❹それから、もう一つお願いがあるんだけど……。
クラスメート： 何？
あなた：❺～んだけど、～(さ)せてくれない？
クラスメート： いいよ。
あなた：❻ありがとう。(じゃあ、よろしくね。)

▶あなたは宿題のプリントをなくしてしまいました。クラスメートのプリントをコピーしていいかどうか聞きなさい。

☛ ペアを変えて、パートA と パートB を続けてやってみましょう！

会話2 先生へのお礼

2-1 やってみよう

1）先生、アルバイト先の上司(じょうし) (boss)、事務(じむ)の人 (clerical worker) に、お礼を伝えたいことがありますか。下にメモしなさい。

① だれに何をしてもらいましたか。

例｜先生に推薦状(すいせんじょう)を書いてもらった

② ①をしてもらって、どうなりましたか。

例｜大学院に入れた

③ お礼に何をわたしたいですか。

2）1）で考えたことを使って、ロールプレイをしなさい。

フォーマルな会話

A｜あなた

先生／アルバイト先の上司(じょうし)／事務(じむ)の人にしてもらったことについて、お礼を言いなさい。

B｜先生／アルバイト先の上司(じょうし)／事務(じむ)の人

Aさんの話を聞いて対応(たいおう)しなさい (respond)。

2-2 聞いてみよう

3.Kaiwa_L2-2

1）モデル会話を聞いて、下の質問に答えなさい。

① メイリンはだれに何をしてもらいましたか。

② インターンシップはどうでしたか。メイリンは、どうしてそう思いましたか。
理由を 2 つ答えなさい。

③ メイリンはインターンシップで何をしましたか。

2）メイリンはお礼を言う時、何と言っていましたか。

① 会話のはじめ

先日(せんじつ)は ＿＿＿＿＿＿＿＿＿＿＿＿＿＿＿＿、

ありがとうございました。

② 会話の最後

こんなすばらしい ＿＿＿＿＿＿＿＿＿＿＿＿ のは、

＿＿＿＿＿＿＿＿＿＿＿＿。＿＿＿＿＿＿ ありがとうございました。

ここにも注目

▸「A とか B とか」

「N_1 や N_2 など」や「V_1 たり、V_2 たり（する）」は、会話で「A とか B とか」になることがあります。

例1 A：好きな食べ物は何？

B：すしとか天ぷらとか、日本の食べ物なら何でも好き。

例2 A：週末、何かしない？ 例えば、ショッピングに行くとか、映画を見に行くとか。

B：疲(つか)れているから、休みの日は家でゆっくりしたいなあ……。

2-3 モデル会話

🎧3.Kaiwa_L2-2

フォーマルな会話

インターンシップの後で

日本語の授業の後、ワン・メイリン（メ:）が中村(なかむら)先生（中:）に話しかける。

メ：　中村(なかむら)先生、❶**先日(せんじつ)は推薦状(すいせんじょう)を書いてくださって、ありがとうございました。**
　　　先週の金曜日にインターンシップがすべて終わりました。

中：　無事(ぶじ)に終わってよかったですね。

メ：　はい。あの、❷**これ、ほんのお礼の気持ちです。**

中：　そんな必要なかったのに……。

メ：　いいえ。❷**少しですが、召(め)し上(あ)がってください。**

中：　そうですか。すみません。じゃあ、遠慮(えんりょ)なく。
　　　ところで、インターンシップはどうでしたか。

メ：❸町の人と交流することができた**し**、自分の国について知ってもらえた**し**、とてもおもしろかったです。

中：　どんなことをしたんですか。

メ：　国の料理とか、言葉とかを教えたんです。大変でしたが、いい経験になりました。

中：　それはよかったですね。

メ：　はい。❹こんなすばらしい経験ができた**のは、**先生**のおかげです。本当にありがとうございました。**

単語　ほんのお礼(れい)の気持(きも)ちです This is only a token of my gratitude.　遠慮(えんりょ)なく without hesitation

フローチャート

あなた：お礼を言う	先生：お礼を言われる

パートA

❶ お礼を言う
先日は推薦状を書いてくださって、ありがとうございました。

先生：いいえ。

❷ お礼をわたす
これ、ほんのお礼の気持ちです。
少しですが、召し上がってください／受け取ってください。

先生：すみません。じゃあ、遠慮なく。

パートB

先生：ところで、インターンシップはどうでしたか。

❸ その後どうなったか話す
町の人と交流することができたし、自分の国について知ってもらえたし、とてもおもしろかったです。

先生：それはよかったですね。

❹ もう一度お礼を言い、会話を終える
こんなすばらしい経験ができたのは、先生のおかげです。
本当にありがとうございました。

2-4 練習しよう（れんしゅう）

▶ のパターンを使って話してみましょう。

パートA ❶お礼を言う → ❷お礼をわたす

あなた：❶**(先日は)～てくださって、ありがとうございました。**
先生：　いいえ。
あなた：❷**これ、ほんのお礼の気持ちです。少しですが、召し上がってください／受け取ってください。**
先生：　すみません。じゃあ、遠慮なく。

1. あなたは先生にインターンシップを紹介してもらいました。お礼を言いなさい。

2. 「2-1. やってみよう」の 1) ①③ (p. 58) で考えたことを使って話してみよう。

パートB ❸その後どうなったか話す → ❹もう一度お礼を言い、会話を終える

先生：　ところで、～はどうでしたか。
あなた：❸＿町の人と交流することができた＿**し、**＿自分の国について知ってもらえた＿**し、**＿とてもおもしろかったです＿。
先生：　それはよかったですね。
あなた：❹**～のは、**＿先生＿**のおかげです。本当にありがとうございました。**

1. あなたはインターンシップをして、日本の会社のことがよくわかりました。インターンシップを紹介してくれた先生にお礼を言いなさい。

2. 「2-1. やってみよう」の 1) ② (p. 58) で考えたことを使って話してみよう。

☛ ペアを変えて、パートA と パートB を続けてやってみましょう！

カジュアルな会話にチャレンジ！

1 ロールプレイをやってみよう

A あなた	B Aの友達
友達がしてくれたことについてお礼を言いなさい。	Aさんの話を聞いて対応しなさい(respond)。

2 練習しよう

パートA

あなた：❶(この間は)～てくれて、ありがとう。
友達：　ううん。
あなた：❷これ、少しだけど、食べて／受け取って。
友達：　えっ、いいの？ ありがとう。

▶友達にスピーチコンテストのスクリプトを直してもらいました。お礼を言いなさい。

パートB

友達：　で、～はどうだった？
あなた：❸[　答える　]
友達：　よかったね。
あなた：❹～のは、～さんのおかげだよ。ほんとにありがとう。

▶あなたは、スピーチコンテストで優勝しました。友達にお礼を言いなさい。
(先に友達が、スピーチコンテストはどうだったか聞きなさい。)

☛ペアを変えて、パートAとパートBを続けてやってみましょう！

フランス人留学生から見た日本

お花見旅行の相談（そうだん）

4.Chokai_L2-1

留学生のサラと日本人学生の美希（みき）が「お花見旅行」について話しています。
会話を聞いて、2人がお花見旅行に行く町に○をつけなさい。

a. (　　　) 仙台（せんだい）

b. (　　　) 名古屋（なごや）

c. (　　　) 大阪（おおさか）

d. (　　　) 福岡（ふくおか）

単語 満開（まんかい） full bloom

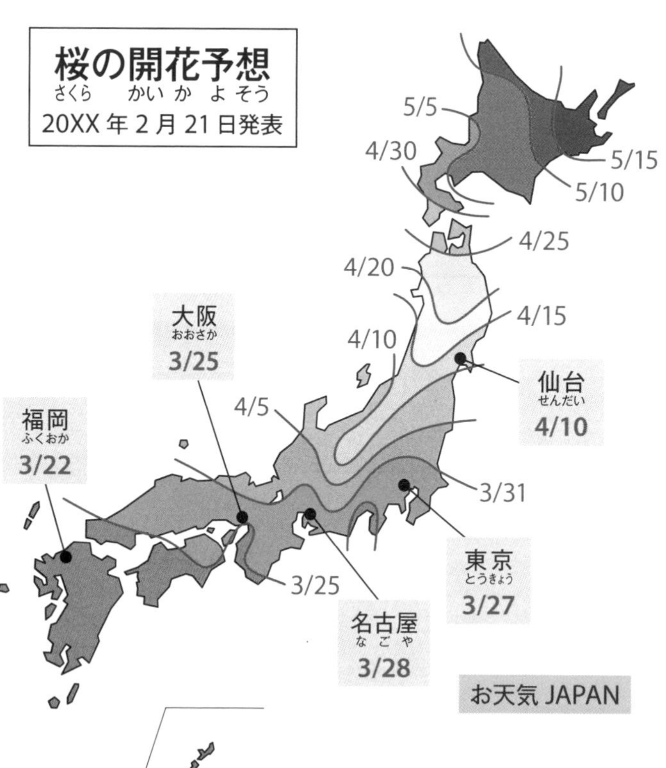

3月

月	火	水	木	金	土	日
			1	2	3	4
5	6	7	8	9	10	11
12	13	14	15	16	17	18
19	20	21	22	23	24	25
26	27	28	29	30	31	

4月

月	火	水	木	金	土	日
						1
2	3	4	5	6	7	8
9	10	11	12	13	14	15
16	17	18	19	20	21	22
23	24	25	26	27	28	29
30						

読む

書く

話す

聞く

 聴解 2 目上の人をほめること

4.Chokai_L2-2

聞く前に

あなたはよく人をほめますか。どのような時に、何と言って、人をほめますか。

リスニング

フランス人留学生のサラが、クラスで「目上の人をほめること」についてスピーチをしています。スピーチを聞いて質問に答えなさい。

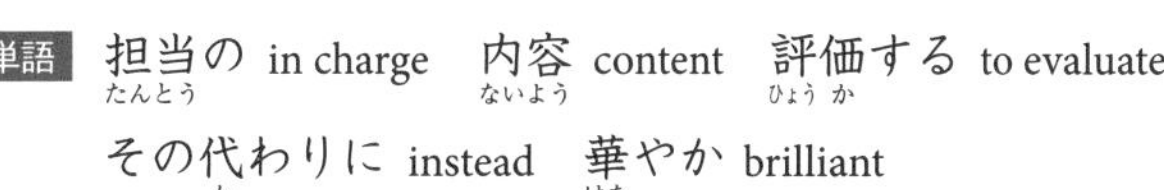
単語 担当(たんとう)の in charge　内容(ないよう) content　評価(ひょうか)する to evaluate
その代(か)わりに instead　華(はな)やか brilliant

1. スピーチの内容に合うものに○、合わないものに×をつけなさい。

① (　　) サラは留学説明会に行った。

② (　　) サラはお礼を言ってから質問をした。

③ (　　) 「上手」を目上の人に使うのはよくない。

④ (　　) テレビ番組では、目上の人をほめる時に「上手」が使われる。

⑤ (　　) 目上の人と話す時は、敬語も言い方も大切だ。

2. サラはお礼を言う時に、何と言ったほうがよかったのでしょうか。

3. サラは日本語について、どう思っていますか。

ディスカッション

1. あなたは、日本語が難しいと思ったことはありますか。それはどんなことですか。

2. あなたの国でも、「いつ／どこで／だれに／何を」言うか、気をつけなければいけないことがありますか。それはどんなことですか。

第(だい)3課

読む 日本を楽しむ

書く 私の好きな町

- ガイドやコラムを読んで、必要な情報(じょうほう)がわかる
- ある場所の特徴(とくちょう)についての説明文が書ける

話す 友人との集まり

聞く イタリア人留学生から見た日本

- 電話で予約(よやく)の変更(へんこう)ができる
- 店でメニューについて質問し、注文できる

日本を楽しむ

読む前に・読んだ後で

読み物1　留学生のための富士登山ガイド

読む前に

1. あなたは日本でどこへ行ってみたいですか。どうしてですか。

2. 富士山に登ってみたいですか。どうしてですか。

読んだ後で

3. 富士登山の前に知っておいたほうがいいことを、下の単語を使って話しましょう。

　［ 登山期間　　登山ルート　　服装　　トイレ　　ゴミ箱 ］

4. あなたの国の「象徴」と言われるものは何ですか。
どうしてそれが「象徴」と言われるのだと思いますか。

5. 世界遺産を守るために、観光客が気をつけるべきことは何ですか。

 読み物2 居酒屋 ～日本らしさが感じられる場所～

読む前に

1. レストランによく行きますか。
どんなレストランに、どんな時に、だれと行きますか。

2. あなたの国には、「あなたの国らしさ」が感じられるレストランがありますか。
そこはどんなところですか。

読んだ後で

3. 居酒屋の3つの特徴(とくちょう)を、下の単語を使って話しましょう。

[種類　　値段　　交流]

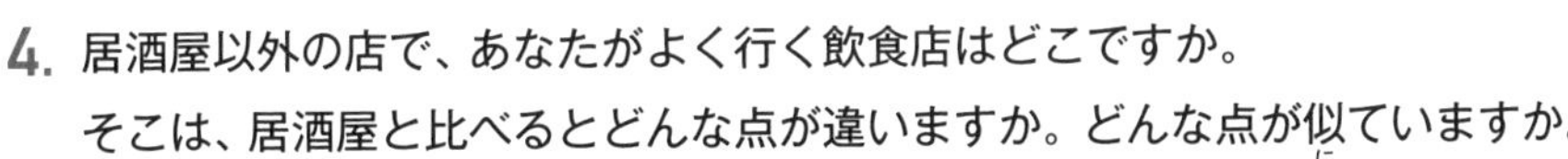

4. 居酒屋以外の店で、あなたがよく行く飲食店はどこですか。
そこは、居酒屋と比べるとどんな点が違いますか。どんな点が似(に)ていますか。

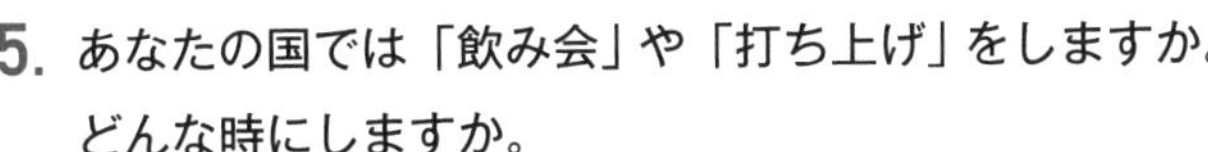

5. あなたの国では「飲み会」や「打ち上げ」をしますか。
どんな時にしますか。

読み物1 留学生のための富士登山ガイド

1.Yomimono_L3-1

日本にいるうちに[1]一度訪れてほしい場所は、何と言っても[2]富士山です。富士山は3,776メートルの日本一高い山で、山梨県と静岡県の県境にあります。日本人にとって[3]特別な山で、日本の象徴として[4]愛されており、千円札にも描かれています。

富士山

2013年に世界文化遺産に登録されたため[5]、外国からの登山客も多くなってきています。

これから、留学生のみなさんに富士登山に役立つ情報をご紹介します。

登山期間とルート

まず、いつ、どんなルートを登るのがいいのでしょうか。一般的な登山期間は7月上旬から9月上旬までの約2カ月です。この間は山小屋が開いていて、登山バスも走っています。登山ルートは全部で4つあり、歩く距離や難しさなどがルートによって[6]違います。よく調べて自分に合ったルートを選びましょう。

登山計画

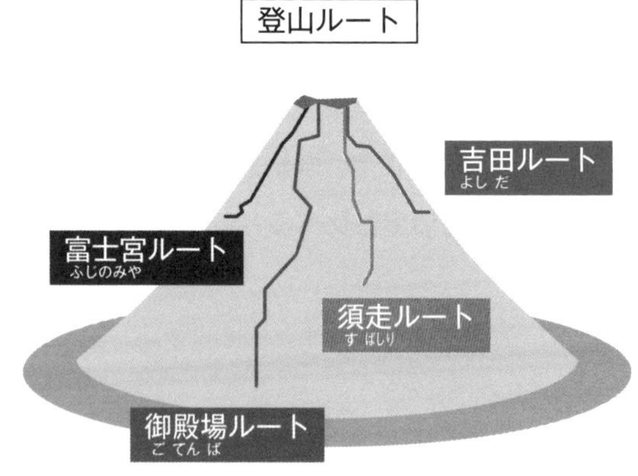

次に、登山にはどのぐらい時間がかかるのでしょうか。例えば、登る人が最も多い「吉田ルート」では、山頂まで約6時間かかります。そのため[5]、1日目は山頂に近い山小屋に泊まり、次の日の朝、山頂で日の出を見てから下山するのが一般的です。この日の出のことを「ご来光」と言います。山頂から美しいご来光を見れば、一生の思い出になるでしょう。

また、旅行会社の登山ツアーに参加すればガイドが案内してくれるので、初めて登る人でも安心です。富士登山は人気があるので、ツアーや山小屋はなるべく早く予約しておきましょう。

服装

登山の計画を立てたら、次は服です。登山にはどのような服を着ていくべき[7]でしょうか。夏だからといって[8]、雪が降らないとは限りません[9]。山頂は0度以下になることがあるので、ダウンジャケットやセーターなどを忘れないようにしてください。それに、丈夫(じょうぶ)な登山靴(ぐつ)も、岩が多い山頂の近くを歩くのに[10]必要です。安全のために必ず用意しておきましょう。

注意点

その他には、どのようなことに気をつけたらいいでしょうか。富士山にはトイレが少ないので、見つけたらその時に行っておいたほうがいいでしょう。また、富士山にゴミ箱はないので、自分のゴミは必ず持ち帰ってください。山を汚さないようにすることは、登山客が守るべき[7]ルールです。

富士山には、日本だけでなく世界中から人が集まります。準備をしっかり行い、マナーを守って、日本一の山に登る感動を味わってください。

富士(ふじ)登山の服装と持ち物

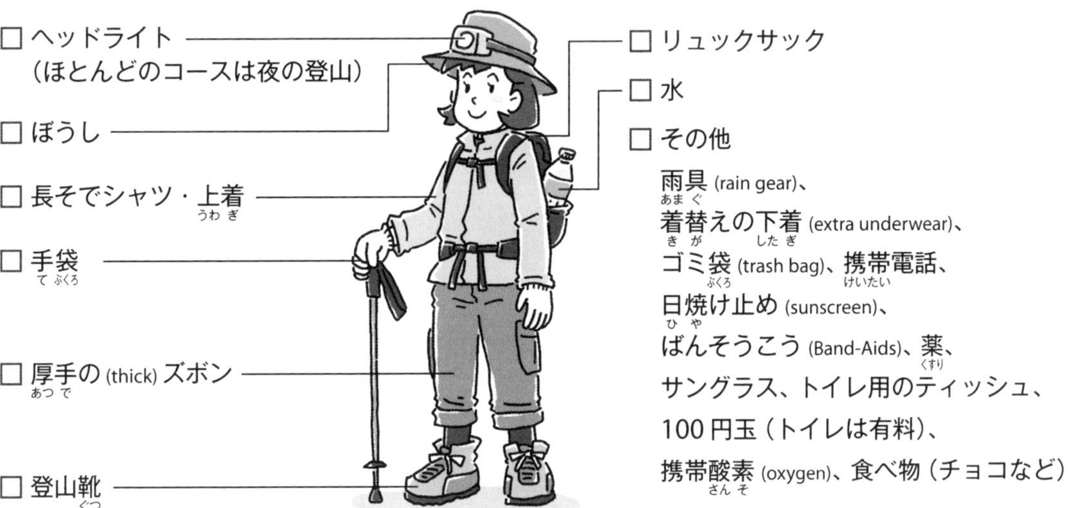

35

このように、おいしい料理やお酒が安く楽しめ、交流が深められる場所――それが居酒屋だ。あなたもぜひ一度、居酒屋に足を運んで、その独特な雰囲気を感じてみてほしい。

串盛り（くしも）

だしまき

えだ豆（まめ）

から揚げ（あ）

居酒屋のメニュー（例）

読み物2 居酒屋 ～日本らしさが感じられる場所～

1.Yomimono_L3-2

「安い値段でおいしい料理やお酒を楽しみたい」「友達と仲よくなる機会を作りたい」、そして「日本らしさを感じたい」。そんな時は居酒屋に行くとよい。特にチェーンの居酒屋は数が多く、学生や会社帰りのサラリーマン、主婦（しゅふ）、家族連れなど、様々な客に人気がある。人々は何を求めて居酒屋に行くのだろうか。その特徴から居酒屋の魅力（みりょく）を考えてみたい。

一つめの特徴は、料理もお酒も種類が多いことだ。席に着き、メニューを見れば、そのことにすぐ気がつくだろう。サラダやデザートがあるのは普通の飲食店と変わらないが、えだ豆（まめ）やから揚（あ）げなど、「おつまみ」と呼（よ）ばれるお酒に合う料理がたくさんある。また、ビールやワインの他に、日本酒やチューハイなど、いろいろなお酒が注文できる点も異なる。ジュースやお茶などのソフトドリンクもあるので、お酒が飲めない人でも楽しむことができる。

二つめの特徴[4]として考えられるのは、その安さだ。料理も飲み物も安い[5]ため、注文する時に値段を気にしなくていい。だから、あまりお金がない時でも安心して食べたり飲んだりできる。さらに、お酒を飲む量が多い人は、「飲み放題」というシステムを覚えておくといい。「飲み放題」では決まった金額を払えば、90分などと決められた時間内に何種類ものお酒が好きなだけ飲める。

しかし、[2]何と言っても最大の特徴は、居酒屋が交流の場になっていることだ。どの店にもたいてい個室があるので、居酒屋はグループで集まる[10]のにとても便利（べんり）だ。例えば、大学のサークルの「飲み会」や会社のプロジェクトやイベント後の「打ち上げ」でよく使われる。年末の「忘年会」や年始の「新年会」なども開かれる。そういう集まりでみんなでわいわい話せば、疲れている時の息抜きやストレス解消にもなる。また、あまり話したことがなかった人と親しくなれるチャンスにもなる。

読みのストラテジー⑤

段落の要旨を表す文 Sentences describing the gist of a paragraph

Expository writings are made up of interrelated paragraphs. By identifying the gist of each paragraph, you can see how it relates to the surrounding paragraphs, and thus get a handle on the organization of the text as a whole.

ストラテジー

- To understand the gist of a paragraph, look for a question presenting a topic and its answer, or a sentence summarizing the paragraph.

1 問いかけ文とその答え A question introducing a paragraph's topic and its answer

日本で自然を楽しみたい人は、どこに行くといいでしょうか。日本には自然が美しい場所がたくさんありますが、もし海が好きなら、沖縄がいいでしょう。沖縄の海の色は……

・As in the example above, questions introducing a paragraph's topic（どこに行くといいでしょうか）are often placed at the beginning. The key message of the paragraph is provided by the response to the question（沖縄がいいでしょう）, so if you find a question and its answer in a paragraph, you can use them to work out the main idea of that paragraph.

2 中心文 Topic sentences

京都は観光客にとても人気がある町だ。これから京都の特徴を紹介したい。

京都の最大の特徴は、日本の歴史が感じられることだ。(a) 1,000年以上、日本の首都 (capital) だったおかげで、古いお寺や神社が多い。また、和食や昔からの祭りなどの日本の伝統文化も楽しめる。(b)

・Sentence (a) is a topic sentence summarizing the content of the second paragraph. Sentences (b) that follow (a) expound on that topic with specific information. As in this example, this type of topic sentence is usually placed at the beginning.

この段落の問いかけ文とその答え、または中心文に下線を引きなさい。

Underline the question/answer pair or summary statement that presents the paragraph's topic.

（読み物1：行11～15）

まず、いつ、どんなルートを登るのがいいのでしょうか。一般的な登山期間は7月上旬から9月上旬までの約2カ月です。この間は山小屋が開いていて、登山バスも走っています。登山ルートは全部で4つあり、歩く距離や難しさなどがルートによって違います。よく調べて自分に合ったルートを選びましょう。

文型・表現ノート

2.Bunkei_L3

1. ～うちに 〈while ～〉

[読み物 1-行 1]

A：留学中にやりたいことってある？
Is there anything you want to do while studying abroad?

B：日本にいる**うちに**日本人の友達をできるだけたくさん作りたいな。
I want to make as many Japanese friends as I can while I'm in Japan.

1 A：今日はジョージの誕生日(たんじょうび)だから、サプライズパーティーをしようよ。
B：いいね！じゃあ、ジョージが出かけている**うちに**、準備をしておこう！

2 若い**うちに**、いろいろな経験をしたほうがいい。

3 学生：学生の**うちに**、どんなことをしておいたほうがいいでしょうか。
先生：ぜひいろいろな本を読んでみてください。

4 A：もう６時だよ。
B：本当だ。暗(くら)くならない**うちに**、家に帰ろう。

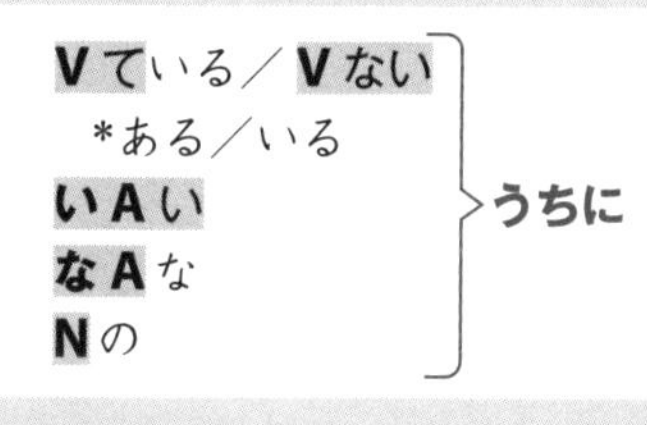

Vている／Vない
＊ある／いる
いAい
なAな
Nの
→ **うちに**

- X うちに Y means that Y will be done while X continues. There is a connotation that it would be too late to do Y once X ends, thus X うちに Y conveys a slightly increased sense of imminence compared with 間に.
- The verb in X can take any of the following forms: Vて いる, Vない, ある, いる.
- Vない うちに Y in 4 implies that Y needs to be done in haste before V occurs.
- Y cannot be in the negative form ～ない. To use ～ない in Y, ～うちは would be used rather than ～うちに.

例）× 日本にいるうちに、英語を話しません。
　　○ 日本にいるうちは、英語を話しません。
　　I will not speak English while I'm in Japan.

2. 何と言っても 〈undeniably (lit., no matter what you say)〉

[読み物 1-行 2
読み物 2-行 24]

A：日本の伝統的(でんとう)なスポーツと言えば？
What would you say is the Japanese traditional sport?

B：**何と言っても**すもうだと思います。
I think it's undeniably sumo.

1 春の楽しみといえば、**何と言っても**お花見だろう。

2 暑い日に飲むなら、**何と言っても**ビールが最高だ。

3 **何と言っても**京都が日本で一番歴史的な町だと思う。

4 A：世界で有名な日本人の特徴は何でしょうか。
　B：**何と言っても**礼儀正しいところでしょうね。

何と言っても	・何と言っても X expresses the speaker's belief that no matter who you ask, X would be considered the best (or that X best fits the description mentioned in the context).

3. N にとって ⟨for N; to N⟩

［読み物 1- 行 4］

絵理：ジョージ**にとって**一番大切なものって、何？
What is the most important thing for you, George?

ジョージ：音楽かな。音楽があれば、幸せな気持ちになれるから。
I think it's music. It makes me happy when there is music.

1 A：日本に住んでいる外国人**にとって**難しいのは、どんなことだと思いますか。
　B：日本の習慣に慣れることだと思います。

2 体**にとって**重要なものの一つは、水だ。

3 一人暮らしをしている人**にとって**便利なものは、インスタントラーメンだろう。

4 家族と過ごす時間は、私**にとって**一番必要なものです。

N にとって ｛難しい／大切／必要／便利 etc.｝

・N にとって X is used when stating a quality of something (an object, person, etc.) from the perspective of N.

・N is usually a person or a group of people (e.g., 私 , 外国人 , 学生 , 日本 , 町), and X takes words that describe a quality (e.g., 難しい , 大切な , 重要な , 必要な , 便利な , etc.).

・X cannot be words of description that are subjective and only reflect the speaker's personal opinion, such as いい , 好きな , 嫌いな , 賛成 and 反対 .

例）× 私にとって、旅行が好きだ。
　　○ 私は、旅行が好きだ。
　　I like traveling.

日本を楽しむ

4. Nとして 〈as N〉

[読み物1-行5
読み物2-行17]

A：スマートフォンって、いろいろな使い方ができて便利(べんり)だよね。
Smartphones are really useful—you can use them for so many different functions.

B：うん。私は辞書(じしょ)や目覚(めざ)まし時計**として**使っているよ。
Yeah, I use mine as a dictionary and an alarm clock.

1 彼は翻訳家(ほんやくか)**として**働いています。

2 大阪(おおさか)は日本を代表する観光地(かんこうち)の一つ**として**有名だ。

3 A：ビジネススキル**として**必要なものは、何ですか。
B：そうですね。やっぱり英語は必要だと思います。

4 木村(きむら)：田中さんは、書道の先生ですか。お上手ですね。
田中(たなか)：いえいえ。趣味(しゅみ)**として**やっているだけです。

Nとして

・Nとして means "as N."

5. ～ため(に) 〈due to ~; because (of) ~〉

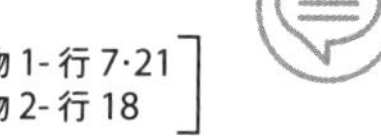
[読み物1-行7·21
読み物2-行18]

〔駅のアナウンス〕An announcement at a train station
台風の**ため**、電車が20分遅れております。お急ぎのところ申し訳ございません。
Due to the typhoon, the train is currently running 20 minutes behind schedule. We apologize for any inconvenience caused by the delay.

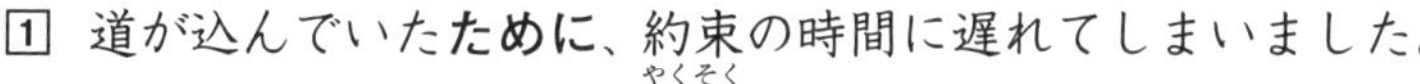
1 道が込んでいた**ために**、約束(やくそく)の時間に遅れてしまいました。

2 今年は夏が寒かった**ため**、野菜(やさい)の値段が高い。

3 あのバスは不便(ふべん)な**ために**、使う人が少ない。

4 母が病気になった**ため**、留学できなかった。

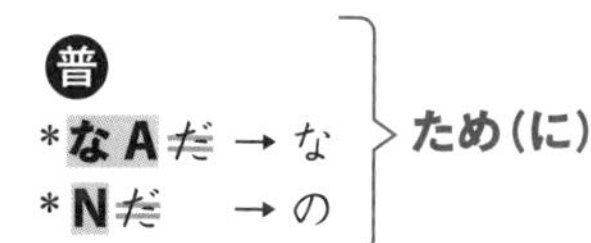
普
*なAだ → な
*Nだ → の
} ため(に)

・X ため(に) Y expresses that X is the reason/cause for Y.
・ため(に) is more formal than ～ので or ～から .

6. Nによって 〈depending on N; it depends on N〉

[読み物1-行14]

文化や習慣は国**によって**異なる。
Cultures and customs differ depending on the country.

1 A：日本の物価(ぶっか)は高いと思いますか。
B：物**によって**違うと思いますが、一般的に言って私の国より高いと思います。

2 A：あの映画はどうだった？
B：おもしろかったよ。人**によって**感じ方は違うかもしれないけど。

3 話す相手**によって**言葉の使い方を変えたほうがいい。

4 どれだけ働くか**によって**給料(きゅうりょう)は変わるだろう。

Nによって { 違う / 異なる / 変わる etc.

- Nによって X states that X can be different depending on what N is.
- Embedded questions (such as どれだけ働くか in 4) can be used in N as well.

7. 〜べきだ／べきではない 〈should/shouldn't〉

[読み物1-行29·38]

〔電車の中で〕 On the train
A：見て！ あの高校生、お年寄(としよ)りが目の前に立っているのに……。
Look at that high school student. An elderly person is standing right in front of him.

B：本当だ。席をゆずる**べきだ**よね。
You're right. He should offer his seat.

1 困(こま)っている人がいたら、助ける**べきだ**と思います。

2 どんなときも、うそをつく**べきではありません**。

3 世界の国々は戦争(せんそう)をす(る)**べきではない**と思う。

4 A：ルームメートがうるさくて、部屋で勉強できないんです。
B：嫌(いや)なら、「静(しず)かにして！」とはっきり言う**べきだ**よ。

Vる { **べきだ** / **べきではない**

- べき is used to make an assertive statement about one's opinion regarding matters in general, as shown in 1 through 3.
- When the verb する precedes べき, an abbreviated form すべきだ can be used as well, in addition to the standard form するべきだ.
- To make a statement about your own action (i.e., what you think you should do), then 〜なければならない is used instead of 〜べきだ.

例）？ 私はもっと勉強すべきだ。
〇 私はもっと勉強しなければならない。
I should study more.

- べきだ also should not be used for something that has been established as a rule or a regulation; ～なければならない or ～てはいけない is used in this case instead.

例）× 日本では、車は左側を走るべきだ。
　　○ 日本では、車は左側(ひだりがわ)を走らなければならない。
　　In Japan, you must drive on the left-hand side of the road.

- When ～べき is used in a sentence addressing the listener directly, it can be used as a command or a piece of advice, depending on the context or the content of the conversation (see 4).

8. ～からといって 〈just because ~; ~ is not a good enough reason〉

［読み物 1- 行 30］

A：この前の試験、50 点しか取れなかったんだ……。ああ、もうだめだ。
I scored only 50 on the last exam . . . . This is it, I'm done for.

B：悪い点を 1 回取った**からといって**、そんなに落(お)ち込(こ)まないで。
Don't be so depressed just because you got a bad grade on a single test.

1 日本に住んでいた**からといって**、日本語が話せるとは限らない。

2 A：剣道(けんどう)の練習(れんしゅう)を毎日しているのに、全然試合に勝(か)てないんだ。もうやめたい…。
　B：試合に勝てない**からって**、あきらめないで！

3 A：山田(やまだ)さんはまだ 20 歳だから、店長の仕事をさせることはできませんよね。
　B：いえいえ。若い**からといって**、できないとは限りませんよ。

4 間違えるのが嫌(いや)だ**からといって**、クラスで話さないのはよくない。

5 お金持ちだ**からといって**、幸せとは限らない。

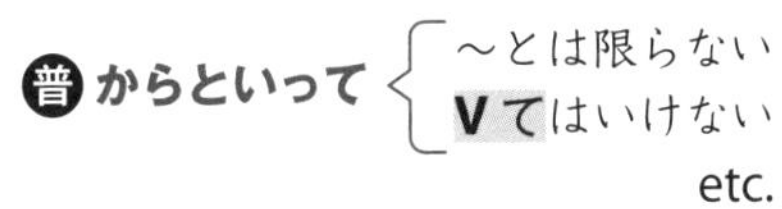

- X からといって Y ない states that X is not a good enough reason to conclude that Y is true, even though people might believe that X can be a reason for Y. For instance, 5 implies that one might assume that a rich person must be happy, but wealth alone does not equate with happiness, and there may be people who are rich but unhappy.
- Some common forms used in Y ない are V て はいけない , ～とは限らない and ～わけではない (see Lesson 6).
- In casual settings, an abbreviated form ～からって instead of ～からといって is used, as in 2.

9. ～とは限らない 〈it is not always the case that ～〉

[読み物 1- 行 30]

A：あのレストランは高いから、きっとおいしいんだろうね。

That restaurant is very expensive; food there must be good.

B：そうかなあ。高いレストランの料理がおいしい**とは限らない**よ。

I don't know. It's not always the case that expensive restaurants serve good food.

1 A：日本人はみんな着物を着たことがありますか。

B：いいえ、必ずしも着たことがある**とは限りません**。

2 留学生がみんな英語を話せる**とは限りません**。

3 必ずしも外国人がみんな納豆(なっとう)が嫌(きら)いだ**とは限りません**。

4 A：クレジットカードがあるから、お金は持っていかなくてもいいよね？

B：持っていったほうがいいよ。どの店でもカードが使える**とは限らない**から。

5 車を持っていないからといって、運転免許(めんきょ)を持っていない**とは限らない**。

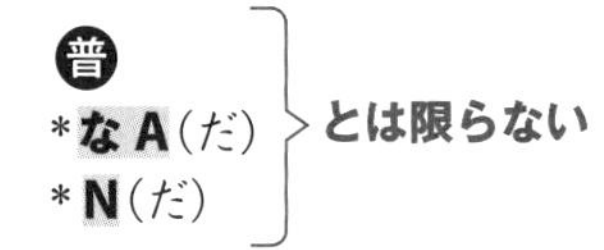

- X とは限らない is an expression of partial negation. There is a general belief that X is true, but this expression states that there are cases where X is not true.
- This structure is often used with expressions such as 必ずしも, いつも and みんな.

10. ～のに 〈for the use of~; for the purpose of ~; in order to do〉

[読み物 1- 行 32
読み物 2- 行 26]

A：ここから東京(とうきょう)駅まで行く**のに**電車でどれぐらいかかる？

How long does it take by train to get to Tokyo Station from here?

B：うーん。30 分ぐらいかな。

Hmmm . . . I think about 30 minutes.

1 窓(まど)をきれいにする**のに**古くなったタオルを使っています。

2 このカードは図書館で本を借りる**のに**必要です。

3 「ところで」は話題を変える**のに**便利(べんり)な表現(ひょうげん)だ。

4 A：旅行に行く時に必ず持っていくものは何ですか。

B：やっぱりこのタブレットです。

写真を撮(と)ったりネットで道を調べたりする**のに**役に立つので。

5 このサイトのユーザー登録をする**のに** 1 分しかかからなかった。

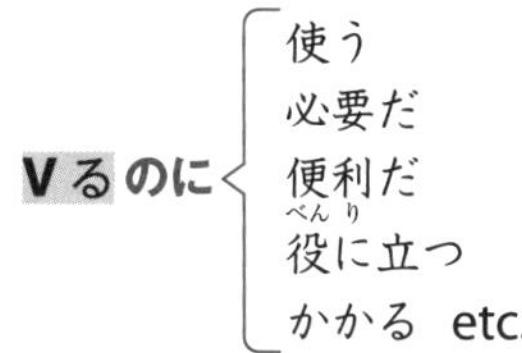

Vるのに
使う
必要だ
便利だ
役に立つ
かかる etc.

- Vる のに X expresses purposes/uses.
- Expressions used in X are limited to phrases/words such as 使う, 必要だ, 便利だ, 役に立つ and かかる.

私の好きな町

1 モデル作文

自分の好きな町を紹介するコラムを書く。

❶ タイトル

昔の日本が感じられる町 高山(たかやま)
(a)

❷ 町の特徴

(b)岐阜県(ぎふけん)にある高山(たかやま)は古くて美しい町だ。歴史的(れきしてき)な建物(たてもの)が多く残っていて、「小京都(しょうきょうと)」と言われている。

❸ その特徴の楽しみ方 1

(b)高山に行ったら、まず古い建物がある通りを歩いてみてほしい。まるで江戸(えど)時代を散歩(さんぽ)しているような気持ちになるだろう。その古い通りには、伝統的(でんとうてき)な工芸品(こうげいひん)などのお店がたくさんあるので、お気に入りのお箸(はし)や人形(にんぎょう)などを探(さが)してみるのも楽しいかもしれない。

❹ その特徴の楽しみ方 2

(b)また、100年以上前に作られた家を見学するのもいいだろう。そこでは、実際(じっさい)に昔の田舎(いなか)の生活を体験してみたり、伝統的な工芸品を作ってみたりすることができる。今の時代の忙しい生活を忘れたい時には、高山を訪れて昔の日本を感じてはどうだろうか。

❺ 行き方

高山へのアクセス

- 名古屋(なごや)から…電車で約2時間半／車で約2時間
- 大阪(おおさか)から……電車で約4時間／車で約4時間
- 東京(とうきょう)から……新幹線(しんかんせん)と電車で約4時間

単語 建物(たてもの) building　伝統的(でんとうてき)な traditional　工芸品(こうげいひん) artifact　人形(にんぎょう) a doll　見学(けんがく)する to go on a field trip　実際(じっさい)に actually　田舎(いなか) countryside

■ 書くポイント

1. タイトルでトピックを紹介する。…… (a)

(行1)「昔の日本が感じられる町 高山(たかやま)」 → トピック＝高山

2. 紹介したい特徴を中心文にして、段落のはじめに書く。その後に例や説明を書く。…… (b)

(1段落目：行2〜3)
岐阜(ぎふ)県にある高山(たかやま)は古くて美しい町だ。

(2段落目：行5〜6)
高山に行ったら、まず古い建物(たてもの)がある通りを歩いてみてほしい。

(3段落目：行10)
また、100年以上前に作られた家を見学するのもいいだろう。

2 タスク

■ 書く前に

(1) あなたが今まで行った町の中で一番好きな町はどこですか。

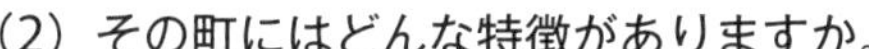

(2) その町にはどんな特徴がありますか。

(3) その特徴を楽しむ方法を2つ教えてください。

■ 書いてみよう

下の3つを使って、自分が一番好きな町の紹介文を書きなさい。(300〜400字)

・タイトル……町の名前とどんな町かを入れる
・中心文（町の特徴）「○○は〜町だ」
・中心文（特徴の楽しみ方）「〜（てみ）てほしい」「〜のもいいだろう」など

友人との集まり

予約の変更(へんこう)

1-1 やってみよう

1）レストランを予約しましたが、変更(へんこう) (change) したいことがあります。変更したいことを a ～ e から 2 つ選んで（　　）に記号(きごう)を書き、どのように変更するかメモしなさい。

今の予約の内容(ないよう) (content)

a. 日にち：　15 日（金曜日）
b. 時間：　7 時
c. 人数(にんずう)：　4 人
d. コース：　5,000 円飲み放題付(つ)きコース
e. 席：　テーブル席

	どのように変更(へんこう)する？
変更 ① （　　）	
変更 ② （　　）	

2）1）で考えたことを使って、ロールプレイをしなさい。

フォーマルな会話

A あなた

レストランを予約しましたが、
予約の内容(ないよう)を変えなければ
なりません。
店に電話をしなさい。

B レストランの店員

予約を変更(へんこう)したいという電話が
かかってきました。
変更の内容(ないよう)を聞いて
対応(たいおう)しなさい (respond)。

1-2 聞いてみよう

🎧 3.Kaiwa_L3-1

1）モデル会話を聞いて、下の質問に答えなさい。

① ジョージはどこに電話をしましたか。

② 予約の何を変更(へんこう)しましたか。

③ いつ店に行きますか。何時に行きますか。何人で行きますか。

2）ジョージは変更(へんこう)の希望(きぼう) (request) を言う時、何と言っていましたか。

① 予約を変更したいことを伝える時

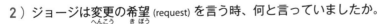

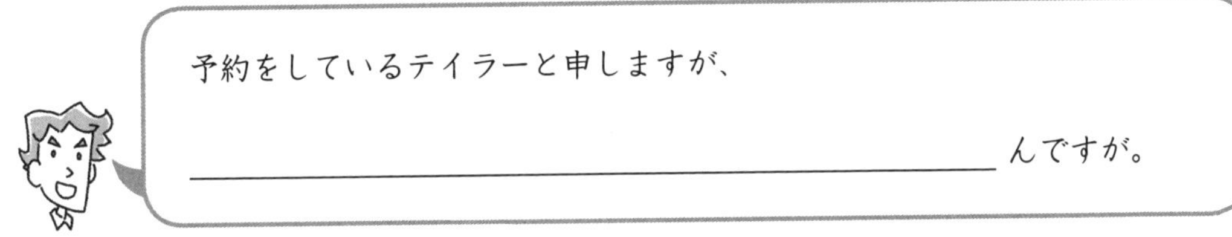
予約をしているテイラーと申しますが、
＿＿＿＿＿＿＿＿＿＿＿＿＿＿＿＿＿＿＿＿ んですが。

② 席を変更したいことを伝える時

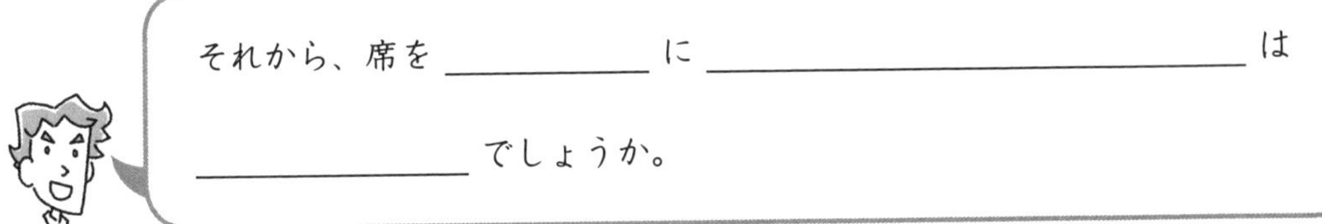
それから、席を ＿＿＿＿＿＿ に ＿＿＿＿＿＿＿＿＿＿＿＿ は
＿＿＿＿＿＿＿ でしょうか。

ここにも注目

▸「～っけ」

よく覚えていない時に使います。

例1 A：そのお店は北山駅(きたやま)の近く { でしたっけ？ / だっけ？／だったっけ？ }

B：{ はい、歩いて５分ぐらいですよ。 / うん、歩いて５分ぐらいだよ。 }

例2 A：明日のパーティー、どこでする { んでしたっけ？ / んだっけ？／んだったっけ？ }

B：居酒屋「花火」で { ですよ。 / だよ。 }

例3 A：高校の時、アメリカに留学していた { んでしたっけ？ / んだっけ？／んだったっけ？ }

B：{ はい、２年アメリカにいました。 / うん、２年アメリカにいたよ。 }

1-3 モデル会話

3.Kaiwa_L3-1

フォーマルな会話

飲み会の予約を変更する

ジョージ・テイラー（ジ:）が飲み会の予約内容を変更するため、居酒屋（店:）に電話をする。

店: お電話ありがとうございます。居酒屋「花火」です。

ジ: ❶すみません、明日の７時に**予約をしている**テイラー**と申しますが、予約の変更をしたいんですが。**

店: ７時にご予約のテイラー様ですね。

ジ: はい。

店: どのようなご変更ですか。

ジ: えっと、❷**申し訳ありませんが、**12人**から**10人**に変更をお願いしたいんですが。**

店: お二人様キャンセルですね。かしこまりました。

ジ: ❸あの、**それから、**席を個室に変え**ていただくことは可能でしょうか。**

店: 少々お待ちください。……お待たせいたしました。テーブルの個室は満席のため、お座敷のご案内となりますが、よろしいでしょうか。

ジ: 座敷って、たたみの部屋でしたっけ？

店: はい。

ジ: じゃあ、それでお願いします。

店: かしこまりました。では、お座敷で10名様に変更ですね。他はよろしいですか。

ジ: ❹**はい、大丈夫です。よろしくお願いします。**

店: それでは、明日お待ちしております。お電話ありがとうございました。

単語 (予約を)変更する to change (one's reservation)　変える to change　可能 possible　満席 full house　(お)座敷 a room floored with tatami mats　たたみ straw and rush mats

フローチャート

あなた：予約の変更をする	店員：予約の変更を受ける

パートA

店員：お電話ありがとうございます。居酒屋「××」です。

❶ 予約の変更をしたいと言う
すみません、明日7時に予約をしている○○と申しますが、予約の変更をしたいんですが。

店員：7時にご予約の○○様ですね。どのようなご変更ですか。

❷ 変更したい内容を伝える
申し訳ありませんが、12人から10人に変更をお願いしたいんですが。

店員：かしこまりました。

パートB

❸ 変更したい内容をもう一つ伝える
あの、それから、席を個室に変えていただくことは可能でしょうか。

店員：個室ですね。かしこまりました。他はよろしいですか。

❹ 会話を終える
はい、大丈夫です。よろしくお願いします。

店員：それでは、お待ちしております。お電話ありがとうございました。

1-4 練習しよう

▶ のパターンを使って話してみましょう。

パートA ❶ 予約の変更(へんこう)をしたいと言う → ❷ 変更したい内容(ないよう)を伝える

店員： お電話ありがとうございます。居酒屋「××」です。

あなた： ❶すみません、＿明日の７時＿ **に予約をしている○○と申しますが、予約の変更(へんこう)をしたいんですが。**

店員： ＿７時＿ にご予約の○○様ですね。どのようなご変更ですか。

あなた： ❷**申し訳ありませんが、**＿12人＿ **から** ＿10人＿ **に変更をお願いしたいんですが。**

店員： かしこまりました。

1. 店に電話をかけて、下の予約内容(ないよう)の①〜③のどれかを変更をしなさい。

今の予約内容(ないよう)

① 日にち： 今週土曜日
② 時間： ６時半
③ 人数(にんずう)： ８人

2. 「1-1. やってみよう」の 1）(p. 84) で考えた「変更①」を使って話してみよう。

パートB ❸ 変更したい内容をもう一つ伝える → ❹ 会話を終える

あなた：❸あの、**それから、**＿席＿**を**＿個室＿**に変えていただくことは可能でしょうか。**

店員：＿個室＿ですね。かしこまりました。他はよろしいですか。

あなた：❹**はい、大丈夫です。よろしくお願いします。**

店員：かしこまりました。それでは、お待ちしております。
お電話ありがとうございました。

1. あなたは3,000円のコース料理を予約をしましたが、2,500円のものに変更したいと思っています。変更できるかどうか店員に聞きなさい。

2. 「1-1. やってみよう」の1)(p. 84)で考えた「変更②」を使って話してみよう。

☛ ペアを変えて、パートA と パートB を続けてやってみましょう！

役に立つ表現

・２人キャンセルする to cancel a reservation for two people ↔ ２人追加する to add two people

・テーブル席 (seat at a) table　・ボックス席 booth

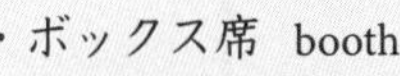

・カウンター席 seat at the bar

・窓際の席 window table

・夜景が見える席 seat with a view of the night lights

・席が空いている have seating available ↔ 満席／いっぱい full (no seats available)

・貸し切りにする reserve the whole restaurant

・個室 private room

・座敷 Japanese-style room

店での注文

2-1 やってみよう

1）レストランでコースメニューやセットメニューの内容(ないよう) (content) がわからない時、店員にどんな質問をしますか。その他に質問したいことはありますか。下にメモしなさい。

① コースやセットの内容(ないよう)について

② その他の質問

例 食べられないものなどについて

2）1）で考えたことを使って、ロールプレイをしなさい。

フォーマルな会話

A あなた	B レストランの店員
レストランでセットメニューを注文しようと思います。セットの内容(ないよう)を店員さんに質問してから注文しなさい。 食後に飲み物が飲みたくなりました。追加(ついか)の注文 (additional order) をしなさい。	客の注文を取りなさい。質問されたら、質問に答えなさい。

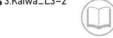

2-2 聞いてみよう

🎧 3.Kaiwa_L3-2

1）モデル会話を聞いて、下の質問に答えなさい。

① 客が注文した「コース」に含(ふく)まれる (be included) 料理をすべて選びなさい。

ちゃんこなべ	サラダ	から揚(あ)げ	天ぷら	おさしみ
おにぎり	ごはん	デザート	飲み放題	

② 客が注文した「なべ料理」に入っているものをすべて選びなさい。

白菜(はくさい)などの野菜(やさい)	牛肉	豚肉(ぶたにく)	鶏肉(とりにく)	魚
えび	豆腐(とうふ)	まいたけ	しいたけ	

2）ジョージたちは料理や飲み物を注文する時、何と言っていましたか。

① コースについて質問する時

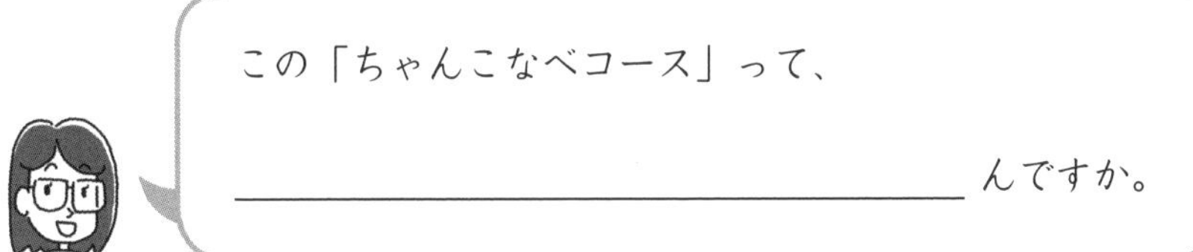

この「ちゃんこなべコース」って、

＿＿＿＿＿＿＿＿＿＿＿＿＿＿＿＿ んですか。

② なべについて質問する時

ちゃんこなべって、＿＿＿＿＿＿＿＿＿＿＿＿＿＿＿＿ んですか。

ちゃんこなべ

③ 注文について希望(きぼう) (request) を言う時

ビール５本とレモンハイ１つ、追加(ついか)でお願いします。

あの、＿＿＿＿＿＿＿＿＿＿ ば、レモンハイの氷(こおり)を

＿＿＿＿＿＿＿＿＿＿＿＿＿＿ ますか。

読む

書く

話す

友人との集まり 会話2

聞く

2-3 モデル会話

🎧3.Kaiwa_L3-2

フォーマルな会話

居酒屋で

居酒屋でジョージ（ジ:）、絵理(えり)（絵:）、メイリン（メ:）たちがメニューを見ながら店員（店:）と話している。

店:　お決まりでしょうか。

メ:　❶すみません、あの、この「ちゃんこなべコース」**ってどんな料理が出るんですか。**

店:　メインのちゃんこなべに、サラダ、ごはん、デザートがついている 90 分の飲み放題コースです。おすすめですよ。

絵:　❶ちゃんこなべ**って、何が入っているんですか。**

店:　鶏肉(とりにく)、豆腐(とうふ)、しいたけ、あと、白菜(はくさい)などの野菜(やさい)が入っています。

絵:　へえ。おいしそうだね。それにする？

メ:　うん。

絵:　❷じゃあ、そのコース**をお願いします。**

店:　かしこまりました。飲み放題のお飲み物はどうされますか。

メ:　みんな、とりあえずビールでいい？

絵:　うん。10 人だから、5 本で足(た)りるかな。

メ:　うん。❷じゃあ、瓶(びん)ビール 5 本、**お願いします。**

店:　少々お待ちください。

〈30 分後〉

メ:　あ、ビールなくなっちゃった。追加(ついか)で頼(たの)もうか。

ジ:　僕(ぼく)、次はレモンハイにする。

メ:　オッケー。すみませーん。

店:　はーい。

メ:　❸ビール 5 本とレモンハイ 1 つ、**追加でお願いします。**

店:　はい。

ジ:　❹あの、**できれば、**レモンハイの氷(こおり)を抜い**てもらえますか。**

店:　はい、かしこまりました。レモンハイの氷抜きですね。

メ:　❺**とりあえず、以上でお願いします。**

単語 なべ hot pot　ついている to be attached; to be included　おすすめ recommendation
しいたけ shiitake-mushrooms　白菜(はくさい) Chinese cabbage　とりあえず for the time being; for the present
足(た)りる to be sufficient　瓶(びん)ビール bottled beer　追加(ついか)（する） to add; to make an additional order
レモンハイ lemon sour cocktail　氷(こおり) ice　（～を）抜(ぬ)く without; not include
以上(いじょう)で（お願(ねが)いします） That's it for now.

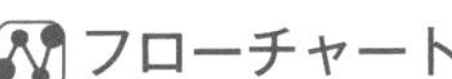

フローチャート

あなた：注文する	店員：注文を取る

パートA

店員：お決まりでしょうか。

❶ メニューについて質問する
すみません、あの、「ちゃんこなべ」って、**何が入っているんですか。**

店員：鶏肉(とりにく)、豆腐(とうふ)、しいたけ、あと、白菜(はくさい)などの野菜(やさい)が入っています。

❷ 注文する
じゃあ、それ**をお願いします。**

店員：かしこまりました。

パートB

❸ 追加(ついか)の注文 (additional order) をする
すみません、ビール5本とレモンハイ1つ、**追加(ついか)でお願いします。**

店員：はい。

❹ 希望(きぼう) (request) を言う
あの、**できれば、**レモンハイの氷(こおり)を抜い**てもらえますか。**

店員：はい、かしこまりました。レモンハイの氷抜きですね。

❺ 注文を終える
（とりあえず、）以上でお願いします。

話す

友人との集まり　会話2

聞く

2-4 練習しよう

▶ 　　　　のパターンを使って話してみましょう。

パートA ❶メニューについて質問する ➔ ❷注文する

店員：　お決まりでしょうか。

あなた：❶すみません、あの、

(例1) このコース／セット／〇〇ランチ **ってどんな料理が出るんですか。**

(例2)「ちゃんこなべ」**って何が入っているんですか。**

(例3)「ちゃんこなべ」**って何ですか。**

店員：　(例1) ～が出ます。／(例2) ～が入っています。／(例3) ～です。

あなた：❷じゃあ、それ**をお願いします。**

店員：　かしこまりました。

1. 下のランチメニューを見て、店員に質問しなさい。

① 「本日(ほんじつ)のパスタ」「本日のカレー」は何か。

② 「お飲み物」には何があるか。

Aランチ (800円)

・本日(ほんじつ)のパスタ
・スープ
・ミニサラダ
・お飲み物

Bランチ (850円)

・本日のカレー
・スープ
・ミニサラダ
・お飲み物

※店員は下のメモを見て答えなさい。

今日のランチ

Aランチ (本日(ほんじつ)のパスタ)：ベーコンとトマト
Bランチ (本日のカレー)：野菜(やさい)カレー
※お飲み物：コーヒーか紅茶(こうちゃ)（アイスかホットが選べる）

2. 「2-1. やってみよう」の1) ① (p. 90) で考えたことを使って話してみよう。

パートB ❸追加(ついか)の注文 (additional order) をする → ❹希望(きぼう) (request) を言う → ❺注文を終える

あなた：❸すみません。 ビールとレモンハイ 、追加(ついか)でお願いします。
店員： はい。
あなた：❹あの、できれば、 レモンハイの氷(こおり)を抜い てもらえますか。
店員： はい、かしこまりました。 レモンハイの氷抜き ですね。
あなた：❺（とりあえず、）以上でお願いします。

1. ① 下のメニューを見て、デザートを追加で注文しなさい。
② あなたは、そのデザートに入っているもの（例：ミント [mint]）が苦手(にがて)です。店員に希望(きぼう)を言いなさい。

デザートメニュー

フルーツパフェ

メロン、もも、チェリーなどのフルーツをたくさん使ったパフェです。

¥600

チョコレートケーキ

チョコレートケーキにチョコソースとマカダミアナッツをトッピングしました。

¥400

アイスクリーム

※ソースにお酒が含まれています

バニラアイスにコーヒーリキュールのソースをかけ、ピスタチオをトッピングしました。

¥300

シフォンケーキ

ふわふわのケーキに生クリームをつけてお召(め)し上(あ)がりください。

¥400

2. 「2-1. やってみよう」の 1) ② (p. 90) で考えたことを使って話してみよう。

☛ ペアを変えて、パートA と パートB を続けてやってみましょう！

役に立つ表現

▸居酒屋のメニューでよく使われる単語・表現

料理屋　かるてっと

今月のおすすめ

串焼き盛り合わせ（2人前）　1000円

お造り盛り合わせ（2人前）　2300円

夜の日替わり定食

（ご飯・味噌汁・小鉢付き）

焼き魚定食　900円

お刺身定食　1200円

天ぷら定食　1000円

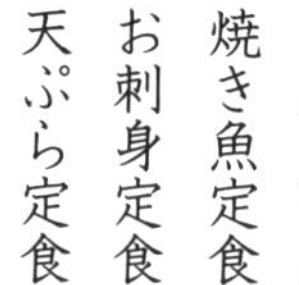

＊ご飯の大盛り無料です。

・おかわり　100円

・少なめ　50円引

＊すべて税込価格となっております。

＊お通し代として、おひとり様200円頂戴しております。

- 串焼き（くしや） spit-roasting
- （〜の）盛り合わせ（も あ） assorted ~
- お造り（つく）＝刺身（さしみ）
- 〜人前（にんまえ） for ~ persons
- 日替わり（ひ が） daily special
- 定食（ていしょく） set meal
- 味噌汁（み そ しる） miso soup
- 小鉢（こ ばち） (small dish served in) a small bowl
- 大盛り（おお も） large serving
- おかわり another (bowl of rice)
- 少なめ small serving
- 〜円引（えんびき） ~ yen off
- 税込価格（ぜいこみ か かく） tax-included price
- お通し（とお） small appetizer
- お通し代 a cover charge
- 頂戴する（ちょうだい）＝もらう

「お通し」とは？

居酒屋に入ると、注文する前に「お通し」という料理が出されます。これは、注文した料理が来るのを待っている間に食べるもので、小鉢（こばち）に入った小さな料理であることが多いです。また、お通し代はたいてい席料の意味もあるため、全員払うのが一般的です。

イタリア人留学生から見た日本

聴解 1　富士(ふじ)登山の計画

4.Chokai_L3-1

登山サークルのアンドレアと研(けん)が、富士山(ふじさん)のパンフレットを見ながら登山イベントの計画を立てています。会話を聞いて、この人たちが登るルートに○をつけなさい。

単語　急(きゅう)な　steep

	吉田(よしだ)ルート	富士宮(ふじのみや)ルート	須走(すばしり)ルート	御殿場(ごてんば)ルート
長さ	14 km	8.5 km	13 km	17.5 km
登り時間	6 時間 10 分	5 時間 30 分	6 時間 50 分	8 時間 10 分
下り時間	3 時間 30 分	3 時間 50 分	3 時間 20 分	4 時間 20 分
人の多さ	多い	ふつう	少ない	少ない

（出典：ウェブサイト「初心者のための登山とキャンプ入門」）

a. (　　　) 吉田(よしだ)ルート

b. (　　　) 富士宮(ふじのみや)ルート

c. (　　　) 須走(すばしり)ルート

d. (　　　) 御殿場(ごてんば)ルート

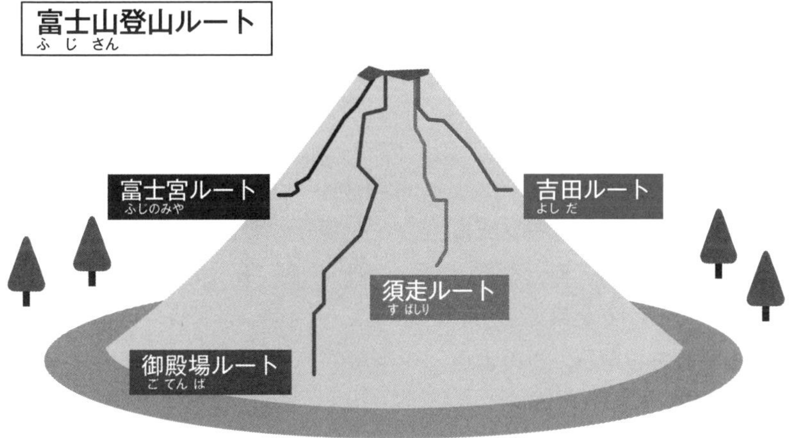

聴解 2　レストランで並ぶこと

4.Chokai_L3-2

聞く前に

あなたは買い物や食事をする時に、よく並びますか。

リスニング

イタリア人留学生のアンドレアが、クラスで「レストランで並ぶこと」についてスピーチをしています。スピーチを聞いて質問に答えなさい。

単語　並ぶ　to line up　行列　line　発売される　to be released

1. スピーチの内容に合うものに○、合わないものに×をつけなさい。

① (　　) アンドレアたちは、ラーメン屋で１時間くらい待たなくてはいけなかった。

② (　　) アンドレアは、おいしいラーメンを食べるためだったら、長い時間待てる。

③ (　　) アンドレアは、日本人は待つのが好きじゃないと思っている。

④ (　　) アンドレアの友達によると、外国の人もよく並んでいるそうだ。

⑤ (　　) アンドレアの友達は、イタリアのピザ屋で行列に並ばなかった。

2. アンドレアの友達によると、外国人はどんなものが発売される時、並びますか。

3. アンドレアの考えによると、日本人は行列に並ぶことをどのように思っていますか。

ディスカッション

右のグラフは、日本のビジネスパーソンに「人気のある飲食店に行った時、何分ぐらいなら待ってもいいか」と聞いた結果です。あなたの国で同じ調査をしたら、どのような結果になると思いますか。

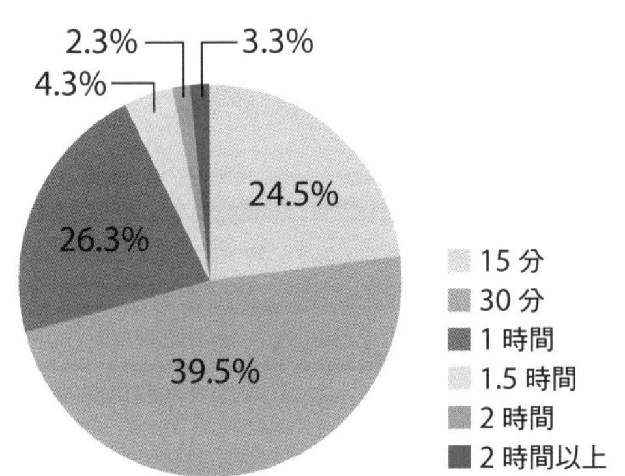

シチズン時計（株）意識調査「ビジネスパーソンの『待ち時間』意識」（2018 年）より

第4課

外国での経験

座談会の記事

- ➤ 座談会の記事を読んで、出席者それぞれの意見がわかる
- ➤ 報告書を読んで、筆者が経験したことがわかる
- ➤ 座談会で話したことをまとめられる

困った時には

ドイツ人留学生から見た日本

- ➤ 悩みを話してアドバイスを求めることができる
- ➤ 相手に合わせたおすすめが教えられる

外国での経験

読む前に・読んだ後で

読み物１ 座談会（ざだんかい）～留学を語る～

読む前に

1. あなたの大学には留学生がたくさんいますか。どの国からの留学生が多いですか。

2. 留学のよい点と気をつけるべき点は何だと思いますか。

読んだ後で

3. 本文によると、留学にはどのようなよい点と気をつけるべき点がありますか。下の単語をできるだけ使って話しましょう。

   ［日常生活　日本語　実際　経験　価値観　視野
   お金　母語　ホームシック　単位　就活］

4. 外国語を勉強している学生は留学すべきだと思いますか。しなくてもいいと思いますか。どうしてですか。

5. 「寮生活のよい点と気をつけるべき点」というテーマ (theme) で、グループで話し合ってください。

 読み物2 留学生の日本体験

読む前に

1. あなたの国で大学生に人気があるアルバイトは何ですか。

2. 今、どんなアルバイトをしてみたいですか。どうしてですか。

 読んだ後で

3. ホテルのレストランで働くスタッフについてワンさんが感じたことを、下の単語を使って説明しましょう。

［トレーニング　礼儀　客　行動　プロ意識］

4. 読み物に書かれているレストランのスタッフは、あなたの国のスタッフと比べて何か違いがありますか。

5. 大学生の時にアルバイトをしたほうがいいと思いますか。しないほうがいいと思いますか。どうしてですか。

読み物1　座談会 ～留学を語る～

1.Yomimono_L4-1

現在、日本に留学しているフランス人のサラ・ゴミスさん、韓国人（かんこくじん）のパク・ジフンさん、そしてアメリカへの留学経験がある日本人大学生の本田研（ほんだけん）さんと高橋美希（たかはしみき）さんの４人に、留学してよかったことと、留学で気をつけるべきことについて、話し合ってもらいました。

――留学のよい点は？

ゴミス：やっぱり日本語がどんどんうまくなることかなと思います。これは私自身、日本に来て以来[1]ずっと感じていることです。日本にいると日常生活の中で日本語を使わなければいけないので、特に「話す」「聞く」については慣れるのが早いような気がします[2]。それから、日本人と気軽に交流ができることも魅力（みりょく）です。

パク：僕もそう思います。他の国の言語や文化を学ぶ時に一番重要なのは、何よりも実際に経験することです。僕は日本の政治や歴史に興味があるので、広島（ひろしま）の原爆（げんばく）ドームに行ったり、日本人の意見を聞いたりしています。自分から積極的に行動すればするほど、日本のことをもっと深く知ることができ、それが留学の魅力だと実感しています。

高橋：一番のメリットは、多様な価値観に触れられることだと思います。例えば、私が留学していたアメリカの大学の寮には世界中から人が集まっていたので、様々な意見が聞けました。それに、日本とは違う生活様式や習慣が体験できたのもよかったです。このような経験を通じて、日本や自分自身を初めて外から見られるようになったと思います。

本田：僕も同じ意見です。留学して様々な経験を積むことで、自分の視野を広げることができると思います。それに、以前と比べると自分に自信がついたような気もします[2]。

——では、留学で気をつけるべきことは？

パク：留学する時に問題になるのは、何と言ってもお金のことでしょう。授業料だけでなく、日本での生活費も考えて、十分なお金を用意しておく必要があります。それから、せっかく[3]お金をかけて留学しているのに母語で話す人がいるのは非常に残念です。「留学さえ[4]すれば、その国の言葉が自然に話せるようになる」という考えは正しくないかと。お金や時間をむだにしたくなければ、日本語で話すようにすべきです。

ゴミス：確かにそうかもしれません。でも、私は日本に来たばかり[5]の時、言葉の問題でうまく気持ちが伝えられず、ストレスを感じることが多かったです。それに、授業にもなかなかついていけず、成績が心配で……。自分の国の人としか話さないのはもちろんよくないことかもしれませんが、時には自分の国の人と一緒に時間を過ごすのもいいと思います。そうすれば、遠い国で生活していてもホームシックにならずに済みます[6]。

本田：僕は留学した後で、卒業が遅れてしまうかもしれないということに気がついて……。というのは、留学生はアメリカ人の学生ほど[7]自由に授業が取れない場合もあるからです。だから、留学先で自分の計画どおりに単位が取れるかどうか、事前に必ず調べたほうがいいと思いました。

高橋：日本人学生が注意すべき点は、留学の時期と日本での就職活動の時期が重なってしまうことでしょう。日本の交換留学プログラムの多くは３年生が対象ですが、就活を本格的に始めるのも３年生の時です。それに、日本の就活は海外とは大きく異なり、企業は在学中の学生を優先的に採用します。つまり、３年生の時に海外に１年間留学すると、就活の期間が短くなってしまうというわけです[8]。だから、留学中も興味がある企業の情報を集めるなど、帰国後の就活のために準備しておくことが必要だと思います。

は、お客様が少なくて暇(ひま)な時でも、おしゃべりをしている人がいなかったことだ。日本ではアルバイトのスタッフもきちんと教育されていて、一人一人がプロ意識を持って働いていると感じた。

このアルバイトを通して、私は日本人の礼儀正しさと勤勉さ、そしてサービスについての考え方を知ることができた。あこがれて始めたホテルのバイトだったが、これまで知らなかった日本人の一面(いちめん)が学べて、期待以上の有意義(ゆういぎ)な経験となった。

読み物2　留学生の日本体験

1.Yomimono_L4-2

日本でアルバイトを経験して

中国人留学生　ワン・メイリン（王美鈴）

せっかく[3]日本に来たので、私はアルバイトをしてみたいと思っていた。それで、ホテルのレストランで働くことにした。ホテルで働くことにあこがれていたし、敬語の練習になると思ったからだ。

初日は、一日中トレーニングを受けた。おじぎや「いらっしゃいませ」「かしこまりました」などのあいさつがきちんとできるようになるまで、何度も練習させられた。「アルバイトなのにどうして？」と思ったが、その理由はすぐにわかった。それは、アルバイトも社員と同じように、ホテルを代表するスタッフの一人としてお客様に接する必要があるからだ。どうりで、ホテルで働く人はみんな礼儀正しいわけだ[8]と思った。

次の日、一日の仕事の内容を説明してもらって、やっとホールに出してもらえることになった。実際に働いてみて、ホールの仕事は思ったほど楽ではない[7]ことに気がついた。特に苦労したのは、忙しい時も疲れている時も、いつもお客様の様子をよく見て笑顔で対応しなければならないことだった。例えば、お客様のグラスの水が少なくなっていたら、頼まれる前に入れに行かなければならない。また、閉店時間になっても、お客様が一人でも残っていたら、店の片づけを始めてはいけないという決まりもあった。心の中では「早く帰ってくれればいいのに[9]……」と思ったが、そんな時でもお客様のことを一番に考えて行動するのが一流のサービスというわけだ[8]。

それから、日本人の勤勉さもよくわかった。社員は仕事が始まる30分前に来て準備をしたり、帰る時間になっても忙しい時は残って他のスタッフを助けたりする。アルバイトの学生さえ[4]、自分から積極的にできることを見つけて熱心に働いていた。でも、私が何よりも驚いたの

読みのストラテジー❻

強調構文「X のは Y だ」Emphatic construction: Xのは Yだ

X のは Y だ is a sentence pattern commonly used in Japanese writing to emphasize something. Sentences using this construction play a key role in compositions.

ストラテジー

- Look for X のは Y だ sentences and determine what they are emphasizing.

1 強調構文のパターン Emphatic sentence construction

私は　土曜日に　すしを　食べた。
(a)　(b)　(c)

強調するもの (what to emphasize)		(X)		(Y)	
(a) 私（だれが）	→	土曜日にすしを食べた	のは	私	だ。
(b) 土曜日（いつ）	→	私がすしを食べた	のは	土曜日	だ。
(c) すし（何を）	→	私が土曜日に食べた	のは	すし	だ。

・In this emphatic construction, the noun being emphasized is embedded in the predicate（〜だ), and the rest of the sentence is placed before 〜のは (here, the subject of the non-emphatic construction, 私は, is replaced with 私が, as seen in (b) and (c)).

2 強調構文の効果 Emphatic effect

(a) 外国人は日本でいろいろなことに驚く。私はトイレに驚いた。友人はコンビニに驚いたらしい。

(b) 外国人は日本でいろいろなことに驚く。私が驚いた**のは**トイレ**だ**。なぜなら、日本のトイレには「おもてなし」が感じられるからだ。

・The underlined sentence in (a) is in the normal construction and thus does not emphasize any of its elements. Example (b) uses the Xのは Yだ pattern to emphasize トイレ, and the next sentence explains the reason for the writer's surprise at Japanese restrooms. In this way, this pattern can be used to introduce a topic with greater impact or stronger focus.

✎ 下線の強調構文を普通の文にしなさい。Change the underlined emphatic construction into the plain construction.（読み物 1：行 13〜16）

パク：僕もそう思います。他の国の言語や文化を学ぶ時に一番重要なのは、何よりも実際に経験することです。僕は日本の政治や歴史に興味があるので、広島の原爆ドームに行ったり、日本人の意見を聞いたりしています。

読みのストラテジー⑦

動詞の形(かたち)と動作主(どうさしゅ) Verb forms and agent

It can be hard to tell who performed the action described by the passive, causative, causative-passive, and V てもらう forms of verbs.

ストラテジー

- Look closely at the main verb's form and the particle to figure out who performed the action.
- When the agent and receiver of action are not explicitly stated, use the context as a guide.

1 動詞の形(かたち)と動作主(どうさしゅ)——読んだ人はだれか？ Verb forms and agent: Who is the reader?

Identify the person who performs the action by examining the main verb's form and the particle.

Verb form	Example	Agent is marked by	読んだ人
1. 受身形(うけみけい) passive	私は母に日記を読まれた。	に	母
2. 使役形(しえきけい) causative	親は子どもに本を読ませた。	に or を	子ども
3. 使役受身形 causative-passive	私は先生に難しい論文(ろんぶん)を読まされた。	は・が	私
4. V てもらう	子どもの時、私は母に絵本を読んでもらった。	に	母
5. V (使役形 causative) てもらう	私は友達にマンガを読ませてもらった。	は・が	私

2 主語や「に」がつく人が省略(しょうりゃく)された場合 Omission of the subject or person marked with に

子どもの時、母はとてもきびしかった。毎日のように「勉強しなさい」と言われて、一日に何時間も勉強させられた。

(a) 受身形(うけみけい) → 言った人は「母」 (b) 使役受身形(しえきうけみけい) → 勉強した人は「私」

(a) Since 言われる is passive, the agent of this action would be the one marked with に, but there is no に in this sentence. Consequently, we have to rely on the context to decide whether the words were said by 私, or by 母. In most cases, the subject of a passive sentence is 私, meaning that the writer was affected by some action done by another person, so it is likely that 私は母に has been omitted from the sentence in this example. Therefore, the person who said 勉強しなさい was the mother.

(b) 勉強させられる is causative-passive, so the agent of this action would be the one marked by は. Since we already know 私は母に has been omitted from the sentence, we can tell 私 is the person who did the studying.

おじぎやあいさつの練習をしたのはだれか。(読み物 2：行 7〜9)

初日は、一日中トレーニングを受けた。おじぎや「いらっしゃいませ」「かしこまりました」などのあいさつがきちんとできるようになるまで、何度も練習させられた。

文型・表現ノート

2.Bunkei_L4

1. ～以来 〈ever since ~〉

[読み物1-行9]

A：最近、週末は何してる？

How are you spending your weekends lately?

B：車を買って**以来**、ドライブを楽しむようになったよ。

Ever since I bought a car, I've been enjoying going for drives.

1 一人暮(ぐ)らしを始めて**以来**、料理をするようになりました。

2 A：この間貸した『失敗(しっぱい)から学ぶ』って本、おもしろかったでしょ？
B：うん。あの本を読んで**以来**、失敗が怖(こわ)くなくなったよ。

3 A：田中(たなか)さんと今もよく会ってる？
B：ううん。卒業**以来**、ずっと会っていないんだ。

4 先週、彼とけんかした。それ**以来**、彼とは一度も話していない。

Vて
N } **以来**

• Vて 以来 X (or N 以来 X) states that X has been continuing since the time V or N occurred.

• X expresses that something (e.g., custom, change, state) is continuing, and X takes expressions such as Vている, Vる ようになった, ～ない, いAい, なA だ and N だ.

2. ～ような気がする 〈have a feeling that ~; feel like ~〉

[読み物1-行11·25]

A：あそこに立っている人、だれか知ってる？

Do you see the person standing over there? Do you know who he is?

B：うーん、思い出せない。前にどこかで会った**ような気がする**んだけど…。

Hmmm . . . I don't remember. I have a feeling I've met him somewhere, though.

1 今日は少し頭(あたま)が痛い。風邪(かぜ)をひいた**ような気がする**。

2 A：山口(やまぐち)さん、最近元気がない**ような気がする**。
B：そうだね。何かあったのかな。

3 私は一度もやったことはないが、スキーはスノーボードより簡単な**ような気がする**。

4 リーさんの話はうその**ような気がする**。みんなは信じているけど……。

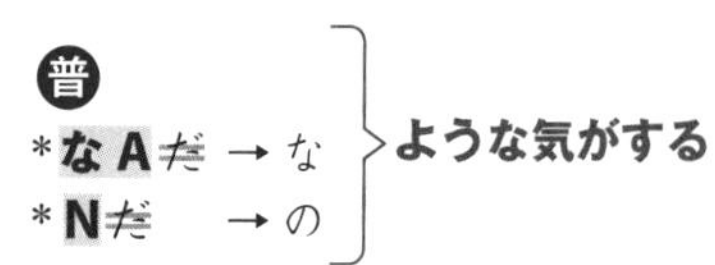

• ～ような気がする conveys the speaker's conjecture without a clear basis for it, and expresses a lower level of certainty than ～ようだ and ～みたいだ.

3. せっかく 〈go to the trouble of ~ing; long-awaited〉

[読み物 1- 行 29
読み物 2- 行 3]

A：晩ご飯は何を食べようか。
What should we eat for dinner tonight?

B：**せっかく**日本に来たんだから、日本でしか食べられないものを食べてみようよ。
Since we came all the way to Japan, let's get something we can only eat in Japan.

1 **せっかく**沖縄（おきなわ）に行くのだから、スキューバダイビングをしてみたい。

2 A：**せっかく**日本で日本語を勉強しているんだから、できるだけ日本語で話そうよ。
B：そうだね。そうしよう。

3 **せっかく**天気がいいのに、熱があって出かけられません。

4 A：**せっかく**お宅（たく）にご招待（しょうたい）いただいたのに、伺（うかが）えなくて残念です。
B：私たちも残念です。次はぜひ来てくださいね。

5 A：旅行はどうでしたか。
B：実は、財布（さいふ）を盗（ぬす）まれて……。
せっかくの旅行だったのに、全然楽しめませんでした。

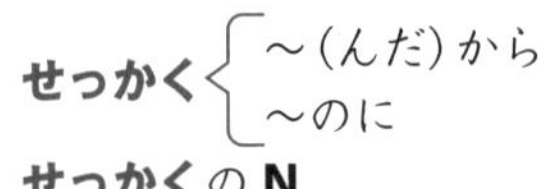

- An action or event that follows the form せっかく is considered to be a rare occasion or an opportunity.
- "せっかく X(んだ)から、Y" states that one should make the most of X—a rare occasion or an opportunity—by doing Y. Y is often given in the form of advice, suggestion, request, or the speaker's hope or resolution. Forms commonly used in Y are: ～ほうがいい, [Vて]ください, V たい and [V(よ)う].
- "せっかく X のに Y" conveys the speaker's acknowledgement that X is a rare occasion or an opportunity, and expresses regret for not fully making the most of X.
- When X is a noun, the particle の is used after せっかく (5).

4. ～さえ

[読み物 1- 行 30
読み物 2- 行 30]

1 N (prt.) さえ 〈even N〉

A：料理をしますか。
Do you cook?

B：いえ、全然。実は、インスタントラーメン**さえ**作ったことがないんです。
No, not at all. Actually, I've never even made instant noodles.

1 初めて日本に行った時は、電車の切符（きっぷ）の買い方**さえ**わからなかった。

2 日本のコンビニは便利（べんり）だ。食べ物だけではなく、くつ下**さえ**買える。

3 リン：ジョージって、本を読むのがすごく好きだよね。
サラ：そうだね。トイレの中**でさえ**読んでいるらしいよ。

4 山田(やまだ)： パクさん、会社をやめたそうですね。
パク： え、どうして知っているんですか。両親**にさえ**まだ言っていないのに。

5 この本は簡単な言葉が使われているので、子ども**でさえ**読める。

N (prt.) さえ

- N さえ emphasizes N as an extreme example.
- N さえ X mentions N as an extreme example for X, and implies that since N is X, other things would be X as well.
- さえ also implies the speaker's surprise, self-deprecation, sarcasm, etc. While も can be used for similar function (i.e., to mean *even* in an emphatic way), さえ conveys the aforementioned feelings more than も alone.
- As seen in 1 and 2, in sentences where N is normally followed by the particle を, が, は or も, the particle is omitted and さえ is used alone.

例) 電車の切符の買い方 が　わからなかった。
　　電車の切符(きっぷ)の買い方 ~~が~~ さえ わからなかった。…… 1

- As in 3 and 4, when other particles are used, then さえ is attached to the particle.

例) トイレの中 で　読んでいる。
　　トイレの中 で さえ 読んでいる。…… 3

- As in 5, when さえ is attached to the nominative case (i.e., a subject that is also an agent of a verb), でさえ is used instead of さえ.

例) 子ども が　読める。
　　子ども ~~が~~ で さえ 読める。…… 5

2 ～さえ～ば 〈if only ~〉

A： どうしたんですか。顔色が悪いですよ。
What's the matter? You look pale.

B： 大丈夫(だいじょうぶ)です。薬(くすり)**さえ**飲め**ば**すぐによくなると思います。
I'm all right. I think I'll feel better if I just take my medicine.

1 a) 私はチョコレート**さえ**食べられれ**ば**幸せです。
b) 私はチョコレートを食べること**さえ**できれ**ば**幸せです。

2 天気**さえ**よけれ**ば**、ここから富士山(ふじさん)が見えます。

3 A： このホテル、古いけどきれいで、なかなかいいね。
B： うん。あとはちゃんとシャワーのお湯(ゆ)**さえ**出れ**ば**、問題ないよね。

4 後輩(こうはい)： 来週の試験が心配なんです。
先輩(せんぱい)： 漢字を復習(ふくしゅう)し**さえ**すれ**ば**きっといい点が取れるよ。

5 国の家族と時々話して**さえ**いれ**ば**、留学中にホームシックにならないと思う。

N（prt.）さえ { Vば / いAければ / なAなら（ば） / Nなら（ば） }
V~~ます~~さえすれば
Vてさえいれば

- "XばY" expresses that a desirable result Y would be achieved if a condition X is met. By adding さえ to a word or phrase in X, this structure would convey that other conditions are not necessary as long as X is met. The statement in 1 a) means that the speaker is content as long as he/she has some chocolate, and he/she doesn't need anything else.
- さえ can also follow a verb in stem form or て-form. In the case of a verb stem, すれば would follow さえ, whereas a ～て form（ている）would be converted to ～てさえいれば.

例）A：頭（あたま）が痛い時、どうすればよくなりますか。
When I have a headache, what should I do to make it better?

B：a) 薬（くすり）さえ飲めば、よくなります。（←薬を飲めば）
If you just take medicine, you'll get better.

b) 寝（ね）さえすれば、よくなります。（←寝れば）
If you just sleep, you'll get better.

c) 少し休んでさえいれば、よくなります。（←少し休んでいれば）
If you just rest for a while, you'll get better.

5. ～たばかり 〈have just done〉

[読み物1-行33]

妹：ごめん。お兄ちゃんのパソコン、こわしちゃった。
I'm sorry, I broke your computer.

兄：えっ！ 先週買っ**たばかり**なのに。
What?! I just bought it last week!

1 A：週末、駅の近くのモールに行かない？
B：うーん。この前行っ**たばかり**だから、他のところにしようよ。

2 A：日本の生活はどうですか。
B：２週間前に日本に来**たばかり**なので、まだわからないことが多いです。

3 生まれ**たばかり**の子犬はとてもかわいい。

4 日本語を習い始め**たばかり**の頃は、簡単なあいさつさえできなかった。

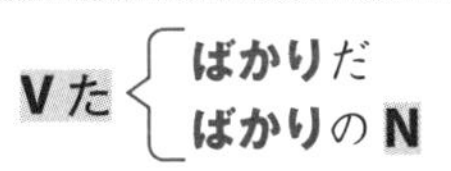
Vた { ばかりだ / ばかりのN }

- This structure conveys that not much time has passed since action V was done.

6. ～ないで済む／～ずに済む 〈get by without ~ing; it saved me from ~ing〉 [読み物 1- 行 38]

A：新しくできたレストランに行ってきたんだって？ 込んでたでしょ？

So you went to the new restaurant? Was it crowded?

B：うん。でも、予約をしておいたから、待た**ないで済んだ**よ。

Yeah, but I had made a reservation, so it saved me from waiting.

1. 先輩（せんぱい）が教科書をくれたので、買わ**ないで済みました**。
2. ホストファミリーが車で送ってくれたおかげで、駅まで歩か**ずに済んだ**。
3. 先生：リーさんは毎日晩ご飯を自分で作っているんですか。
   リー：いいえ。ホームステイをしているので、自分で作ら**ずに済んで**います。

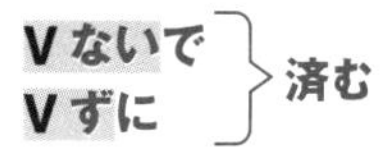

- ～ないで済む and ～ずに済む mean that an action was expected to be done but the person ended up not needing to do so.
- ～ないで済む is a casual expression, whereas ～ずに済む is formal.

7. (X は)Y ほど～ない 〈X is not so much ~ as Y is / X is not as ~ as Y〉 [読み物 1- 行 41 / 読み物 2- 行 17]

A：今日は寒いですね。10 度しかありませんよ。

It's very cold today—only 10 degrees.

B：でも昨日（きのう）**ほど**寒く**ありません**よ。昨日は 6 度でしたから。

But it's not as cold as yesterday. It was 6 degrees yesterday.

1. オーストラリアは広い国だが、アメリカ**ほど**広く**ない**。
   (＝オーストラリアはアメリカと比べると広くない＝アメリカのほうが広い)
2. リーさんは日本語が上手だが、スピーチコンテストで優勝（ゆうしょう）したキムさん**ほど**うまく**ない**。
3. 今の学生は昔の学生**ほど**本を読ま**なく**なった。
4. A：あの人気店のケーキを食べたんだって？ どうだった？
   B：思っていた**ほど**おいしく**なかった**よ。本当にがっかり！
5. 留学は一般的にはお金がかかるが、みんなが考える**ほど**お金がかから**ない**国もある。

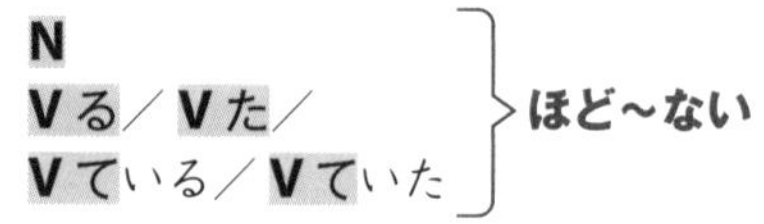

- (X は)Y ほど～ない expresses that X does not reach the level of Y for a certain criterion. Y is mentioned for comparison with X.
- Y can take verbs, as seen in 4 and 5. Verbs used in Y are limited to verbs that convey an opinion or hearsay, such as 思ったほど / 思っていたほど～ない, 聞いていたほど～ない, 考えていたほど～ない, (他の人が) 思っているほど～ない and (他の人が) 言うほど / 言っているほど / 言っていたほど～ない.

8. ～わけだ

読み物1-行49
読み物2-行14·26

1 ～(という)わけだ 〈that's why ~; no wonder ~〉

A：青山(あおやま)さんはインフルエンザらしいよ。
Mr. Aoyama has the flu, apparently.

B：ああ、だから、今日休みだった**わけだ**ね。
Ah, that's why he is not here today.

[1] A：木村(きむら)さん、行きたかった大学に落(お)ちたらしいよ。
B：だから、がっかりしていた**わけだ**。

[2] A：あの授業は毎週レポートを書かなきゃいけないらしいよ。
B：ああ、それで、あの授業は人気がない**というわけだ**。

[3] ワン　：田中(たなか)さんは子どもの時、イギリスに住んでいたそうですよ。
スミス：なるほど。どうりで、英語がペラペラな**わけです**ね。

[4] A：キムさんのお父さん、サモスンの社長らしいよ。
B：そうなの?! どうりで、お金持ちな**わけだ**。

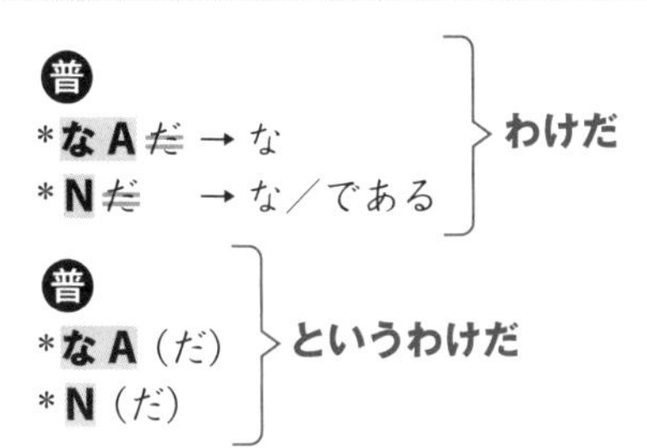

- X わけだ is used when the speaker finds out the reason for situation X that the speaker had been wondering.
- For instance, in [1], B saw a disappointed look on Kimura's face and was wondering why. After hearing the story from A, B is using ～わけだ to express that he now understands why Kimura looked disappointed.
- Conjunctions such as だから, それで and どうりで are often used with ～わけだ.

2 ～(という)わけだ 〈so you mean ~〉

A：あ、もう5時ですね。すみません、6時に帰らなければいけないんですが……。
Oh, it's five o'clock already. Sorry, but I need to leave at six.

B：そうなんですか。じゃあ、あと1時間しかいられない**わけです**ね。
Oh I see, so you are only staying for another hour or so.

[5] A：ペットをたくさん飼(か)っていると聞いたんですが、何匹(びき)いるんですか。
B：犬が5匹(ひき)、猫(ねこ)が10匹(びき)います。
A：じゃあ、15匹もいる**というわけです**ね。にぎやかそう！

[6] 日本人が食べている豆(まめ)の80%は外国で作られたものだ。
つまり、日本では、あまり豆が作られていない**というわけだ**。

[7] 就職活動中はほとんどの学生が黒のスーツを着る。
つまり黒のスーツが就活の制服(せいふく)**というわけだ**。

8 この学部は学生の約40%が留学生で、アメリカ、ヨーロッパ、アジア、アフリカなど世界中から来ている。つまり、国際的であることがこの学部の特徴な**わけだ**。

9 A：今晩、映画を見に行かない？
B：今日は宿題が多いから、ごめん。
A：じゃあ、明日かあさってはどう？
B：明日はレポートを書かなきゃいけないし、あさってもちょっと……。
A：つまり、私とは一緒に映画を見たくない**わけ**？

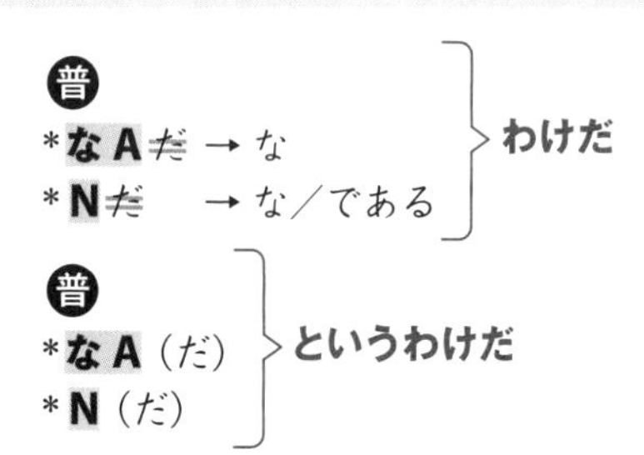

• This expression is used to summarize or rephrase something that was previously stated by the listener or the speaker.

9. ～ば～のに 〈if ~, it would be ~〉

［読み物2-行24］

A：最近、忙しそうだね。
Looks like you've been busy lately.

B：うん。もっと休みがあれ**ば**いい**のに**……
Yeah, if I had more days off, it would be nice . . .

1 スミス：久しぶりのカラオケ、楽しみだね。
パク：うん。リーさんも来られれ**ば**いい**のに**なあ。

2 私のアパートは駅から遠い。もっと近けれ**ば**便利（べんり）な**のに**なあ。

3 弟が猫（ねこ）アレルギーじゃなければ、うちで猫が飼（か）える**のに**。

4 A：卒業したら日本の会社に就職するの？
B：ううん。日本語力（りょく）が足（た）りなくて…。
もっと日本語が上手なら（**ば**）採用してもらえる**のに**。

5 A：あ、あの人。となりのクラスの新しい先生だって。
B：わあ、きれいな人だね。あーあ、僕たちの先生なら（**ば**）いい**のに**。

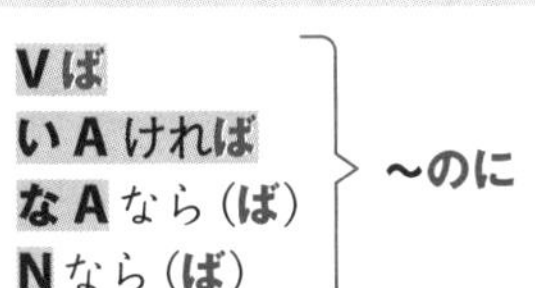
V ば
い A ければ
な A なら（ば）
N なら（ば）
} 〜のに

• X ば Y のに expresses the speaker's regret that X is not the case, because if X were realized, it would be Y (the desired result). X ばいいのに is a common set phrase used to express such regret when the speaker feels X is not and *will* not be realized.

• The sentence-ending particle なあ is often used with this structure when expressing the speaker's wish, as shown in [1] and [2].

• X たら Y のに also expresses the same sentiment as X ば Y のに .

例）私の寮の門限(もんげん)は 11 時だ。こんなにルールが厳(きび)しくなかったらいいのにと思う。

• When Y is in past tense, it expresses the speaker's regret that Y (the desired result) *would have* happened if X had been true, or the speaker *would have* done Y if X had been true.

例）絵理(えり)：サラ。昨日(きのう)のジョージのライブ、どうして来なかったの？
サラ：すごく行きたかったんだけど、バイトがあって。
バイトがなければ、見に行けたのに。

書く

座談会(ざだんかい)の記事

1 モデル作文

クラブ活動座談会 ❶ タイトル

書道部(しょどうぶ)のグエン・ヴァン・タンさん、茶道部(さどう)のワン・メイリンさん、野球部(やきゅう)の木村準(きむらじゅん)さんに、クラブ活動をしてよかったこととクラブを選ぶ時の注意点について話してもらいました。 ❷ 内容の説明

❸ 質問 1

――クラブ活動のよい点は？

グエン：私が一番いい点だと思うのは友達が作れることです。(a) みんな書道に興味があるので、仲よくなりやすいような気がします。(b)

ワン：私もそう思います。クラブにはいろいろな学部や学年の人がいるので、人間関係(かんけい)が広がりました。あと、茶道部の活動を通して日本文化への理解が深まったのもよかったです。

木村：マネージメントの経験ができることもいい点の一つです。野球部では試合に勝(か)つために全員でトレーニングメニューや練習方法を考えます。クラブ活動でグループのマネージメントをした経験は将来就職した時にも役に立つと思います。(b)

❹ 質問 2

――クラブを選ぶ時に気をつけるべき点は？

ワン：クラブを選ぶ時に一番注意すべきなのは、時間のことです。(a) ミーティングの回数や練習の長さはクラブによって違います。クラブのスケジュールを見て、勉強やアルバイトとのバランスを考えたほうがいいでしょう。(b)

木村：お金の問題もあります。野球部の場合、道具(どうぐ)や試合のためなど様々なことにお金がかかります。一年間でいくらぐらいかかるのかも調べておく必要があると思います。

グエン：他に問題になるのは人間関係です。(a) 先輩(せんぱい)と後輩(こうはい)の上下関係が厳(きび)しいところと、そうでもないところがあります。どちらもいい点と悪い点がありますが、自分に合ったクラブに入ることが大切かもしれません。(b)

単語 道具(どうぐ) tool

■ 座談会の記事を書くポイント

1. 初めに質問の答えを一言でまとめて書く。強調構文を使うと、読み手に意見がわかりやすくなる。
……(a)

(行6) 私が一番いい点だと思う**のは**友達が作れること**です**。
(行16) クラブを選ぶ時に一番注意すべきな**のは**、時間のこと**です**。
(行23) 他に問題になる**のは**人間関係**です**。

2. 様々な文末 (sentence-final) 表現を使って、文の形にバリエーションを持たせる。表現によって強さが変わるので注意する。……(b)

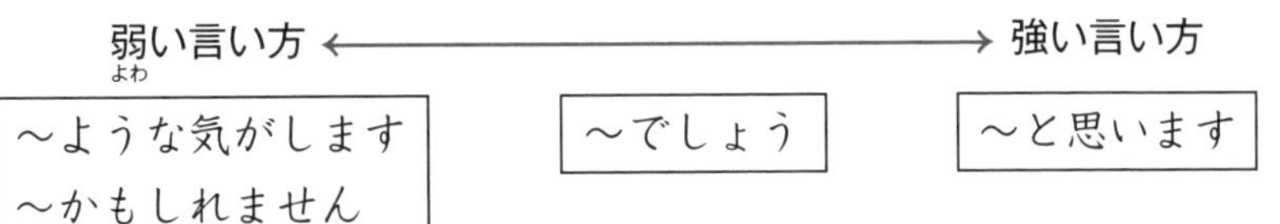

2 タスク

■ 書く前に

(1) 3、4人のグループを作って、座談会のトピックを決めましょう。

例) 寮生活、一人暮らし、アルバイト、クラブ活動、インターンシップなど

(2) そのトピックについて、一人ずつ「よい点」と「気をつけるべき点」を話してください。記事を書くために、メモを取ったり録音 (recording) したりしましょう。

■ 書いてみよう

メモを見たり録音を聞いたりしながら、一人ずつ座談会の記事を書きなさい。下の文法や表現を使いなさい。(600～700字)

- 強調構文「XのはYだ」
- 考えを話す時の文末表現

困(こま)った時には

悩(なや)み相談

1-1 やってみよう

1）卒業した後の進路(しんろ) (future path) で迷(まよ)っている (have trouble choosing) ことがありますか。
迷っている進路を 2 つ書いてください。

	例 1	例 2	あなた
進路(しんろ) ①	就職する	A 社に入る	
進路 ②	大学院に行く	B 社に入る	

2）1）で考えたことを使って、ロールプレイをしなさい。

フォーマルな会話

A あなた

卒業した後の進路(しんろ)で迷(まよ)っています。
先輩(せんぱい)に丁寧(ていねい)に
アドバイスを求めなさい。

B Aの先輩(せんぱい)

後輩(こうはい)に相談されるので、
アドバイスをしなさい。

1-2 聞いてみよう

3.Kaiwa_L4-1

1）モデル会話を聞いて、下の質問に答えなさい。

① ジョージの悩みは何ですか。

② グエンは、自分がジョージの立場 (situation) ならどうすると言っていますか。

2）ジョージは先輩にアドバイスを求めた時、何と言っていましたか。

① 話しかける時

先輩、ちょっと ＿＿＿＿＿＿＿＿＿＿＿＿＿＿ てもらえませんか。

悩んでいることがあって。

② アドバイスを聞いた後

先輩にいただいた ＿＿＿＿＿＿＿＿＿＿＿＿＿＿＿＿＿＿ に、

＿＿＿＿＿＿＿＿＿＿＿＿ てみます。ありがとうございました。

1-3 モデル会話

3.Kaiwa_L4-1

フォーマルな会話

ジョージの悩み

ジョージ・テイラー（ジ:）が大学院生のグエン・ヴァン・タン（グ:）に話しかける。

ジ: ❶ 先輩、**ちょっと相談に乗ってもらえませんか。悩んでいることがあって。**

グ: どうしたの？

ジ: ❷ **実は**、アメリカの大学を卒業したらまた日本に戻ってこようと思っているんですけど、就職する**べきか**、大学院に行く**べきか、迷っているんです。以前は**進学しようと思っていた**んですが、最近、**就職**もいいなと思うようになってきて**……。

グ: もう少し詳しく話してくれない？

ジ: ❸ ええと、進学する**なら**、中村先生の研究室に入りたい**と思っていたんですが、**アルバイトしている会社の仕事**にも興味が出てきたんです。もうそろそろ決めないといけないんですが、どちらのほうがいいか迷ってしまって**……。

グ: うーん、難しい問題だよね。

ジ: ❹ **先輩が私の立場だったら、どうされますか。**

グ: そうだなあ。僕なら進学を選ぶかな。一度働き始めたら、なかなか仕事はやめられないし。

ジ: 確かにそうですね。

グ: お金の問題もあるから、ご両親とも相談したほうがいいよ。でも、何と言っても大切なのは、ジョージが本当にやりたいことが何かっていうことだと思うよ。

ジ: ❺ そのとおりですね。**先輩にいただいたアドバイスをもとに、もう少し考えてみます。ありがとうございました。**

グ: 納得できる答えが見つかるといいね。

単語 相談に乗る to give advice to　悩む to be worried　迷う to be in two minds　以前は back in the day
進学する to go on to higher education　詳しく in detail
～先生の研究室に入る to become a member of Prof. ~'s lab　立場 situation　～をもとに based on ~
納得する to be convinced to

フローチャート

あなた：アドバイスを求める	先輩：アドバイスをする

パートA

❶ 話しかける

あなた： 先輩、ちょっと相談に乗ってもらえませんか。悩んでいることがあって。

先輩： どうしたの？

❷ 悩みを言う

あなた： 実は、就職するべきか、大学院に行くべきか、迷っているんです。以前は進学しようと思っていたんですが、最近、就職もいいなと思うようになってきて……。

先輩： もう少し詳しく話してくれない？

❸ 詳しく説明して、アドバイスを求める

あなた： ええと、進学するなら、中村先生の研究室に入りたいと思っていたんですが、アルバイトしている会社の仕事にも興味が出てきたんです。
もうそろそろ決めないといけないんですが、どちらのほうがいいか迷ってしまって……。

先輩： うーん、難しい問題だよね。

パートB

❹ 自分の立場ならどうするか意見を求める

あなた： 先輩が私の立場だったら、どうされますか。

先輩： そうだなあ。僕なら進学を選ぶかな。一度働き始めたら、なかなか仕事はやめられないし。

あなた： 確かにそうですね。

先輩： でも、大切なのは、○○さんがやりたいことが何かっていうことだよ。

❺ お礼を言い、会話を終える

あなた： そのとおりですね。先輩にいただいたアドバイスをもとに、もう少し考えてみます。
ありがとうございました。

1-4 練習しよう

▶ 　　　　のパターンを使って話してみましょう。

パートA ❶話しかける → ❷悩みを言う → ❸詳しく説明して、アドバイスを求める

あなた：❶**先輩、ちょっと相談に乗ってもらえませんか。悩んでいることがあって。**
先輩：　どうしたの？
あなた：❷**実は、**＿就職する＿**べきか、**＿大学院に行く＿**べきか、迷っているんです。以前は、**＿進学しようと思っていた＿**んですが、最近、**＿就職＿**もいいなと思うようになってきて……。**
先輩：　もう少し詳しく話してくれない？
あなた：❸ええと、＿進学する＿**なら、**＿中村先生の研究室に入りたい＿**と思っていたんですが、**＿アルバイトしている会社の仕事＿**にも興味が出てきたんです。もうそろそろ決めないといけないんですが、どちらのほうがいいか迷ってしまって……。**
先輩：　うーん、難しい問題だよね。

1. あなたは、夏休みにサマープログラムに参加するかインターンシップをするか、迷っています。先輩にアドバイスを求めなさい。

2. 「1-1. やってみよう」の 1) (p. 118) で考えた 2 つの進路について、先輩に相談してみよう。

パートB ❹自分の立場ならどうするか意見を求める → ❺お礼を言い、会話を終える

あなた：❹**先輩が私の立場だったら、どうされますか。**
先輩：　そうだなあ。＿僕なら進学を選ぶかな。一度働き始めたら、なかなか仕事はやめられないし＿。
あなた：　確かにそうですね。
先輩：　＿でも、大切なのは、○○さんがやりたいことが何かっていうことだよ＿。
あなた：❺そのとおりですね。**先輩にいただいたアドバイスをもとに、もう少し考えてみます。ありがとうございました。**

1. サマープログラムに参加するかインターンシップをするか、先輩ならどちらにするか聞きなさい。

2. 「1-1. やってみよう」の 1) (p. 118) で考えた 2 つの進路について、先輩に相談してみよう。

☛ ペアを変えて、パートA と パートB を続けてやってみましょう！

カジュアルな会話にチャレンジ！

1 ロールプレイをやってみよう

A あなた

今後のことについて迷(まよ)っていることがあります。友達にアドバイスを求めなさい。

B Aの友達

友達に相談されるので、アドバイスをしなさい。

2 練習しよう

パートA

あなた： ❶ **ねえ、ちょっと相談に乗ってもらえない？ 悩(なや)んでいることがあって。**

友達： どうしたの？

あなた： ❷ **実は、～べきか、～べきか、迷(まよ)ってるんだ。以前(いぜん)は、～んだけど、最近、～もいいなと思うようになってきて……。**

友達： もう少し詳(くわ)しく話してくれない？

あなた： ❸ **～なら～と思っていたんだけど、～にも興味が出てきたんだ。もうそろそろ決めないといけないんだけど、どっちのほうがいいか迷っちゃって……。**

友達： 難しい問題だよね。

▶あなたは、来学期、寮に住むかホームステイをするか迷っています。友達にアドバイスを求めなさい。

パートB

あなた： ❹ **○○さんが私の立場(たちば)だったら、どうする？**

友達： ＿＿＿［ 答える ］＿＿＿。

あなた： 確かにそうだね。

友達： ＿＿＿［ もっとアドバイスする ］＿＿＿。

あなた： ❺ そのとおりだね。**参考(さんこう)になったよ** (be provided with useful information)。**もう少し考えてみる。ありがとう。**

▶来学期、寮に住むかホームステイをするか、友達ならどうするか聞きなさい。

☛ ペアを変えて、パートA と パートB を続けてやってみましょう！

会話 2　私のおすすめ

2-1 やってみよう

1）友達があなたの出身の国／町に旅行に行きます。おすすめの場所や店、食べ物やアクティビティなどについてメモしなさい。

① おすすめの有名な／人気がある場所・物・こと

例 浅草(あさくさ)

② ①についてあなたが個人的に (personally) おすすめしたいこと

例 浅草寺(せんそうじ)には夜行くのがおすすめ。五重の塔(ごじゅうのとう)がライトアップされる。

2）1）で考えたことを使って、ロールプレイをしなさい。

カジュアルな会話

A あなた	B Aの友達
友達があなたの出身の町に行きます。おすすめを教えなさい。	Aさんの出身の町に行こうと思っています。おすすめを聞きなさい。

2-2 聞いてみよう

3.Kaiwa_L4-2

1）モデル会話を聞いて、下の質問に答えなさい。

① サラはメイリンにどんなことを教えてほしいと言いましたか。

② メイリンのおすすめは何ですか。

2）メイリンはサラにおすすめを教える時、何と言っていましたか。

① **おすすめを提案(ていあん)する時**

それなら、着物を ＿＿＿＿＿＿＿＿＿＿＿＿ ？

② **おすすめについて説明する時**

写真も撮(と)って ＿＿＿＿＿＿＿＿ から、

SNS が好きな人に ＿＿＿＿＿＿＿＿ だよ。

③ **もっとすすめる時**

ちょっと高いけど、やる ＿＿＿＿＿＿＿＿ と思うよ。

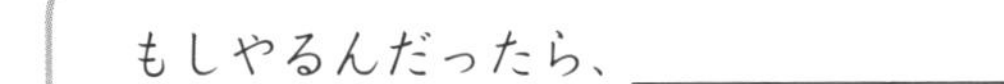

④ **具体的にすすめる時**

もしやるんだったら、＿＿＿＿＿＿＿＿ には、

神社で写真を撮るプランが ＿＿＿＿＿＿＿＿ だよ。

読む　書く　話す　困った時には　会話2　聞く

2-3 モデル会話

3.Kaiwa_L4-2

カジュアルな会話

初めての京都(きょうと)

昼休みにサラ（サ:）がメイリン（メ:）に話しかける。

サ：　メイリン、今ちょっといい？ 聞きたいことがあるんだけど……。

メ：　何？

サ：　メイリンは何度も京都(きょうと)に行ったことがあるよね？

メ：　うん。

サ：　実は、今度の休みに京都に行こうと思ってて。せっかく行くから、そこでしかできないことがしてみたいんだけど、何かおすすめを教えてくれない？

メ：　❶うーん、そうだなあ。サラ、着物**に興味ある？**

サ：　うん。

メ：　❷**それなら、**着物をレンタルするの**はどうかな？**

サ：　えっ、着物のレンタルができるの？

メ：　うん。❸自分の好きな着物や帯(おび)を選んで着付(きつ)けをしてもらえるんだ。その後、着物を着て観光(かんこう)できるし、写真も撮(と)ってもらえる**から**、SNSが好きな人**にぴったりだよ。**

サ：　へえ、よさそうだね。

メ：　❹ちょっと高いけど、やる**価値あると思うよ。**

サ：　本当？ じゃあ、調べてみる。

メ：　❺**もしやるんだったら、個人的には、**神社で写真を撮るプラン**がおすすめだよ。**

サ：　わかった。いろいろ教えてくれてありがとう。

メ：　❻**また、何かあったら、いつでも聞いて。**

単語 帯(おび) belt　着付け(きつけ) dressing　SNS(エスエヌエス) social networking service; social media
（Xは［人］）にぴったり X is perfect for someone　やる価値(かち)（が）ある it is worth doing
個人的には(こじんてきには) personally

フローチャート

あなた：おすすめを教える	友達：おすすめを聞く

パートA

友達：今ちょっといい？
聞きたいことがあるんだけど……。

あなた：何？

友達：実は、今度の休みに京都に行こうと思っているんだけど、何かおすすめを教えてくれない？

❶ 質問して、相手が興味を持つものを見つける
うーん、そうだなあ。○○さん、着物**に興味ある？**

友達：うん。

❷ おすすめを提案する (suggest)
それなら、着物をレンタルするの**はどうかな？**

❸ おすすめについて説明する
自分の好きな着物や帯を選んで着付けをしてもらえるんだ。その後、着物を着て観光できるし、写真も撮ってもらえる**から、**SNSが好きな人**にぴったりだよ。**

友達：へえ、よさそうだね。

パートB

❹ もっとすすめる
ちょっと高いけど、やる**価値あると思うよ。**

友達：本当？じゃあ、調べてみる。

❺ 個人的な (personal) おすすめを言う
もしやるんだったら、個人的には、
神社で写真を撮るプラン**がおすすめだよ。**

友達：わかった。
いろいろ教えてくれてありがとう。

❻ 会話を終える
また、何かあったら、いつでも聞いて。

2-4 練習しよう

▶ のパターンを使って話してみましょう。

パートA ❶質問して、相手が興味を持つものを見つける → ❷おすすめを提案(ていあん)する (suggest) → ❸おすすめについて説明する

友達：今ちょっといい？ 聞きたいことがあるんだけど……。
実は、〜んだけど、何かおすすめを教えてくれない？

あなた：❶〇〇さん、＿着物＿**に興味ある？／〜が好き？／〜たことある？／ etc.**

友達：＿［ 答える ］＿。

あなた：❷**それなら、**＿着物をレンタルするの＿**はどうかな？** ❸＿［ 説明する ］＿。
＿写真も撮(と)ってもらえる＿**から、**＿SNSが好きな人＿**にぴったりだよ。**

友達：へえ、(〜そう) だね。

1. 友達があなたの好きな店に行きます。おすすめを教えてあげなさい。

2. 「2-1. やってみよう」の 1) ① (p. 124) で考えたことを使って話してみよう。

パートB ❹もっとすすめる → ❺個人的な (personal) おすすめを言う → ❻会話を終える

あなた：❹＿ちょっと高い＿けど、＿やる／行く／ etc.＿**価値あると思うよ。**

友達：本当？ じゃあ、調べてみる。

あなた：❺**もし**＿やる／行く＿**んだったら、個人的には、**＿神社で写真を撮(と)るプラン／着物で神社やお寺に行くの＿**がおすすめだよ。**

友達：わかった。いろいろ教えてくれてありがとう。

あなた：❻**また、何かあったら、いつでも聞いて。**

1. 友達があなたの好きな店に行きます。もう一つ個人的なおすすめを伝えなさい。

2. 「2-1. やってみよう」の 1) ② (p. 124) で考えたことを使って話してみよう。

☛ ペアを変えて、パートA と パートB を続けてやってみましょう！

フォーマルな会話にチャレンジ！

1 ロールプレイをやってみよう

A あなた

インターシップ先の上司(じょうし)が
あなたの出身の町に行きます。
おすすめを教えなさい。

B Aのインターンシップ先の上司(じょうし)

Aさんの出身の町に
行こうと思っています。
おすすめを聞きなさい。

2 練習しよう

パートA

上司(じょうし)：　今、大丈夫(だいじょうぶ)ですか。ちょっと聞きたいことがあるんですが……。
実は、～んですが、何かおすすめを教えてくれませんか。

あなた：　❶○○部長、**～にご興味ありますか／～はお好きですか／～たことはありますか／etc.**。

上司：　＿＿［ 答える ］＿＿。

あなた：　❷**それなら、～はいかがですか。**❸＿＿［ 説明する ］＿＿**んです。～ので、～にぴったりですよ。**

上司：　へえ、(～そう) ですね。

▶ インターンシップ先の上司があなたの出身の町に来ます。おすすめを伝えなさい。

パートB

あなた：　❹～です／ますが、**する価値があると思います。**

上司(じょうし)：　本当ですか。じゃあ、調べてみますね。

あなた：　❺**もし**される**んだったら、個人的には、～がおすすめですよ。**

上司：　わかりました。いろいろ教えてくれてありがとう。

あなた：　❻**また、何かあったら、いつでも聞いてください。**

▶ インターンシップ先の上司があなたの出身の町に来ます。もう一つ個人的なおすすめを伝えなさい。

ペアを変えて、パートA と パートB を続けてやってみましょう！

ドイツ人留学生から見た日本

聴解 1　アルバイトの初日(しょにち)

4.Chokai_L4-1

レストランの店長が、今日からアルバイトを始める留学生のレオンに、仕事の内容について説明しています。会話を聞いて、レオンがやることに✓をつけなさい。

単語　手(て)をふく to wipe hands　わたす to hand over　チャイム bell　鳴(な)る to ring

接客マニュアル

▶お客様を席に案内する

☐ ①水とおしぼりを出す：おしぼりは広げてわたす。

▶メニューをわたす

☐ ②メニューの説明：本日(ほんじつ)のおすすめ、当店のおすすめを伝えるようにする。

☐ ③「ご注文が決まりましたら、お呼(よ)びください」と伝え、戻(もど)る。

▶注文を取る

☐ ④お客様がメニューから顔を上(あ)げたら、「ご注文はお決まりでしょうか」と声をかける。

☐ ⑤ボタンでお客様に呼ばれたらすぐ行く：お客様をお待たせしない。

☐ ⑥席に案内した時にお客様の注文が決まっていたら、その時に聞いてもいい。

☐ ⑦注文を繰(く)り返(かえ)し、間違いがないか確認(かくにん)する。

▶料理を運ぶ

☐ ⑧温(あたた)かい料理は温かいうちに運ぶ。

▶お客様が少ない時

☐ ⑨席を回って、お客様のコップに水を入れに行く。

☐ ⑩お客様が食べ終わったお皿を片づける。

☐ ⑪トイレを掃除(そうじ)し、いつもきれいにしておく。

聴解2　夏の長期休暇

🎧4.Chokai_L4-2

聞く前に

あなたの家族や周りの人は、夏休みに何日くらい仕事を休みますか。

リスニング

ドイツ人留学生のレオンが、クラスで「夏の長期休暇」についてスピーチをしています。
スピーチを聞いて質問に答えなさい。

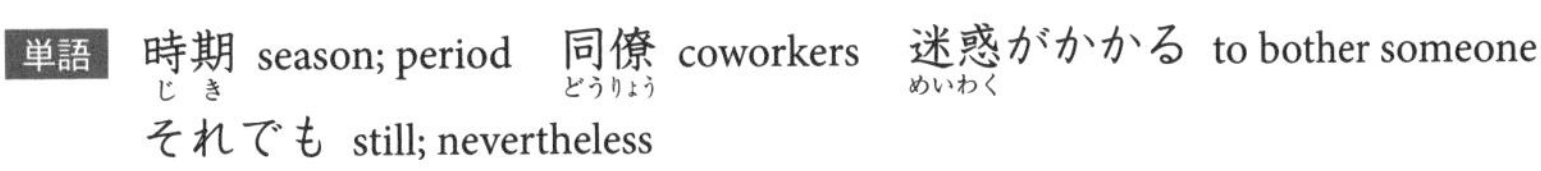

単語　時期 season; period　同僚 coworkers　迷惑がかかる to bother someone
それでも still; nevertheless

1. スピーチの内容に合うものに○、合わないものに×をつけなさい。

① (　　) レオンは、ドイツと日本の働き方は同じではないと感じている。

② (　　) レオンは日本でアルバイトをした。

③ (　　) ドイツ人は夏の間によく家族と旅行する。

④ (　　) 日本では、夏に２週間以上の休みを取ることはあまりない。

⑤ (　　) 日本は、今も昔も休みの取りにくさは変わらない。

2. 日本人はどうして長い休みを取らないのですか。

3. レオンは、どうして日本人があまり休まないのだと考えていますか。

ディスカッション

1. あなたの国では、会社で２～３週間の長い休みを取ることができますか。

2. あなたは、仕事をしている人が長い休みを取れるようにすべきだと思いますか。

第5課

読む　和食のすすめ

書く　私のおすすめ料理

- ➤ 情報誌を読んで、和食の魅力がわかる
- ➤ 料理のレシピを読んで、作り方の順序がわかる
- ➤ 家庭料理のレシピが書ける

話す　週末の予定

聞く　韓国人留学生から見た日本

- ➤ 人を誘って、待ち合わせの約束ができる
- ➤ 道を聞くことができる

和食のすすめ

読む前に・読んだ後で

読み物1　回転ずし入門(にゅうもん)

読む前に

1. あなたはすしが好きですか。あなたの国で、すしは人気がありますか。

2. あなたの国の町にすし屋がありますか。
回転ずしの店はありますか。行ったことがありますか。

読んだ後で

3. 回転ずしについてわかったことを、下の単語を使って話しましょう。

[ベルトコンベア　　ネタ　　値段　　タッチパネル]

4. あなたがすし屋の店長なら、どんなすしを作りますか。

5. 飲食店で、注文の仕方がわからなくて困(こま)った経験がありますか。
その時、どうしましたか。

 読み物 2 肉じゃがの作り方

読む前に

1. あなたは料理をしますか。どんな料理が作れますか。

2. 「umami（うまみ）」という言葉を聞いたことがありますか。
どのようなものか調べてみましょう。

読んだ後で

3. 下の単語をできるだけ使って、「肉じゃが」の作り方を説明しましょう。

［肉　じゃがいも　いためる　砂糖（さとう）　しょうゆ　酒　だし　煮る］

4. 学校で「家庭（かてい）料理」を習ったことがありますか。
学校で「家庭料理」を教えたほうがいいと思いますか。
どうしてですか。

5. あなたの国の定番（ていばん）の家庭料理を一つ選んで、作り方を説明してください。

読み物 1　回転ずし入門

1.Yomimono_L5-1

以前、すしには高級なイメージしかなかった。そのイメージを変えたのが、回転ずしだ。回転ずしの店では、一皿100円から数百円という安い値段ですしが食べられる。安くてもネタが新鮮でおいしいので、人気店はいつ行っても[1]込んでいる。「一皿100円」という看板を見たら、つい入ってしまう人もいるだろう。

回転ずしとは？

回転ずしの店に入ると、テーブルのすぐ横を回る大きなベルトコンベアがまず目に入ってくる。そのベルトコンベアで次々と運ばれてくるおいしそうなすしの中から、客は食べたいものを自由に取って食べる。ネタの種類は豊富で、季節限定のネタや洋風の変わったネタもあるので、行くたびに[2]楽しめるはずだ[3]。また、すし以外にラーメンやデザートなどのサイドメニューを出す店も増えてきている。

そして、回転ずしは通常、皿の色ごとに値段が決まっている。だから、メニューがなく値段がわからない高級なすし屋とは違って、回転ずしなら安心して好きなものを選ぶことができる。

えびアボカド

ラーメン

ケーキ

回転ずしの店に行ったら

入口のタッチパネル

昼ご飯や晩ご飯の時間帯に店に行くと、行列ができていることが多い。待つ時は、入口に置いてある紙に名前と人数を書いておく[4]。紙ではなくタッチパネルに数を入力する場合もある。また、カウンター席かボックス席かを選べる店もある。席が空くと、順番に呼ばれて中に案内される。

席に着いたら、お茶を用意しよう。まず[5]、席の近くに置いてある湯のみを取り、テーブルにあるお茶の粉末やティーバッグを入れる。次に[5]、テーブルに付いているノズルからお湯を注ぐ。ノズルの下の黒いボタンを湯のみで押すと、お湯が出るようになっている。しょうゆとわさびとお口直しのガリ（酢漬けのしょうが）も準備しておく[4]といい。

お茶の粉末

粉末を湯のみに入れる

お湯を注ぐ

しょうゆ・ガリ・わさび

タッチパネルの使い方

食べたい時に食べたいネタが回っているとは限らない。そんな時便利なのが、客席で注文できるタッチパネルだ。店によって違いはあるが、たいてい同じような手順で注文できる。

①
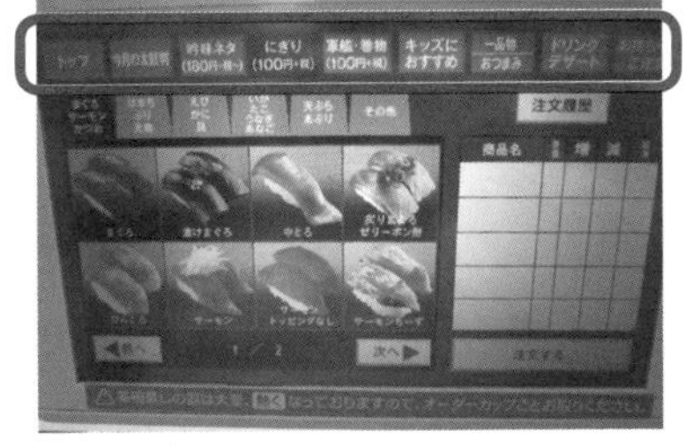

まずはじめに[5]、画面の「にぎり」「巻物」「おすすめ」などのカテゴリーの中から見たいものを選んでタッチする（①）。すると、詳しいメニューが出てくるので、その中から注文したい

ものを決めよう。ネタの名前がわからなくても[6]注文できるように[7]、写真が表示されているから安心だ。

②

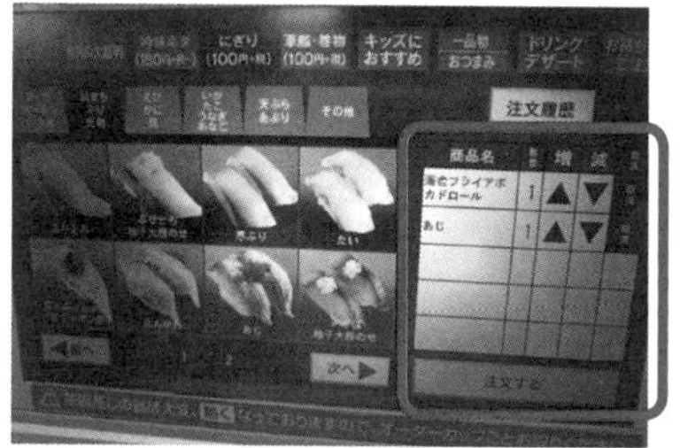

どれにする[8]か決めたら、次に[5]、その写真をタッチして、何皿注文するか入力する（②）。他にも注文したいものがあれば、同じように繰り返し入力していく。

③

最後に[5]、画面の「注文する」のボタンを押せば終わりだ。しばらくすると、「注文品」などと書かれた皿にのって、すしが流れてくる（③）。

回転ずしの店は、今では世界中に広がっているが、他の国とは一味（ひとあじ）違う本場の回転ずしを日本で体験してみよう。

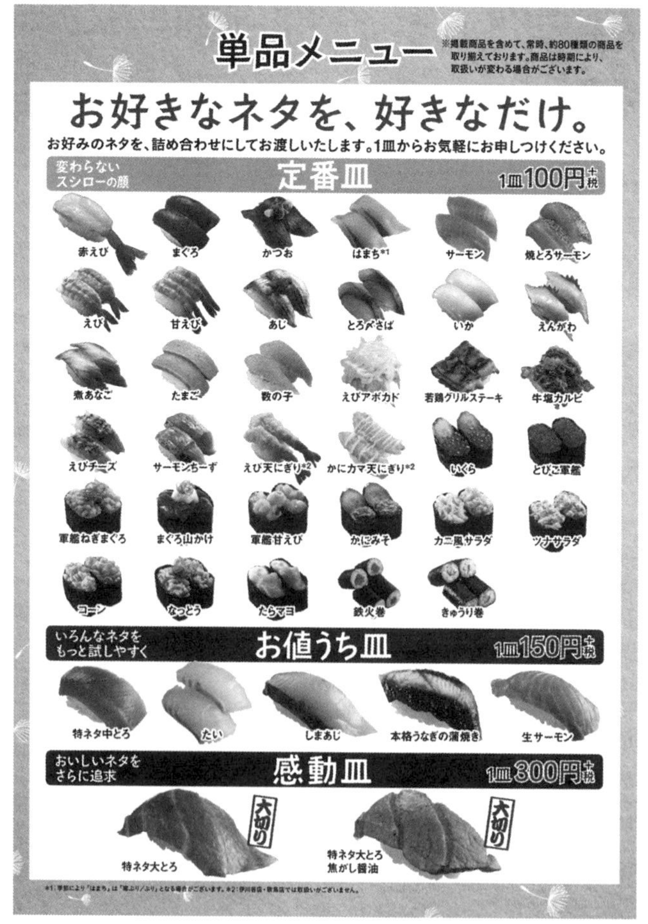

読み物2　肉じゃがの作り方

1.Yomimono_L5-2

日本の「家庭料理の定番」と言われるだけあって[9]、だれからも愛される肉じゃが。今日はその肉じゃがを作ってみましょう。和食が好きな人なら、きっと気に入るはずです[3]。甘辛い味がご飯によく合います。

〈材料（2人分）〉

じゃがいも	3個	だし	400ml
にんじん	1/2本	酒	大さじ3
玉ねぎ	1/2個	砂糖（さとう）	大さじ2
牛肉の薄切り	100g	みりん	大さじ2
サラダ油	大さじ1	しょうゆ	大さじ3

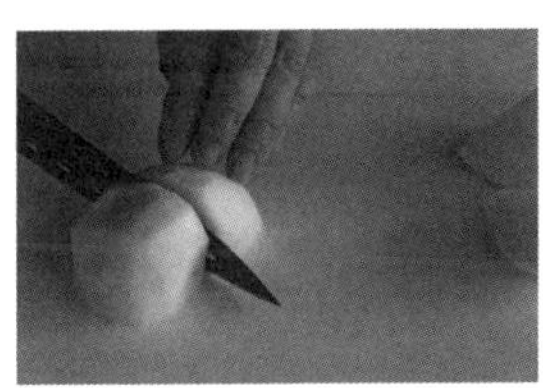

1. まず[5]、材料を切ります。じゃがいもは皮をむいて食べやすい大きさに、にんじんは縦に半分に切ってから、5ミリ幅に、玉ねぎは薄くスライスし、牛肉も食べやすい大きさに切ります。
2. 次に[5]、なべにサラダ油を入れて熱し、牛肉をいためます。肉の色が変わったら、1で切っておいた[4]他の材料を加えて、軽くいためます。
3. それから[5]、だし、酒、砂糖、みりんを加えて中火で煮ます。すると、表面にアクが出てくるので、それを取りながら10分ぐらい煮ます。
4. その後、しょうゆを加え、弱火にして10分煮ます。こげないように[7]様子を見ながら火を調整しましょう。
5. じゃがいもがやわらかくなったら完成です。

〈料理メモ〉

「だし」とは？

かつお節やこんぶなどを煮出した汁を「だし(出汁)」と呼びます。だしは、いろいろな和食に使われている重要な「うまみ」です。お湯に溶かすだけの便利な粉末タイプも人気があります。

だしに使う材料

だしを取る

粉末だし

余ったら「和風カレー」に

余った肉じゃがに水とカレールーを入れて煮込めば、和風カレーができます。肉じゃがの汁も一緒に入れるとおいしいので、汁は捨てないでおき[4]ましょう。

読みのストラテジー❽

順番を表す副詞・接続詞 Adverbs/conjunctions that express sequence

まず, 次に, and other adverbs and conjunctions that express sequential order are often used in the instructions for various procedures.

ストラテジー

▸ Look for expressions like まず, 次に, そして, それから and 最後に, and read the sentences containing them to understand the steps of a procedure and their sequence.

■ 例：銀行 ATM の使い方

まず、トップ画面の「お引出し」(withdrawal) をタッチします。たいてい、画面の上のほうにあります。**次に**、カードを機械に入れます。黒いテープのほうを下にして入れてください。**そして**、暗証番号 (PIN) を入れてから、「確認」を押します。３回間違えると、ATM が使えなくなるので注意が必要です。**それから**、引き出したい金額を入れて、「確認」を押します。一日にいくらまで引き出せるかが決まっているので、気をつけてください。**最後に**、利用明細票 (receipt) が必要かどうかを選びます。すると、すぐに引き出したお金とカードが出てきます。両方とも忘れずに取りましょう。

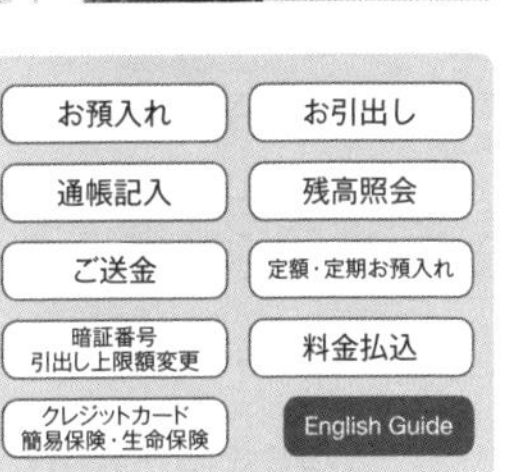

・The sentence beginning with まず explains the first step of the procedure. The next sentence (たいてい、画面の上のほうにあります) expounds on that step. The sentence with 次に describes the second step, and the following sentence gives further details. The expressions of sequence other than まず and 最後に do not necessarily have to be used in the same order as in the example above.

✎ タッチパネルを使う時、最初に何をするか、２番目に何をするか、説明している部分に下線を引きなさい。What is the first thing you do to use the touchscreen? What is the second step? Underline the parts explaining these steps. (読み物１：行 36～46)

まずはじめに、画面の「にぎり」「巻物」「おすすめ」などのカテゴリーの中から見たいものを選んでタッチする。すると、詳しいメニューが出てくるので、その中から注文したいものを決めよう。ネタの名前がわからなくても注文できるように、写真が表示されているから安心だ。

どれにするか決めたら、次に、その写真をタッチして、何皿注文するか入力する。他にも注文したいものがあれば、同じように繰り返し入力していく。

文型・表現ノート

2.Bunkei_L5

1. Question word ～ても 〈no matter what/who/which/when/where/how, etc.〉 [読み物 1- 行 3]

A：このレストランには、よく来るの？

Do you come to this restaurant often?

B：うん。ここの料理は**何**を食べて**も**おいしいから。

Yeah. No matter what I eat, everything is really good here.

1 東京(とうきょう)は**どこ**に行って**も**込んでいる。

2 A：駅までどうやって行ったら、一番早いかな？
B：うーん、**どの**ルートを選ん**でも**、あまり変わらないと思うよ。

3 あの映画は感動的で、**何度**見て**も**泣(な)いてしまいます。

4 タオルは**何枚**あって**も**困(こま)らないので、プレゼントにいい。

5 A：来週はレポートの締(し)め切(き)りが３つもあるんだ。全部は書けないかも……。
B：卒業したかったら、**どんなに**大変**でも**、あきらめちゃだめだよ。

6 **いくら**考え**ても**この宿題の答えがわからない。

Question word (prt.) (何／どこ／だれ／どれ／いつ／etc.) { **V て も** / **い A く て も** / **な A で も** / **N で も** }

何＋counter **V ても**

- Question word ～ても Y means that Y is always true whatever the condition may be.
- As shown in 3, 何＋度 / 回＋V ても Y means that the same result Y is always achieved no matter how many times the action V is repeated.
- 5 and 6 show usage of どんなに / いくら X ても Y, where Y is true regardless of the extent/degree of X.

2. ～たび（に） 〈whenever ~; every time ~〉 [読み物 1- 行 13]

コンビニに行く**たびに**、アイスクリームを買ってしまう。

Every time I go to a convenience store, I always end up buying ice cream.

1 先生：留学生活で、どんなことが楽しいですか。
学生：外出する**たびに**、新しい経験ができることです。

2 あの歌を聞く**たびに**、中学時代を思い出す。

3 A：どうやって新しい単語を覚えているの？
B：わからない単語が出てくる**たびに**、辞書(じしょ)で調べるようにしているよ。

4 引(ひ)っ越(こ)しの**たびに**、古くなったものを捨てるようにしています。

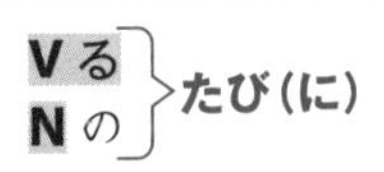

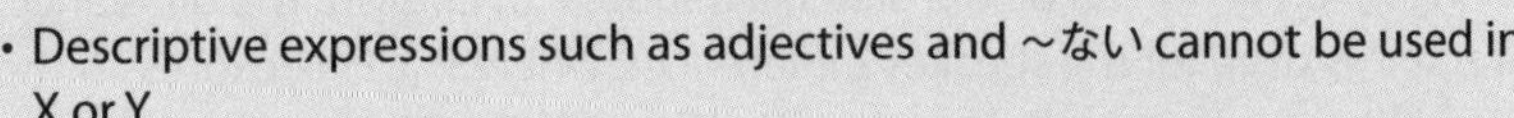

- X たび(に)Y states that whenever X occurs, Y always happens, too.
- Descriptive expressions such as adjectives and ～ない cannot be used in X or Y.

例 1) × 富士山を見るたびに、美しい。
　　○ 富士山を見るたびに、美しいと感じる。
　　Whenever I see Mt. Fuji, I think it is beautiful.

例 2) × わからないたびに、インターネットで調べる。
　　○ わからないことを見つけるたびに、インターネットで調べる。
　　Whenever I see something I don't know, I look it up on the Internet.

3. ～はずだ 〈be supposed to ~; should ~〉

[読み物 1- 行 13
読み物 2- 行 4]

A：田中さんは、もう家に着いたかな。
I wonder if Mr. Tanaka has gotten home already.

B：うん、1 時間も前に帰ったから、もう家にいる**はずだ**よ。
Yeah, he left for home an hour ago, so he should be there by now.

1 a) 今日は日曜日だから、銀行は閉まっている**はずだ**。
　b) 今日は日曜日だから、銀行は休みの**はずだ**。

2 A：スペイン語が話せる人、だれか知らない？
　B：青木さんは？ スペイン語専攻で留学の経験もあるから、話せる**はずだ**よ。

3 A：この駅の近くに郵便局ってあるかなあ。
　B：ネットで調べれば、すぐ出てくる**はず**。

4 サラ：研へのおみやげにこの日本酒入りのチョコレートはどうかな？
　絵理：いいんじゃない？
　　　研はお酒もチョコレートも大好きだから、これも好きな**はずだ**よ。

5 先週末は旅行に行く**はずだった**が、病気で行けなくなった。

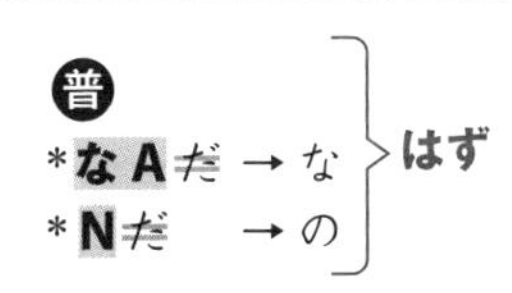

- This expression is used to state the speaker's opinion that something should be a certain way, based on a logical, objective judgment.
- When discussing a plan, はず can be used for past plans as in 5, but not for future plans; 予定 or つもり should be used for future plans.

例) × 来週、タイに旅行に行くはずだ。
　○ 来週、タイに旅行に行く予定／つもりだ。
　Next week, I am planning to / I will go on a trip to Thailand.

☛ **はず and べき**（L3-7）

Both はず and べき can be translated as "should" in English. The differences between はず and べき are: はず is used for the speaker's inferences, whereas X べき expresses the speaker's opinion on something (e.g., someone needs to do X, it is right/wrong to do X).

例 1）今日は天気がいいから、子どもたちは外で遊んでいるはずだ。

Because the weather is good today, I think children are playing outside.

例 2）子どもは外で遊ぶべきだ。

Children ought to play outside.

4. ～ておく／～ないでおく

[読み物 1- 行 22·31
読み物 2- 行 16·33]

1 ～ておく〈do something in advance〉

夫(おっと)：今晩はレストラン「ぎおん」で食べようか。

Let's eat at the restaurant Gion tonight.

妻(つま)：うん。でもあの店は込むから、予約し**ておいた**ほうがいいかも。

Yeah, but it gets crowded there, so we should probably make a reservation (in advance).

1 A：あれ、窓(まど)が開いていますね。閉(し)めましょうか。

B：いえ、大丈夫(だいじょうぶ)です。ちょっと暑かったから、私が開け**ておいた**んです。

2 ジョージ：明日は絵理(えり)の誕生日(たんじょうび)だから、パーティーの準備をし**とこう**よ。

メイリン：うん。じゃあ、私はケーキを焼(や)い**とく**ね。

Vておく

- Vておく is used to state that an action V is done in preparation for the purpose of accomplishing something.
- V takes verbs that express one's will.
- In casual conversations, ～とく is used (2).

2 ～ないでおく〈leave something undone〉

父：あれ、たかしはまだ寝(ね)てる？ もう 10 時だから、起こしてこようか。

Oh, is Takashi still sleeping? It's 10 o'clock already. Should I go wake him up?

母：今日は土曜日だし、今週はテストで夜遅くまで勉強していたから、起こさ**ないでおきましょう**。

It's Saturday, and he had been staying up late to study for tests this week, so let's not wake him up.

3 子ども：お母さん、ドアにかぎをかけとくね。

あっ、お父さんからメッセージ！ あと５分で家に着くって。

母　　：そう。じゃあ、かぎはかけ**ないでおいて**。

4 今日のランチはホテルの食べ放題に行く予定なので、たくさん食べられるように朝ご飯はあまり食べ**ないでおこう**。

5 〔研の日記〕

今日はバレンタインデーだった。ジョージが「絵理からチョコレートをもらった！」とうれしそうに僕に言った。実は、僕も同じチョコレートをもらったが、そのことはジョージに言わ**ないでおいた**。

Vない でおく

- Vない でおく is used to state that an action V is not done in order to accomplish a certain purpose.
- V takes verbs that express one's will.

5. まず／次に／それから／最後に

〈first of all/next/and then/finally〉

読み物 1- 行 27·28·36·43·47
読み物 2- 行 11·15·18

A：カップラーメンの作り方を教えてください。

Could you teach me how to make cup ramen?

B：**まず**、お湯を沸かします。**次に**、カップラーメンのふた (lid) を開け、スープと具 (ingredients) の袋 (bag) を取り出します。**それから**、スープと具の中身 (packet content) をカップに入れます。**最後に**、お湯を入れてふたをします。３分待てば、できあがりです。

First, boil water. Next, peel the lid open and take out the packets of soup powder and ingredients. And then, pour the soup powder and ingredients into the container. Finally, pour boiling water and put the lid back on. Wait for 3 minutes and it'll be ready to eat.

1 〔お知らせ「高速バスのチケットの予約方法」〕

まず、バスのウェブページを開きます。**次に**、バスに乗る場所と降りる場所、乗る日時と人数を選びます。**それから**、あなたの名前、電話番号、メールアドレスを入力します。**最後に**、カード番号を入力して、支払い (payment) をします。少し待つと、メールでチケットが送られてきます。

2 〔ツアーガイド〕

みなさま、東京１日ツアーにようこそ。今日はこれから、**まず**、東京スカイツリーにみなさまをご案内いたします。**次に**、ホテル「TOKYO」で昼食を召し上がっていただきます。本日は中華料理をご用意しております。**それから**、銀座でお買い物をお楽しみください。**最後に**、東京ドームで野球の試合をご覧いただきます。以上です。何かご質問がありましたら、遠慮なくおたずねください。

まず、～。
次に、～。
それから、～。
最後に、～。

- These phrases are used to clearly present steps or procedures for something.

6. (もし)～ても 〈even if ~〉

[読み物 1- 行 40]

A：美術大学を受けるって、家族に相談した？
Have you consulted your family about applying to an art university?

B：ううん、してない。でも、**もし**家族に反対(はんたい)され**ても**、受けるつもり。
No I haven't, but even if my family is opposed to it, I'm still planning to apply.

1 A：明日の野球(やきゅう)の試合は、雨の場合、中止になりますか。
B：いえ、明日は東京(とうきょう)ドームなので、**もし**雨が降っ**ても**、予定どおり行われますよ。

2 成績がよくなく**ても**、日本語の勉強はこれからも続けたい。

3 たとえだめ**でも**、やってみる価値はある。

4 A：あの店のケーキって、高いのに全然おいしくないよね。
B：うん。**もし** 100 円**でも**、私、きっと買わないと思う。

5 たとえ世界に男の人が彼しかいなく**ても**、彼とは絶対に結婚したくない。

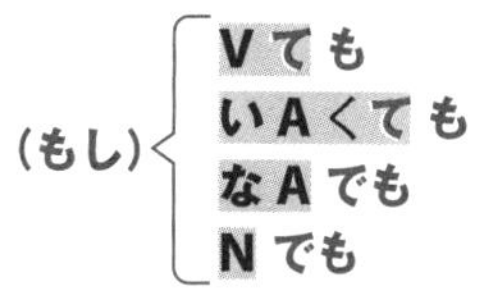

- "(もし)X ても、Y"states that Y will be realized in spite of X, implying that normally Y would not be realized if X is the case. For instance, in the case of 1, baseball games would typically be cancelled if it rains, but this sentence emphasizes that the game will still be held even if it rains.
- When もし is used with this structure, it implies that the speaker thinks X is unlikely to happen.
- As in 3 and 5, when たとえ is used along with this structure, X is introduced as a hypothetical situation and X often takes an extreme example.

7. ～ように 〈so that ~〉

[読み物 1- 行 41
読み物 2- 行 22]

母：明日、朝早いんでしょ？ ちゃんと起きられる**ように**、もう寝(ね)なさい。
You need to wake up early tomorrow, right? You should go to sleep now so you can wake up on time.

子：はーい。
Okay.

1 先生の声がよく聞こえる**ように**、前のほうに座った。

2 先生：私が言ったことを忘れない**ように**、すぐにノートに書いてください。
学生：はい、わかりました。

3 A：このビーフシチュー、おいしい！
B：よかった。肉がやわらかくなる**ように**、昨日(きのう)の晩から煮込んでいたんだ。

4 田中(たなか)さんは、留学生がわかる**ように**、いつもゆっくり話してくれる。

Vる／Vないように

• "X ように Y" expresses that someone does Y, with a hope that the condition (X) would be achieved.

• X cannot take verbs for actions that can be done according to the speaker's will. Instead, verbs for actions that the speaker cannot control should be used, such as stative verbs, intransitive verbs, or verbs in the potential form (e.g., わかる , 上がる , 見える , 聞こえる , 行ける).

例） × 休みに旅行に行くように、お金をためています。
　　 ○ 休みに旅行に行けるように、お金をためています。
　　 I'm saving my money so that I can go on a trip during the holidays.

• The subjects of X and Y can be different, as shown in [3] and [4].

☛ 〜ために 〈in order to 〜〉

"X ように Y" and "[V₁る] ために [V₂]" are similar in that they both express a purpose. The latter, however, is more likely to be used when emphasizing the subject's determination to fulfill the purpose. Following are other ways in which the two structures differ:

(1) V_1 takes verbs that express one's will.

例） ○ 休みに旅行に行くために、アルバイトをしています。
　　 In order to go on a trip during the holidays, I am working part-time.
　　 × 休みに旅行に行けるために、アルバイトをしています。

(2) The subjects of V_1 and V_2 have to be the same.

例） ○ 私は早く起きるために、目覚まし時計をセットした。
　　 In order to wake up early, I set an alarm clock.
　　 × ルームメートが起きるために、私は目覚まし時計をセットした。

8. N にする 〈decide on N〉

[読み物 1- 行 43]

店員：何になさいますか。
　　 Are you ready to order? (lit., Have you decided on what to order?)
大村：カレーをお願いします。田中さんは？
　　 Curry, please. What about you, Tanaka-san?
田中：私は焼き肉定食にします。
　　 I'll have yakiniku (Japanese barbecue) set.

[1] A：今度カラオケに行きませんか。
　　B：いいですね。いつにしますか。
　　A：来週の日曜日にしましょう。待ち合わせはどこにしましょうか。
　　B：駅前にしませんか。
　　A：そうしましょう。

[2] 娘：今日着ていく服、どれにしようかな。
　　母：青のワンピースにしたら？ よく似合うと思うよ。

3 A：パソコンが欲しいんですが、どこのがいいと思いますか。

B：そうですね……。

新しいのを買うなら、使いやすさで有名なソミー社の**にした**らどうですか。

N にする ・This structure is used when deciding on one of the several options available.

9. 〜だけあって 〈as might be expected of 〜〉

［読み物 2- 行 1］

山下さんはフランスに4年間留学していた**だけあって**、とても上手にフランス語を話す。
Mr. Yamashita studied in France for four years, and as expected, he speaks French very well.

1 原宿は若者に人気の街だと言われる**だけあって**、さすがに安くておしゃれな店が多い。

2 サラは性格が明るい**だけあって**、友達が多い。

3 京都は歴史的な町として有名な**だけあって**、外国からの観光客が多い。

4 田中さんはアナウンサー**だけあって**、話すのが上手だ。

5 A：このホテルはサービスがすばらしいね。

B：さすが高級ホテル**だけある**ね。

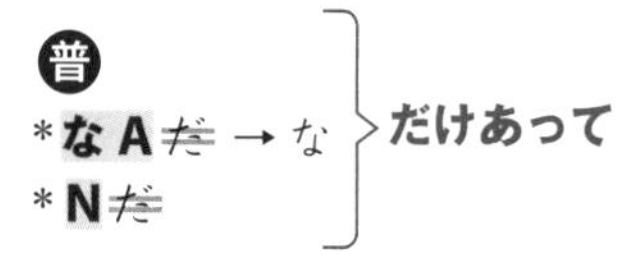

・X だけあって Y mentions X as a reason that the speaker expects Y to be true, and X takes things such as social status, profession, experience and effort. Y takes results, abilities or traits that are naturally expected based on X, and it is typically something positive or something to be praised.

・This expression is not used for the speaker him/herself.

・"X だけあって、さすが(に)/確かに/やはり Y だ" is often used as a set phrase.

・As shown in 5, X だけある can be used after a positive comment was made, as a way to add a reason for that positive comment.

私のおすすめ料理

1 モデル作文

おすすめ料理のレシピを紹介する。

関西風お好み焼き

❶ 料理の名前

大人も子どももみんな大好きなお好み焼き。材料を切って、まぜて、焼くだけなので、簡単に作れます。

❷ どんな料理か

材料（二人分）

❸ 材料

だし汁	100cc	青ねぎ	10g	ソース	適量
小麦粉	80g	天かす	10g	青のり	適量
やまいもパウダー	30g	たまご	2個		
キャベツ	300g	ぶた肉	60g		

作り方

❹ 作り方

1. まず(a)、だし汁の中に小麦粉とやまいもパウダーを入れてまぜます。そして、小さく切ったキャベツ、青ねぎ、天かすとたまごを入れてから(b)、もう一度まぜます。

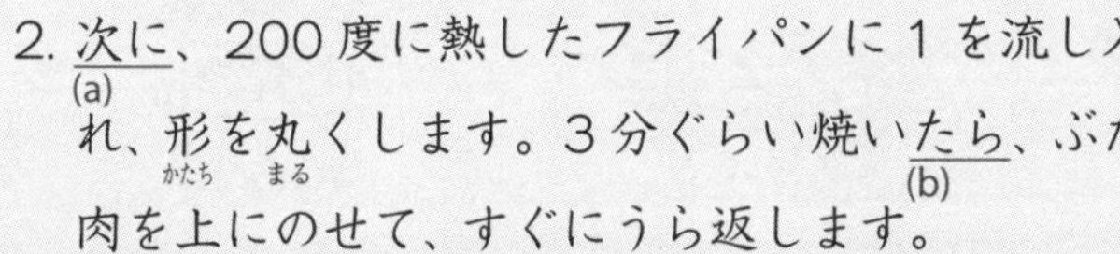

2. 次に(a)、200度に熱したフライパンに1を流し入れ、形を丸くします。3分ぐらい焼いたら(b)、ぶた肉を上にのせて、すぐにうら返します。

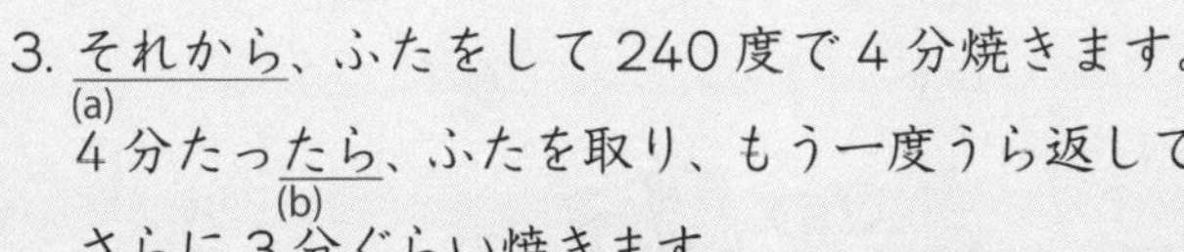

3. それから(a)、ふたをして240度で4分焼きます。4分たったら(b)、ふたを取り、もう一度うら返してさらに3分ぐらい焼きます。

4. 最後に(a)ソースと青のりをかけたら(b)、完成です。お好みで、マヨネーズをかけてもおいしいです。

おいしく作るためのポイント

材料をまぜる時は空気を入れるようにしましょう。
ふわっとしたおいしいお好み焼きになります。

❺ 追加情報 (additional information)

単語 形 shape　のせる to put ～ on top of ～　うら返す to turn something over
ふた lid　かける to sprinkle　お好みで if so desired　ふわっと puffy

■ 書くポイント

1. 作り方の説明では、文の初めに「順番を表す接続詞（せつぞくし）」を置く。……（a）

　「まず」「次に」「それから」「最後に」など

2. 「X てから Y」や「X たら Y」などを使って順番を表す。……（b）

（行 12 ～ 13）
　小さく切ったキャベツ、青ねぎ、天かすとたまごを入れ**てから**、
　もう一度まぜます。

（行 16）３分ぐらい焼（や）い**たら**、ぶた肉を上にのせて、すぐにうら返します。

（行 19）４分たっ**たら**、ふたを取り、もう一度うら返してさらに３分ぐらい焼きます。

（行 21）最後にソースと青のりをかけ**たら**、完成です。

3. 料理の方法を表す動詞（どうし）を正しく使う。

a.（たまごを）ゆでる	b.（肉を）焼（や）く	c.（お湯を）沸（わ）かす
d.（野菜（やさい）を）いためる	e.（天ぷらを）揚（あ）げる	f.（魚を）煮る
g.（たまごと牛乳（ぎゅうにゅう）を）まぜる	h.（しゅうまいを）蒸（む）す	

2 タスク

■ 書く前に

(1) あなたが得意な料理や家でよく作る料理は何ですか。

(2) その料理はどんな時に作りますか。

(3) おいしく作るためのポイントは何ですか。

■ 書いてみよう

下の文法や表現を使って、「私の得意な○○料理の作り方」を書きなさい。

- 順番を表す接続詞(せつぞくし)「まず」「次に」など
- 「X てから Y ／ X たら Y」

週末の予定

遊(あそ)びの約束(やくそく)

1-1 やってみよう

1）あなたは今度の週末、だれかを誘って出かけたいと思っています。だれを何に誘いたいですか。いつ、どこで会いますか。下にメモしなさい。

① だれを誘う？

② 何に誘う？
例 イベントなど

③ いつ、どこで会う？

2）1）で考えたことを使って、ロールプレイをしなさい。

カジュアルな会話

A　あなた	B　A の友達
友達を何かのイベントに誘いなさい。会う時間と場所も伝えなさい。	A さんにイベントに誘われます。対応しなさい。（初めは行くかどうか迷(まよ)いますが、やはり行くことにします。）

1-2 聞いてみよう

3.Kaiwa_L5-1

1）モデル会話を聞いて、下の質問に答えなさい。

① ジョージはどうして絵理(えり)を誘いましたか。

② ジョージと絵理は、いつ、どこで会いますか。

2）ジョージは絵理を誘う時、何と言っていましたか。

① **話しかける時**

ねえ、絵理ちゃん、今週の ________________ ？

② **誘う時**

回転ずしに行くんだけど、____________、一緒に 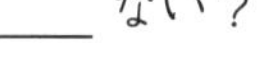 ________ ない？

③ **時間と場所を伝える時**

本当？ よかった。じゃあ、______________ んだけど、いい？

ここにも注目

▸「～ている」「～てる」

カジュアルな会話では「～ている」は「～てる」、「～でいる」は「～でる」と言うことがあります。

例1 A：何してるの？

B：明日のテストの勉強してる。

例2 A：あの店、今日開いてると思う？

B：開いてると思うけど、込んでるかも。

▸「～かな」

ひとりごと (talk to oneself) で、自分自身に聞いたり、不思議(ふしぎ)な (wonder) 気持ちを表(あらわ)す時に使います。また、カジュアルな会話で、相手に間接的(かんせつ)に (indirectly) お願いする時にも使います。

例1 今晩、何を食べようかな。(talking to oneself)

例2 どうして日本はゴミ箱が少ないのかなあ。

例3 A：スーパーで牛乳(ぎゅうにゅう)を買ってきてくれないかな？

B：いいよ。

▸「～ておく」「～とく」

カジュアルな会話では「～ておく」は「～とく」、「～でおく」は「～どく」と言うことがあります。

例1 A：今晩、あのレストランで食べない？

B：いいね。じゃあ、予約しとくね。

例2 A：のどが痛いなあ。風邪(かぜ)をひいたかもしれない…。

B：大丈夫(だいじょうぶ)？ ひどくならないように、薬(くすり)を飲んどいたほうがいいよ。

1-3 モデル会話

3.Kaiwa_L5-1

カジュアルな会話

回転ずしに行こう

昼休みにジョージ(ジ:)が絵理(えり)(絵:)に話しかける。

ジ: ❶ ねえ、絵理ちゃん、今週の土曜日って**空(あ)いてる?**

絵: 今週の土曜日? 特に予定はないけど……。どうして?

ジ: ❷ 日本語のクラスメートと回転ずしに行く**んだけど、よかったら、一緒に行かない?**

絵: へえ、楽しそうだね。でも、私が行ってもいいの?

ジ: もちろん! ❸ 絵理ちゃんが来てくれたら、みんなも喜(よろこ)ぶと思う**し。それに、**日本語のクラス取ってないけど、研(けん)も来るって言ってる**し。**

絵: あっ、そうなんだ。

ジ: ❸ **予定がないなら、一緒に行こうよ。**

絵: じゃあ、行こうかな。

ジ: 本当? よかった。❹ じゃあ、12時半**に現地集合(げんちしゅうごう)なんだけど、いい?**

絵: いいけど、どこの回転ずし?

ジ: 「海(うみ)ずし」。北山(きたやま)駅から徒歩(とほ)5分ぐらいのところなんだけど……。

絵: ああ、そこなら、たぶんわかると思う。

ジ: じゃあ、お店は僕の名前で予約しとくから。

絵: オッケー! じゃあ、土曜日に。

ジ: うん。❺ **楽しみにしてるね。**

単語 空(あ)いて(い)る to be free　現地集合(げんちしゅうごう) meet at the destination　徒歩(とほ) on foot

フローチャート

あなた：誘う	友達：誘われる

パートA

❶ 話しかけて予定を聞く

ねえ、〇〇さん、今週の土曜日って**空いてる？**

　　今週の土曜日？
　　特に予定はないけど……。

❷ 理由を言って誘う

日本語のクラスメートと回転ずしに行く**んだけど、よかったら、一緒に行かない？**

　　へえ、楽しそうだね。
　　でも、私が行ってもいいの？

❸ もう一度誘ってみる

もちろん！ 〇〇さんが来てくれたら、みんなも喜ぶと思う**し。それに、**研も来るって言ってる**し。予定がないなら、一緒に行こうよ。**

　　じゃあ、行こうかな。

パートB

❹ 時間と場所を伝える

じゃあ、12時半に**現地集合なんだけど、いい？**

　　オッケー！ じゃあ、土曜日に。

❺ 会話を終える

うん。**楽しみにしてるね。**

1-4 練習しよう

▶ のパターンを使って話してみましょう。

パートA ❶話しかけて予定を聞く → ❷理由を言って誘う → ❸もう一度誘ってみる

あなた：❶**ねえ、○○さん、**＿今週の土曜日＿**って空(あ)いてる？**

友達：＿今週の土曜日＿？ 特に予定はないけど……。

あなた：❷**〜んだけど、よかったら、一緒に行かない？**

友達：楽しそうだね。でも、私が行ってもいいの？

あなた：もちろん！❸＿［ 理由1 ］＿**し。それに、**＿［ 理由2 ］＿**し。**
予定がないなら、一緒に行こうよ。

友達：じゃあ、行こうかな。

1. 友達をバーベキューパーティーに誘いなさい。友達が遠慮(えんりょ)して(hesitate)も、もう一度誘いなさい。

2. 「1-1. やってみよう」の 1) ①② (p. 152) で考えたことを使って話してみよう。

パートB ❹時間と場所を伝える → ❺会話を終える

あなた：❹**じゃあ、○時に**＿現地集合(げんちしゅうごう)／［ 場所 ］に集合／［ 場所 ］で待ち合わせ＿
なんだけど、いい？

友達：オッケー！ じゃあ、＿土曜日＿の○時に。

あなた：うん。❺**楽しみにしてるね。**

1. 友達に、バーベキューパーティーの集合時間と場所を伝えなさい。

2. 「1-1. やってみよう」の 1) ③ (p. 152) で考えたことを使って話してみよう。

☛ ペアを変えて、パートA と パートB を続けてやってみましょう！

フォーマルな会話にチャレンジ！

1 ロールプレイをやってみよう

A あなた	B Aの先生
先生をクラスメートとの食事会やサークルのイベントに誘いなさい。会う時間と場所も伝えなさい。	Aさんにイベントに誘われます。対応しなさい。(初めは行くかどうか迷(まよ)いますが、やはり行くことにします。)

2 練習しよう

パートA

あなた：❶あの、＿今週の土曜日＿**はお忙しいですか。**
先生：＿今週の土曜日＿ですか。特に予定はないですが。
あなた：❷**～んですが、よろしければ、先生もいらっしゃいませんか。**
先生：いいですね。でも、私が行っても大丈夫(だいじょうぶ)ですか。
あなた：もちろんです。❸＿［ 理由1 ］＿。**それに、**＿［ 理由2 ］＿。
ご都合(つごう)がよろしければ、ぜひ、いらっしゃってください。
先生：そうですか？ じゃあ、行きます。

▶先生をクラスの打ち上げに誘いなさい。先生が遠慮(えんりょ)して (hesitate) も、もう一度誘いなさい。

パートB

あなた：❹では、○時に＿現地集合(げんちしゅうごう)／［ 場所 ］に集合／［ 場所 ］で待ち合わせ＿**なんですが、よろしいでしょうか。**
先生：わかりました。じゃあ、＿土曜日＿の○時に。
あなた：はい。❺先生がいらっしゃるのを**楽しみにしています。**

▶先生にクラスの打ち上げの集合時間と場所を伝えなさい。

ペアを変えて、**パートA** と **パートB** を続けてやってみましょう！

会話2 店への行き方

2-1 やってみよう

1）道がわからなくて人に聞いたことがありますか。その時の経験について教えてください。

2）スマホの地図アプリの情報が古くて目的地 (destination) が見つからなかったら、どうしますか。

3）カフェの場所を聞くロールプレイをしなさい。その後で、カフェは下の地図の A ～ G のどれか答えなさい。

フォーマルな会話

A あなた

カフェに行くために
地図アプリを使っています。
でも、アプリの情報が古くて、
カフェが見つかりません。
知らない人にカフェの場所を
聞きなさい。あなたは今、
下の地図の 📍 にいます。

B 通行人 (passer-by)

今、下の地図の 📍 にいます。
知らない人（A）に
カフェの場所を聞かれます。
下の情報を使って道を教えなさい。

・そのカフェは移転しました (moved)。
・「道なりに行くとホテルがあるから、その先の交差点 (intersection) をわたって (cross) まっすぐ行ってください。しばらく行くと、左手に見えますよ。」

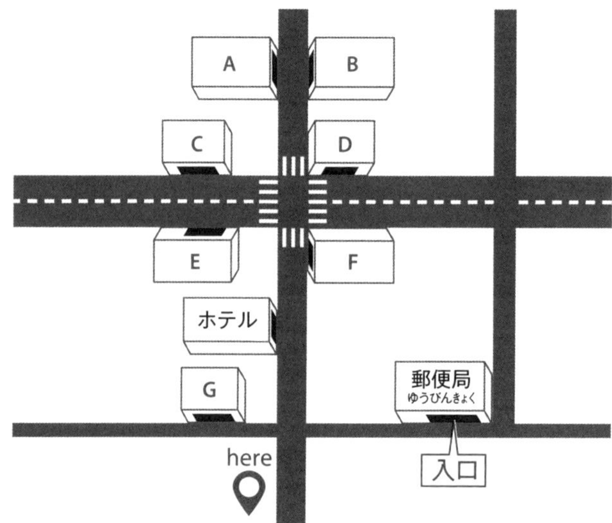

2-2 聞いてみよう

3.Kaiwa_L5-2

1）モデル会話を聞いて、下の質問に答えなさい。

① 区役所方面(くやくしょほうめん)に行くためには何という改札(かいさつ)を使いますか。

② 何番出口から出ればいいですか。

③ ジョージはどうしてすし屋が見つけられませんでしたか。

④ すし屋はどこですか。下の地図の A ～ G の中から選びなさい。

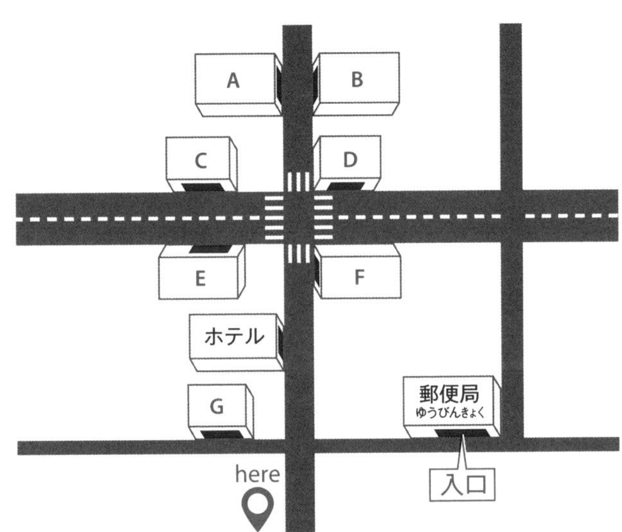

2）ジョージは場所や道を聞く時、何と言っていましたか。

① 改札(かいさつ)を確認(かくにん)する時

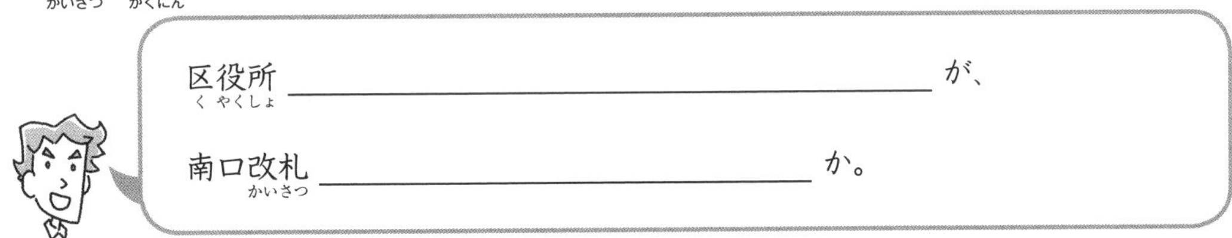

区役所(くやくしょ) ＿＿＿＿＿＿＿＿＿＿＿＿＿＿＿＿ が、
南口改札(かいさつ) ＿＿＿＿＿＿＿＿＿＿＿＿＿ か。

② すし屋の場所を聞く時

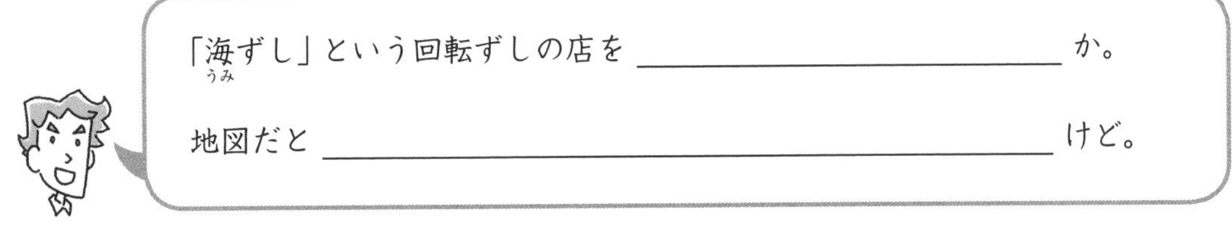

「海(うみ)ずし」という回転ずしの店を ＿＿＿＿＿＿＿＿＿＿＿＿ か。
地図だと ＿＿＿＿＿＿＿＿＿＿＿＿＿＿＿＿＿＿ けど。

2-3 モデル会話

3.Kaiwa_L5-2

フォーマルな会話

道を尋ねる

回転ずしの店に行くため、ジョージ（ジ:）が駅で駅員（駅:）に尋ねて (ask) いる。

ジ：❶すみません。区役所**方面に行きたいんですが、**南口**改札でいいですか。**

駅：　区役所方面なら、北口改札ですね。

ジ：　あ、そうなんですか。❷北口改札**はどう行けばいいですか。**

駅：　そちらの階段を下りて、いったんホームに戻ってください。ホームの反対の端まで歩いて、エスカレーターを上がったところが北口です。

ジ：❸ホームの反対のエスカレーターを上がった**ところですね？**

駅：　はい。北口の３番出口を出ると、右手にすぐ区役所が見えますよ。

ジ：❹３番出口**ですね。**わかりました。

ありがとうございました。

駅：　いいえ。

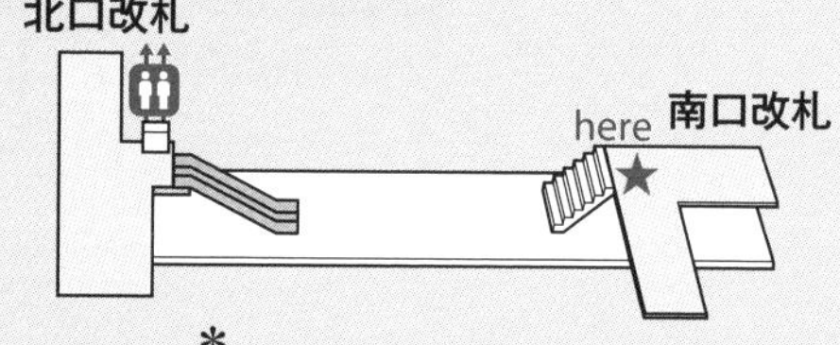

＊　＊　＊

駅を出たジョージ（ジ:）が通行人（通:）に道を尋ねている。

ジ：❺すみません。**ちょっと道を伺いたいんですが。**

通：　はい。

ジ：❻「海ずし」という回転ずしの店**をご存知ですか。地図だとこの辺のはずなんですけど。**（スマホの地図を見せる）

通：　ちょっと、見せてください。確かにこのビルのはずですね。変ですね……。

ジ：　はい……。

通：　あっ、あそこに貼り紙が……。えーと……ああ、移転したみたいですね。

ジ：　えっ、そうなんですか！

通：　えっと、貼り紙の地図によると、この先の交差点をわたって少し歩いたところにあるみたいですよ。道なりに行くと左手に「ヨルトン」というホテルがあるから、その先の交差点をわたったら、すぐ左に曲がってください。右手に見えるはずですよ。

ジ：❼ホテルの先の交差点をわたって左**ですね。どうもありがとうございました。**

通：　いいえ。

単語　区役所 city hall　～方面 direction　改札 ticket gate　階段 stairs　いったん＝一度
ホーム station platform　戻る to return　反対の端 opposite end　この辺 around here

貼り紙 poster　移転する to move　交差点 intersection　わたる to cross at a traffic light
道なりに行く to go along the road　〜の先 ahead of ~　曲がる to turn

フローチャート

あなた：道を聞く	駅員：道を教える

❶ 確認 (confirmation) のために聞く
すみません。区役所**方面に行きたいんですが、**
南口改札でいいですか。

区役所方面なら、北口改札ですね。

❷ 道を聞く
北口改札**はどう行けばいいですか。**

そちらの階段を下りて、いったんホームに戻ってください。ホームの反対の端まで歩いて、エスカレーターを上がったところが北口です。

❸ 繰り返して (repeat) 確認する
ホームの反対のエスカレーターを上がった**ところですね？**

はい。北口の３番出口を出ると、右手にすぐ区役所が見えますよ。

❹ 繰り返して確認し、お礼を言う
３番出口**ですね。ありがとうございました。**

あなた：道を聞く	通行人：道を教える

❺ 話しかける
すみません。**ちょっと道を伺いたいんですが。**

❻ 道を聞く
「海ずし」という回転ずしの店**をご存知ですか。**
地図だとこの辺のはずなんですけど。

「海ずし」なら、移転したみたいですよ。道なりに行くと左手に「ヨルトン」というホテルがあるから、その先の交差点をわたったら、すぐ左に曲がってください。右手に見えるはずですよ。

❼ 繰り返して確認し、お礼を言う
ホテルの先の交差点をわたって左**ですね。**
どうもありがとうございました。

2-4 練習しよう

▶ 　　　　のパターンを使って話してみましょう。

パートA　❶確認 (confirmation) のために聞く → ❷道を聞く → ❸繰り返して (repeat) 確認する → ❹繰り返して確認し、お礼を言う

あなた：❶すみません。＿区役所＿方面に行きたいんですが、＿南口＿改札でいいですか。

駅員：＿区役所＿方面なら、＿北口＿改札ですね。

あなた：❷＿北口改札＿はどう行けばいいですか。

駅員：＿そちらの階段を下りて、いったんホームに戻ってください。ホームの反対の端まで歩いて、エスカレーターを上がったところが北口です＿。

あなた：❸＿ホームの反対のエスカレーターを上がった＿ところですね？

駅員：はい。＿北口の３番出口を出ると、右手に＿すぐ＿区役所＿が見えますよ。

あなた：❹＿３番出口＿ですね。ありがとうございました。

▶あなたは図の★にいます。①②の場合に、今、自分がいる改札が正しいかどうか、駅員に聞きなさい。

①「市民病院方面」に行きたいです。

②「みどり公園方面」に行きたいです。

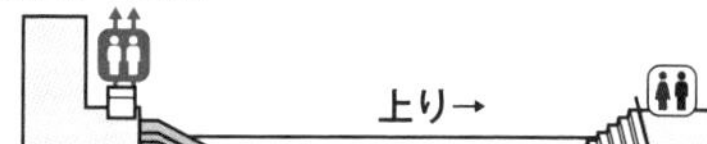
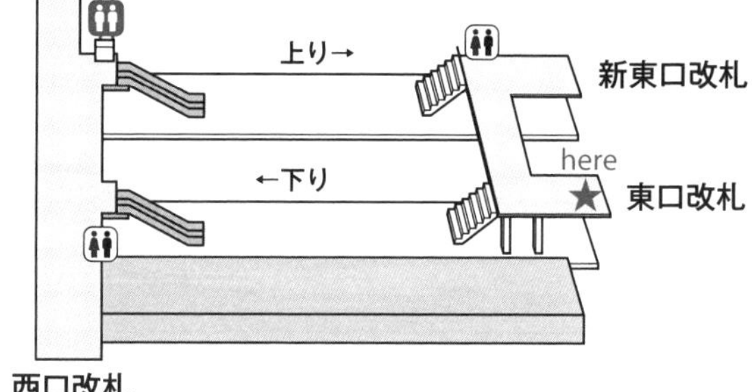

※駅員は図の★で、客に改札について聞かれています。以下のメモを見ながら話を続けなさい。

① ＊「市民病院方面」は西口改札が近いです。
　＊ 西口改札は、階段を下りてホームに戻って、反対の端のエスカレーターを上がって、左に曲がって少し行ったところです。

② ＊「みどり公園方面」は新西口改札が近いです。
　＊ 新西口改札は、トイレの横の階段を下りて、隣のホームに行き、ホームの反対の端のエスカレーターを上がったところです。

パートB ❺話しかける → ❻道を聞く → ❼繰り返して確認し、お礼を言う

あなた：❺すみません。ちょっと道を伺いたいんですが。

通行人：はい。

あなた：❻ 「海ずし」という回転ずしの店 をご存知ですか。地図だとこの辺のはずなんですけど。

通行人： 「海ずし」 なら、移転したみたいですよ。 道なりに行くと左手に「ヨルトン」というホテルがあるから、その先の交差点をわたって、左に曲がっ てください。すぐ見えるはずですよ。

あなた：❼ ホテルの先の交差点をわたって左 ですね。どうもありがとうございました。

▶ あなたは、下の①〜④の場所に行こうと思っています。地図アプリによると、①〜④はそれぞれ ❶ 〜 ❹ の場所にあるようですが、行ってみるとその場所にはありませんでした。通行人に聞いて、正しい場所を下の地図の A 〜 H から選びなさい。あなたは地図の ❶ 〜 ❹ にいます。

① 市役所　② 喫茶店「山」　③ カラオケ「ファン」　④ 十八銀行

※通行人は次のページの地図 2 と表現を使いなさい。

■ 地図 1

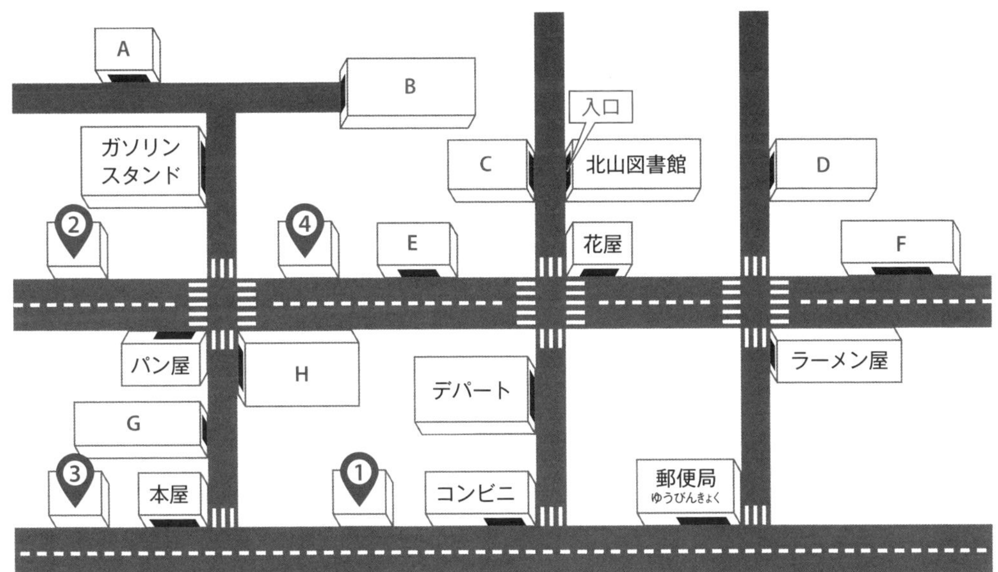

※通行人は地図２の①〜④にいます。地図とメモを見ながら道を教えなさい。

■ **地図２**

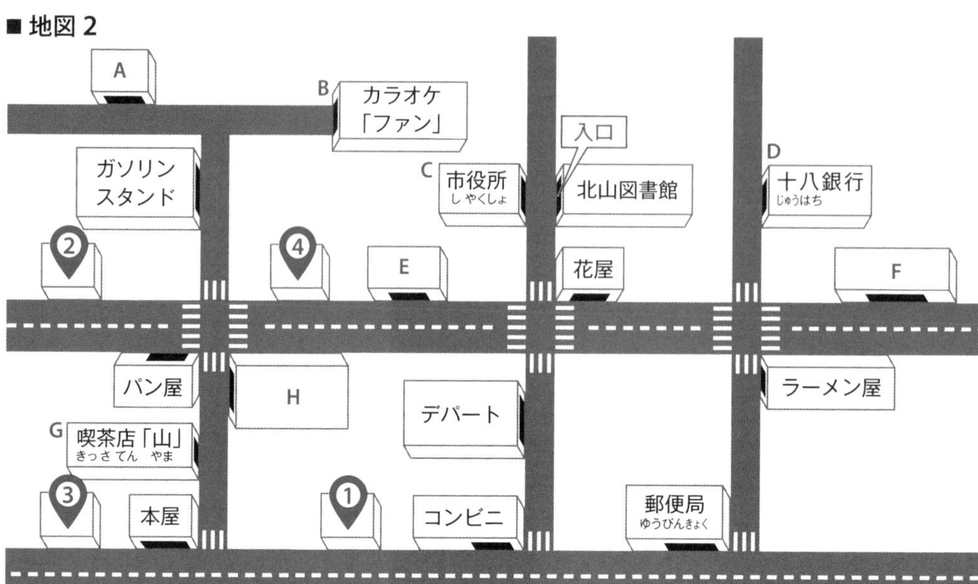

① **市役所の行き方（場所：C）**

市役所は移転しました。コンビニの方に向かって道なりに行って、コンビニまで来たら、角を左に曲がってください。次の交差点をわたって、しばらく行くと、左手に見えますよ。

② **喫茶店「山」の行き方（場所：G）**

「喫茶店『山』」は移転しました。少し行くと交差点に出るから、その交差点をパン屋の方にわたってください。それから、その方向に向かってまっすぐ行くと、道の右側に見えますよ。

③ **カラオケ「ファン」の行き方（場所：B）**

「カラオケ『ファン』」は移転しました。少し行くと、左手に本屋があるから、その角を左に曲がって、突き当たりまで道なりにまっすぐ行ってください。そして突き当たりに出たら、右に曲がってください。しばらく行くと、見えますよ。

④ **十八銀行の行き方（場所：D）**

「十八銀行」は移転しました。あそこに花屋が見えるでしょ？ このまま花屋に向かってまっすぐ進んでください。それから、花屋の次の交差点をわたってから左に曲がってください。ここから２つ目の交差点です。しばらく行くと、右手に見えますよ。

役に立つ表現

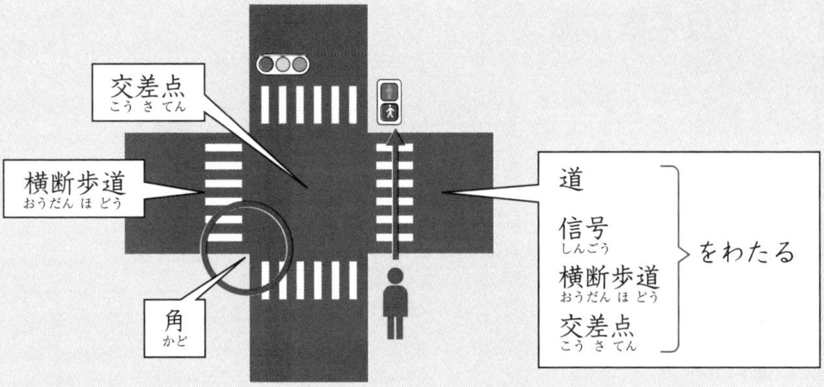

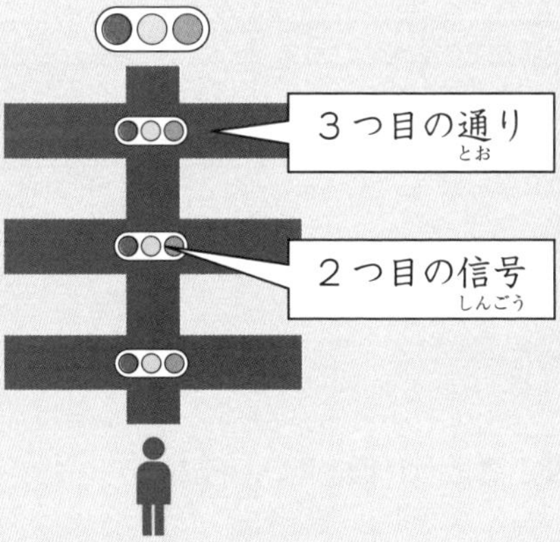

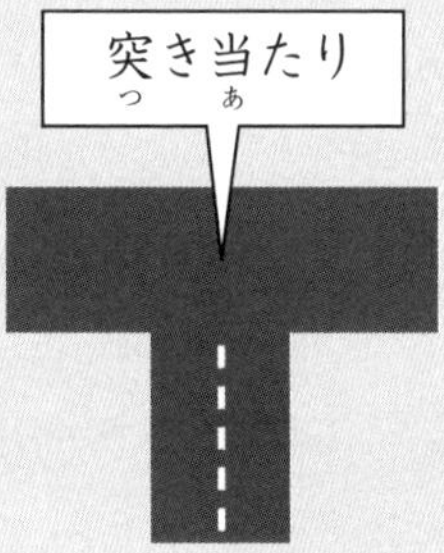

交差点（こうさてん）

横断歩道（おうだんほどう）

角（かど）

道／信号（しんごう）／横断歩道（おうだんほどう）／交差点（こうさてん） をわたる

信号（しんごう）

３つ目の通り（とお）

２つ目の信号（しんごう）

突き当たり（つ　あ）

Ｔ字路（ティーじろ）／丁字路（ていじろ）

コンビニ の先（さき）

コンビニ

コンビニ の反対側（はんたいがわ）

コンビニ の手前（てまえ）

コンビニ の方（ほう）に向（む）かって

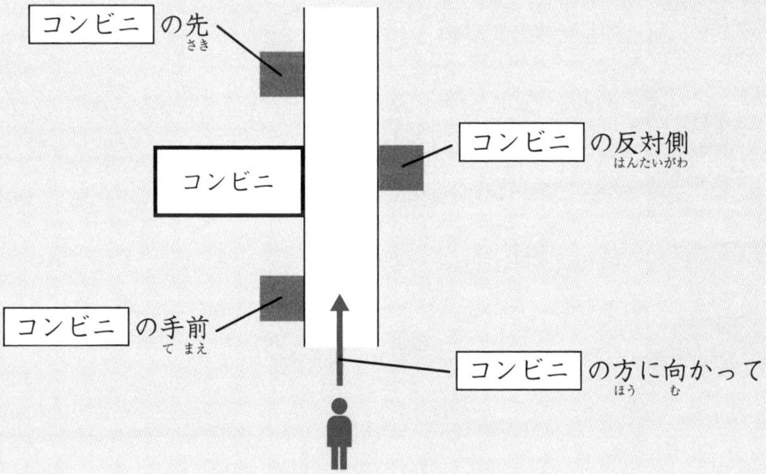

韓国人留学生から見た日本

今日の晩ご飯

4.Chokai_L5-1

留学生のソヨンが、寮のルームメートと今日の晩ご飯について話しています。
会話を聞いて、2 人が作るものに○をつけなさい。

a. (　　　) とりのから揚げ
b. (　　　) トマトチキンカレー
c. (　　　) オムライス
d. (　　　) 親子丼

揚げ物 deep-fried food　冷凍庫 freezer

Cooking.com　とり肉　玉ねぎ

とり肉、玉ねぎ のレシピ　1 ／ 16 ページ　次 >>

とりのから揚げ　玉ねぎソース
とり肉、小麦粉
玉ねぎ、しょうが　しょうゆ、さとう、酒、酢、レモン

まろやか　トマトチキンカレー
とり肉、玉ねぎ、しょうが、トマト缶、ヨーグルト
カレールー、ご飯

とろとろオムライス
とり肉、玉ねぎ、にんじん、グリーンピース、ケチャップ
たまご、バター、ご飯

簡単！ おいしい！ 親子丼
とり肉、玉ねぎ、しょうゆ、さとう、みりん、酒、だし
たまご、ご飯、三つ葉（お好みで）

聴解2　家に遊びに行く約束

4.Chokai_L5-2

聞く前に

友達の家によく遊びに行きますか。どんな時に遊びに行きますか。

リスニング

韓国人留学生のソヨンが、クラスで「家に遊びに行く約束」についてスピーチをしています。スピーチを聞いて質問に答えなさい。

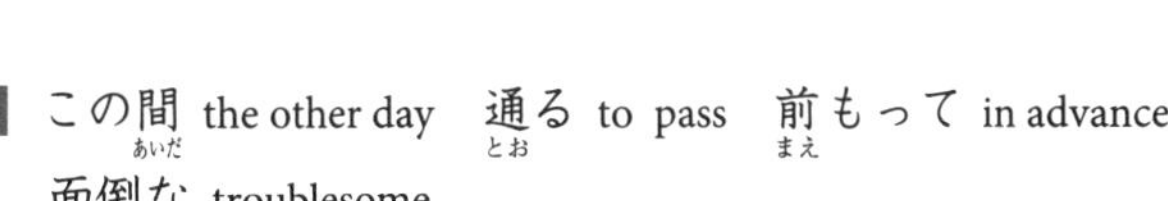

単語　この間 the other day　通る to pass　前もって in advance　面倒な troublesome

1. スピーチの内容に合うものに○、合わないものに×をつけなさい。

① (　　) 授業の後に、ソヨンと友達は一緒に出かけることがある。

② (　　) ソヨンは約束をしないで、友達の家に遊びに行った。

③ (　　) ソヨンの友達は、授業の後で遊ぶ時も約束をしてほしいと思っている。

④ (　　) 他の日本人の友達は、約束をしないで人の家に行ってもいいと考えている。

⑤ (　　) ソヨンは、友達の家に遊びに行く時には、約束しなくてもいいと思っている。

2. ソヨンが相談した日本人の友達は、どうして約束をしたほうがいいと言っていますか。

3. ソヨンは、何が面倒だと思っていますか。

ディスカッション

1. 友達の家に行く時には、約束をしてから遊びに行きますか。どれぐらい前に約束をしますか。

2. あなたが約束をしておいたほうがいいと思うのは、どんなことをする時ですか。

第6課

読む　日本社会への声

書く　投書文を書く

- 投書文を読んで、筆者の主張とその理由がわかる
- 賛成と反対のそれぞれの主張とその理由がわかる
- 身近な問題について投書文が書ける

話す　寮生活でのトラブル

聞く　中国人留学生から見た日本

- 苦情が言える
- 上手にあやまることができる

日本社会への声

読む前に・読んだ後で

読み物１ 投書文（とうしょぶん）を読む

読む前に

1. あなたの国では、買ったものを店が包装（ほうそう）してくれるサービスがありますか。

2. 環境を守るために気をつけていることはありますか。

読んだ後で

3. 下の単語を使って、ジョージの主張（しゅちょう）とその理由をまとめましょう。

［ 過剰（かじょう）　箱　包装　袋　資源 ］

4. ジョージの主張について、どう思いますか。

5. あなたの国のサービスやシステムで、考え直すべきだと思うものはありますか。

 読み物 2　大学生の声

読む前に

1. あなたが初めて外国語を習ったのは何歳の時でしたか。

2. あなたの国の学校では、何歳から、どんな外国語が勉強できますか。

読んだ後で

3. 下の単語を使って、青山（あおやま）さんと木村（きむら）さんの主張をまとめましょう。

   ［ 年齢　　抵抗感　　国際感覚　　母語　　意思　　必要 ］

4. あなたは青山さんと木村さんのどちらの意見に賛成ですか。どうしてですか。

5. あなたの国の外国語教育は、今のままでいいですか。どうしてそう思いますか。
   変わる必要があるなら、何をどう変えるべきだと思いますか。

かけ紙(がみ)

日本ではフォーマルな贈(おく)り物(もの)をする時に「かけ紙(がみ)」という特別な包装をします。

お祝(いわ)い (celebration) の品物を贈る時

お祝(いわ)いの品物に使うかけ紙は「のし紙」と言い、赤や金の色が使われます。結婚祝いなどのような一度だけのお祝いには「結(むす)び切(ぎ)り」、子どもが生まれた時などのように何度あってもいいことには「蝶(ちょう)結び」ののし紙を使います。

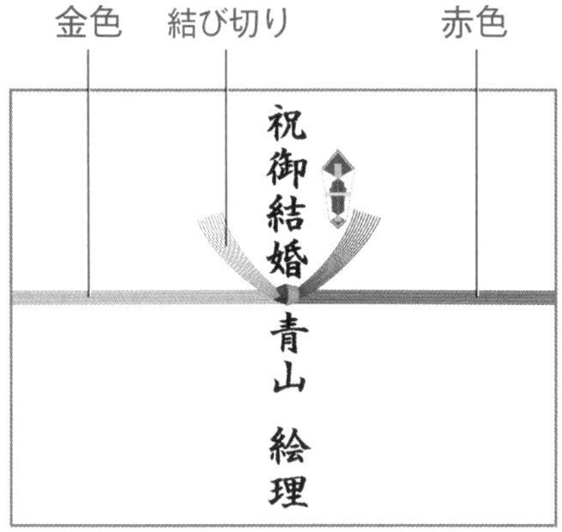

結婚祝いのかけ紙

金色　蝶結び　赤色

御祝

王 美鈴

子どもが生まれた時などのお祝いのかけ紙

亡(な)くなった人の家族に贈り物をする時

この場合は、黒、銀、紫(むらさき)または黄色(きいろ)の結び切りのかけ紙を使います。

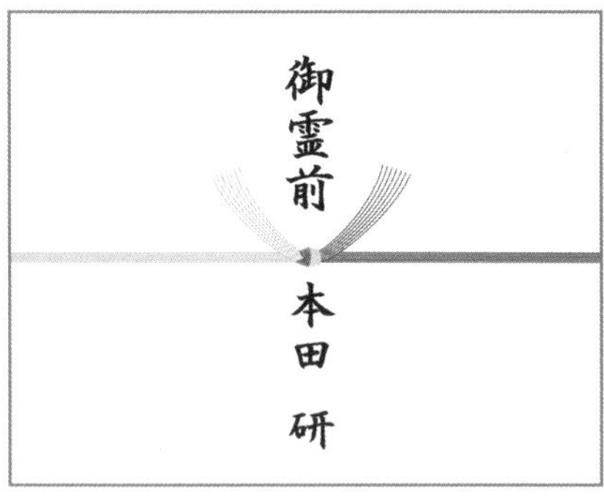

読み物1 投書文を読む

1.Yomimono_L6-1

あの包装は本当に必要ですか

留学生　ジョージ・テイラー（愛知県　21）

来日してまず感じたことは、環境のことを考えている日本人が多いということです。例えば、駅のゴミ箱はペットボトルや新聞・雑誌などのリサイクルできる「資源ゴミ」と「燃えるゴミ」に分かれていて、きちんと分別しなければいけません。

しかし、最近気になることがあります。それは、過剰な包装です。例えば、箱に入ったクッキーを買ったら、その箱が紙で包まれていただけではなく、中のクッキーも一枚ずつビニールで包装されていました。確かに一つ一つ袋に入っていれば箱から取る時に手が汚れないし、すぐに全部食べなくてもいいので便利です。しかし、ゴミは確実に増えます。それに、箱の包装紙も、後で使えない[1]わけではないですが、結局捨てる人が多いので、資源のむだです。

また、商品の包装だけではなく、お店の袋についても疑問を感じます。先日、雨の日にデパートで買い物をした時、雨にぬれないようにいつもの紙袋の上にビニールを丁寧にかけてくれたのには驚きました。客に対するこのような気づかいはとても日本らしいと思いますが、私のような外国人の目[2]からみると、ちょっとやりすぎ[3]ではないかと感じてしまいます。

本当に環境のことを考えるなら、日本人は過剰包装について考え直すべきな[3]のではないでしょうか。

個別包装の例

雨の日にかけてくれるビニール

ることに気づくことで、異なる価値観を受け入れやすくなると言われている。小学生のうちに英語を通して外国の文化や習慣に触れ、視野を広げておけば、将来、国際的に活躍できる可能性が広がる[3]のではないかと思う。

このように、早期英語教育はメリットが多いので、積極的に進めていくべきだ。

＊　＊　＊

子どもに英語は必要か

西川大学　木村 準（19）

私は早期英語教育には反対だ。その理由を三つ述べる。まず、母語である日本語の発達に悪い影響がある。日本語が不[6]十分なまま英語の勉強を始めると、どちらも正しく使えなくなってしまう可能性がある。自分の考えを一つの言語でうまく表現できず、混乱してしまうこともあるだろう。だから、英語を学ぶのは自分の考えや感情が日本語で論理的に伝えられるようになるまで待つべきな[3]のではないだろうか。

また、自分の意思で英語を学んでいる子どもは少ない。私の場合も子どもの時、親に英語の塾に行く[7]ように言われ、いやいや勉強させられた。その経験[2]からいうと、英語を習[4]いたがっていない子どもに無理にやらせても、意味がない。英語嫌いな子どもが増えるだけだ。子どもが英語に興味を持ち始めるまで待ったほうがいいと思う。

さらに、日本では日常生活で英語が必要だ[1]というわけではない。子どもの時に英語を学んでも、ふだん使わなければ、すぐに忘れてしまうだろう。勉強を始めるのは、英語が本当に必要になった時でも遅くはないと思う。私の先輩に英語が全然話せなかった人がいたが、仕事でカナダに行くことになってから本気で勉強し始め、驚く[8]ほど上達した。この例からも、[9]わざわざ子どものうちに英語を学ばなくてもいいと言えるだろう。

以上のような理由から、私は早期英語教育は必ずしも必要ないと主張したい。

読み物2 **大学生の声**

早期英語教育に賛成？反対？

英語でコミュニケーションができる日本人を育てようと、日本の英語教育制度が大きく変わり始めている。小学校での英語の授業はすでに全国的に始まっているが、今後も早期化が進むと考えられ、早期英語教育についての人々の関心がますます高くなっている。今の大学生はこの現状をどのように考えているのだろうか。

英語は子どものうちに

北東大学（ほくとう） 青山（あおやま） 絵理（えり） (21)

私は、早期英語教育に賛成だ。理由は三つある。

第一に、言語の習得はある年齢を超えると難しくなるからだ。言語を学ぶ年齢と習得には深い関係があるとよく言われる。スポンジのように何でも吸収できる子どものうちに言語を学び始めれば、楽に習得できる。特に発音の習得に効果的だ。例えば、多くの日本人が苦手な英語の「L」と「R」の発音も、小さい時から学べば、よく[3]なるのではないだろうか。

第二に、子どもは英語に対する抵抗感を持たないからだ。小学校でゲームや歌を通して学べば、子どもは[4]恥ずかしがらずに英語を話すことができる。それに、新しく覚えた言葉をすぐに使お[5]うとするので、早く慣れることもできる。一般的に、人は大人になればなるほど周りの目を意識し、失敗を恐れる気持ちが強くなる。だから、その気持ちが生まれる前に英語学習を始めることが重要だと思う。

第三に、国際感覚を早く身につけることができるからだ。子どもの時に外国語を学び、自国とは違う文化があ

1.Yomimono_L6-2

読みのストラテジー ❾

意見を述べる時の表現 Expressions for conveying opinions

When reading an essay, look for the following two expressions that are commonly used to convey opinions.

ストラテジー

- If you come across the pattern "確かに～。しかし～。", note that the writer's opinion will follow the しかし.
- In the pattern "X のではないだろうか", the part represented by X is the writer's opinion.

1 確かに～。しかし～。

留学中にホームステイをする人もいるし、寮に住む人もいる。どちらのほうがいいのだろうか。**確かに**ホームステイで日本の家族と生活するのはいい経験になるだろう。**しかし**、ホームステイの場合、大学から遠いところに住むことが多く、通学に時間がかかるのが問題だ。だから、キャンパスに近い寮に住んだほうがいいと思う。

· As indicated in the question asked, the writer is discussing the relative advantages of homestays versus dormitories. Before stating his opinion, the writer uses 確かに to present a benefit of doing a homestay, and then immediately uses しかし (but) to counter with a disadvantage of homestays. This construction shows that the writer does not favor homestays.

· The しかし in the pattern "確かに～。しかし～。" is sometimes replaced with another word that means "but," such as でも or けれども.

2 X のではないでしょうか

8歳の子どもに携帯(けいたい)電話は必要ない**のではないでしょうか。**

(X)

· The writer's opinion in the example above is the underlined part.

筆者(ひっしゃ)の意見の部分に下線を引(ひ)きなさい。(読み物1：行 11～20)

例えば、箱に入ったクッキーを買ったら、その箱が紙で包まれていただけではなく、中のクッキーも一枚ずつビニールで包装されていました。確かに一つ一つ袋に入っていれば箱から取る時に手が汚れないし、すぐに全部食べなくてもいいので便利です。しかし、ゴミは確実に増えます。

読みのストラテジー ⑩

列挙(れっきょ)の表現 Expressions for enumeration

When writers enumerate a list of things, such as when stating the various reasons behind an opinion, they often start by saying how many items will be mentioned.

ストラテジー

- If a writer states that there is a certain number (like 2 つ or 3 つ) of reasons, examples, etc., expect that number of items to follow.
- Look for expressions such as まず, また, 第一に or 第二に to keep track of the discrete items that make up a list or group.

■「まず」「また」を使って理由を列挙(れっきょ)する Enumerating reasons using まず and また

私は大学生はアルバイトをしたほうがいいと思う。理由は２つある。**まず**、アルバイトをすると、学生以外の人と知り合う機会が増える。違う年代の人や様々な経験を持つ人と付き合うことで、視野が広がるのではないだろうか。**また**、時間の使い方も学ぶことができる。勉強と仕事のバランスを取るのは難しいが、うまく時間が使えるようになれば、社会に出てからきっと役に立つだろう。

・The statement 理由は 2 つある makes it clear that two reasons will be enumerated. Using this clue, look for two expressions of enumeration and you'll find まず and また . Each signifies that one of the reasons will immediately follow, so now you can readily make out the two items.

下の質問に答えなさい。(読み物 2：行 10～19)

私は、早期英語教育に賛成だ。理由は三つある。

第一に、言語の習得はある年齢を超えると難しくなるからだ。言語を学ぶ年齢と習得には深い関係があるとよく言われる。スポンジのように何でも吸収できる子どものうちに言語を学び始めれば、楽に習得できる。特に発音の習得に効果的だ。例えば、多くの日本人が苦手な英語の「L」と「R」の発音も、小さい時から学べば、よくなるのではないだろうか。

第二に、子どもは英語に対する抵抗感を持たないからだ。……

(1) 筆者(ひっしゃ)はこれからこの文章(ぶんしょう)全体（行 8～33）で、何の理由をいくつ列挙(れっきょ)するか。
How many reasons are going to be listed in the entire passage? What are the reasons for?

(2) 一つ目の理由は何か。その部分に下線を引(ひ)きなさい。What is the first reason? Underline it.

文型・表現ノート

🎧 2.Bunkei_L6

1. ～(という)わけではない 〈it's not that ~; it doesn't mean that ~〉

[読み物 1- 行 21
読み物 2- 行 50]

アナ：トムは中国語(ちゅうごくご)も話せるんだね。さっき中国人にあいさつしているのを見たよ。
Tom, you speak Chinese, too? I saw you greeting a Chinese person earlier.

トム：実は、簡単なあいさつを知っているだけで、話せる**わけじゃない**んだ。
Actually, I just know a few greetings—It's not that I can speak Chinese (that well).

1 書道部に入ったからといって、すぐに字が上手になる**わけではない**。

2 A：今日のクラスに山田(やまだ)さん、来なかったけど、どうしたのか知ってる？
B：同じ寮だけど別に親しい**わけじゃない**から、ちょっとわからないなあ。

3 A：せっかくカラオケに来たのに歌わないの？ 歌は苦手？
B：ううん、苦手な**わけじゃない**んだけど、恥ずかしくて。

4 A：今日もコンビニ弁当(べんとう)を食べているんですか。
B：ええ。私、あまり料理をしないんです。
できない**わけではない**んですが、面倒(めんどう)なので。

5 パク：「ありがとう」と言われて「どういたしまして」と言うのは、変ですか。
先生：間違い**というわけではない**ですが、あまり使いませんね。

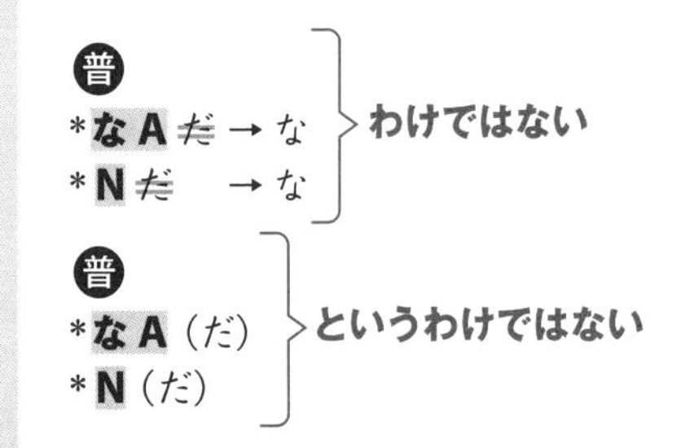

- The form X わけではない is used to deny X, a statement that may be inferred or assumed based on what is known in context or what has previously been stated. 1 means, "Joining a calligraphy club does not immediately result in improved skills in calligraphy (even though one might make such an assumption)."
- 4 shows ～わけではない used in double negative construction, turning the statement into a positive one. This example would be translated as "I *can* cook, (although I may not be good at it.)"
- As 5 shows, in the case of N, it is often used in the form of N（だ）というわけではない rather than Nなわけではない.
- As 1 shows, わけではない is often used with からといって, a structure covered in Lesson 3.

☛ ～わけではない and ～とは限らない (L3-9)

わけではない and とは限らない have overlapping meanings, and can sometimes be interchangeable.

例 1) ○ 日本人がみんな魚が好きなわけではない。
(In general Japanese like fish, but) this does not mean that all Japanese like fish.

○ 日本人がみんな魚が好きだとは限らない。
It is not always the case that all Japanese like fish.

There are cases, however, when the two structures are not interchangeable. X わけではない is used to negate a statement X, while X とは限らない simply implies that there is a possibility that X is not true. As such, X とは限らない structure cannot be used when X is a statement about yourself that you already know is not true.

例 2）○ 私はよくカラオケに行くが、歌が得意なわけではない。
I often go to Karaoke, but it does not mean that I am good at singing.
× 私はよくカラオケに行くが、歌が得意だとは限らない。

2. N からみると／すると／いうと 〈judging from the standpoint of N〉

[読み物 1- 行 31
読み物 2- 行 46]

A：先週、研(けん)とけんかしちゃった……。
I got into an argument with Ken last week . . .

B：研の性格**からすると**、きっと自分からはあやまらないと思うよ。
Judging from (the standpoint of) Ken's personality, I bet he won't apologize first.

1 日本人**からみると**、アメリカの飲み物のサイズは大きいようだ。

2 A：最近の女子高校生のスカートは短いですよね。
B：そうですね。私の世代**からみると**、信じられないほどですよ。

3 ３日前からのどが痛くてせきも出る。この症状(しょうじょう)**からすると**、風邪(かぜ)をひいたようだ。

4 わりばしは便利だが、環境の面**からいうと**使わないほうがいい。

5 客　：あの、仕事で使うパソコンを探(さが)しているんですが。
店員：使いやすさ**からいうと**、このソミー社のパソコンがおすすめです。

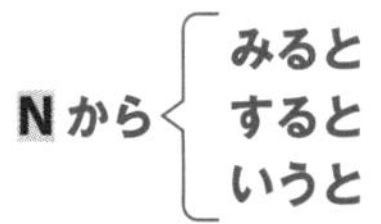

- N からみると, N からすると and N からいうと all make a statement about something from the standpoint of N.
- In the case of N からみると, N usually takes words or phrases that represent a particular person or a group of people, making a statement that speaks for N's opinion or views.
- N in N からすると takes information that is used as evidence or grounds for making a judgment.
- N からいうと is used when the speaker wants to acknowledge that there are many different ways to look at the matter mentioned, but the speaker is commenting on it from just one of those perspectives. Unlike N からみると or N からすると, N からいうと cannot take nouns representing people in N.

3. ～（の）ではない（だろう）か

〈(although I cannot say this with confidence,) I think it is the case that ~〉

[読み物 1- 行 32·36
読み物 2- 行 17·31·43]

A：小学生が塾(じゅく)で遅くまで勉強することについてどう思いますか。

How do you feel about elementary school students going to cram school and studying until late at night?

B：友達と遊ぶ時間がなくなるので、あまりよくない**んじゃないでしょうか。**

They will lose the time to hang out with their friends, so I don't think it's good for them (although I cannot say this with confidence).

1 a) 期末試験は必要な**のではないでしょうか。**（＝必要だ）

b) 期末試験は必要ない**のではないでしょうか。**（＝必要ない）

2 a) 大学生はアルバイトをすべきな**のではないでしょうか。**（＝するべきだ）

b) 大学生はアルバイトをすべきではない**のではないでしょうか。**（＝するべきではない）

3 サラ：ジョージ、絵理(えり)が研(けん)と映画に行った話を聞いて落ち込(おこ)んでいたよね。

拓也(たくや)：うん。絵理と研が付き合っていると思った**んじゃない**？

サラ：そうかもしれないね。

4 日本人は伝統(でんとう)をもっと大切にするべき**ではないだろうか。**

5 A：宮崎監督(みやざきかんとく)の映画の中で一番有名な作品は何だと思いますか。

B：やはり「千(せん)と千尋(ちひろ)の神隠(かみかく)し」**ではないか**と思います。

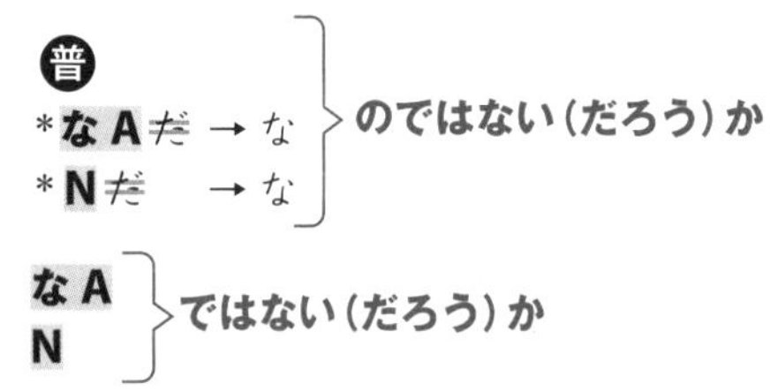

- X のではないだろうか expresses the speaker's opinion or speculation about something without sounding assertive. As such, this structure is often used when eliciting an agreement from a listener in a subtle manner, or when disagreeing with someone in a non-confrontational way.
- X のではないだろうか conveys level of confidence that is lower than that of X だろう.
- In conversation, X んじゃないでしょうか is used in a formal setting, and X んじゃない？ is used in a casual setting. (3)
- When used with な-adjectives and nouns, なの in なのではないだろうか may be omitted. (4 and 5)
- When ～と思う follows this structure, だろう is omitted and ～（の）ではないか is used. (5)

★ 4. ～がる 〈show signs of ~〉

[読み物 2- 行 20·47]

絵理(えり)：昨日(きのう)は飲み会に行けなくてごめん。
Sorry I couldn't join you for a drink yesterday.

研(けん)　：絵理が来なくて、ジョージがとても残念**がって**いたよ。
George was sad you couldn't come.

1 A：昨日、交流パーティーに行ったんだけど、だれとも話せなくて……。
B：友達を作りたかったら、恥ずかし**がらない**で積極的に話しかけたほうがいいよ。

2 母親は嫌**がって**いる子どもに野菜(やさい)を食べさせた。

3 弟は転んで、足にけがをしたらしい。とても痛**がって**いるので心配だ。

4 日本に遊びに来た友達がおみやげを買いた**がって**いたので、
デパートに連れていってあげた。

5 子どもが甘いものをほし**がって**も、晩ご飯の前は食べさせないほうがいいだろう。

6 一般的に言って、子どもは暗(くら)い場所を怖(こわ)**がります**。

いA~~い~~ / なA } **がる**

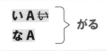

• This structure describes a third person's outward (though not necessarily verbal) expression of having certain feelings or desires. Examples of adjectives commonly used with this structure are さびしい, 恥ずかしい, うらやましい, 痛い, 残念だ, 嫌(いや)だ, ほしい and V たい.

• In this structure, the object of desires or feelings takes the particle を. As shown in 4 and 5, when ほしい or V たい is used, the desired item or action takes the particle を, rather than が.

• This structure typically takes the ている form (i.e., ～がっている), but it appears in the ～がる form when making a comment about someone's tendency to desire/feel something (5 and 6), as opposed to an observed instance of someone desiring/feeling something.

• As described above, ～がる or ～がっている has connotations that the person mentioned is showing *outward* signs of feelings or desires, suggesting that he/she does not have good control of their own emotions. Therefore, making a statement in this structure about someone superior to you should be avoided.

例 1) ？ 先生は水を飲みたがっています。
　　　○ 先生は水が飲みたいとおっしゃっています。
The teacher says she wants to drink some water.

• To state that someone else is showing the signs of desire for the speaker to do something, Vてほしがる is used.

例 2) 両親は私に出身の町に帰ってきてほしがっています。
My parents want me to go back to my hometown.

5. ～(よ)うとする／しない

［読み物 2- 行 21］

1 ～(よ)うとする 〈be just about to do; attempt to do〉

A：3カ月前に別れた彼女のこと、まだ考えているの？
Are you still thinking about the girlfriend you broke up with three months ago?

B：うん。忘れ**ようとして**も、忘れられないんだ。
Yeah, even though I try to forget about her, I can't.

1 A：去年卒業したマリア先輩(せんぱい)って、今、何をしてるのかな？
B：日本の会社に就職し**ようとして**いるらしいよ。

2 A：眠(ねむ)そうだね。
B：昨日(きのう)寝(ね)**ようとしたら**、友達から電話がかかってきて……。
2時間も話しちゃったんだ。

3 高いところに置いてあった物を取ろ**うとして**、いすから落(お)ちてしまった。

4 コンビニでお金を払お**うとした**時、財布(さいふ)がないことに気がついた。

V(よ)うとする	• V(よ)うとする states that the subject of the sentence is making an effort to accomplish the action V.

☛ ～ようにする 〈make a point of doing; make sure to do〉 (L1-8)
Used when you are careful or do your best to do or not to do something.

例）わからない単語を見たら、すぐに調べるようにしています。
When I see a word that I don't know, I make sure to look it up immediately.

2 ～(よ)うとしない 〈he/she doesn't even think about doing; make no attempt to do〉

A：うちの子ども、全然勉強し**ようとしない**んですよ。
My kid never even thinks about studying at all.

B：家で宿題だけでも見てあげたらどうですか。
Why don't you help him with homework (to make sure he at least does the homework)?

5 道に迷(まよ)って困(こま)っている人がいたのに、だれも助け**ようとしなかった**。

6 ペットの猫(ねこ)が大好きな魚を食べ**ようとしない**。病気なのだろうか。

7 A：ルームメートがゴミをゴミ捨て場に持っていこ**うとしない**んだ。
B：順番に持っていくことにしたらどう？

8 私は高校生の時、新聞を読も**うとしなかった**。
しかし、大学に入り、政治に興味を持つようになってから、毎日読んでいる。

V(よ)うとしない

- V(よ)う としない states that the subject of the sentence shows no intention of doing something that is expected of them or something they should do.
- This structure cannot be used to describe the speaker's current lack of intention; however, it may be used to describe the speaker's past objectively, as shown in 8.

6. ～まま

[読み物 2- 行 38]

1 ～まま 〈just as it is; unchanged; as remains〉

A：どのタンブラーを買おうかな……。

I wonder which travel mug I should get . . .

B：このブランドはどう？ これなら、12時間たっても冷たい**まま**だって。

How about this brand? I heard (the drink will) stay cold even after 12 hours.

1 A：その服、新しく買ったの？

B：ううん。実は３年前に買ったんだけど、一度も着てないから、きれいな**まま**なんだ。

2 日本の城(しろ)の中で、昔の**まま**の状態(じょうたい)で残っているものは少ない。

3 (コンビニで)

店員：お弁当(べんとう)、あたためますか。

客　：いいえ、その**まま**でけっこうです。

いAい / なAな / Nの} まま

- Used to describe an object or a person that would typically undergo some type of change, いAい / なA な / N のまま expresses that their state of being has remained unchanged.
- 3 shows another common usage of まま, where it is preceded by a demonstrative (e.g., この, その, あの) to express the idea that an object or a person remains "this way," or "that way."

2 ～たまま 〈just as it is; unchanged; as remains〉

学生：ドアを閉(し)めたほうがいいですか。

Should I close the door?

先生：まだ来ていない学生がいるので、開け**たまま**にしておいてください。

There are students who aren't here yet, so please leave it open.

4 日本では、くつをはい**たまま**家に入ってはいけない。

5 A：眠(ねむ)そうだね。

B：昨日(きのう)電気をつけ**たまま**寝(ね)ちゃって、あまりよく眠れなかったんだ。

6 （電話で）

警察（けいさつ）：どうしましたか。

母　：実は、子どもが朝８時に家を出**たまま**、まだ帰ってこないんです。

7 A：金閣寺（きんかくじ）に行ったんだって？ どうだった？

B：本当に全部が金色で、写真で見**たまま**だったから感動したよ。

Vたまま

- Vたまま expresses that the state that resulted from an action V is left unchanged.
- V1たまま V2 expresses that someone is doing V2 while maintaining the same state that resulted from V1.
- Typically, V1 in V1たまま V2 takes momentary verbs (i.e., verbs for actions that can be completed in an instant) such as 開ける, 閉（し）める, 立つ, 座る, つける, 消す, 着る and 出かける.
- The agent of the two actions (V1 and V2) must be the same; in 5, the one who turned the light on and the one who fell asleep is identical (person B, in this case).
- Vたまま cannot be used in negative form (V なかったまま). The present negative form (Vないまま) can be used, and it conveys that the action is not done *for some length of time* (i.e., it is left incomplete or not initiated). To simply express that the action is not done, without placing emphasis on the passage of time, Vずに or Vないで should be used.

例）× エアコンを消さなかったまま部屋を出た。

？ エアコンを消さないまま部屋を出た。

○ エアコンを消さずに部屋を出た。

I left my room without turning the air conditioner off.

7. ～ように言う 〈tell someone to do something〉

［読み物 2- 行 45］

父：あれ？ そうじをしているの？ めずらしいなあ。

Oh, you are cleaning up the room? That's unusual (for you to do that).

子：今日は友達が来るから、お母さんにそうじする**ように言われ**たんだ……。

Mom told me to clean up because my friend is coming over today . . .

1 私：部屋が汚いよ。片づけて！

妹：わかったよ。

→（私は）妹に部屋を片づける**ように言った**。

2 ホストファミリー：明日はみんなで外食するから、６時までに帰ってきてね。

私：わかりました。

→（私は）ホストファミリーに６時までに家に帰ってくる**ように言われた**。

3 先生　：ルイスさん、教室で英語を話さないでください。

ルイス：すみません。

→ ルイスさんは先生に、教室で英語を話さない**ように注意された**。

4 私　：宿題を手伝ってくれない？
　友達：いいよ。
　　→（私は）友達に、宿題を手伝ってくれる**ように頼んだ。**

5 友達：レポート手伝ってくれない？
　私　：いいよ。
　　→（私は）友達にレポートを手伝う**ように頼まれた。**

6 妹：あっ、お姉ちゃん、またお皿を洗(あら)っていないよ！
　母：本当だ。この前、食べたらすぐ洗う**ように注意した**のに……。

Vる／Vない ように言う

・ように言う / 注意する / 頼む / お願いする are used to indirectly quote requests or commands (e.g., ～てくれませんか , ～てください , ～なさい).

・When quoting a request that was expressed by the speaker or the subject of the sentence, and it was directed towards a third person, ～てくれるように is used more commonly than ～ように , as seen in 4.

☛ ～ように注意する

～ように has two functions: (1) to indirectly quote a request or a command, and (2) to express a purpose behind an action. The latter function was covered in Lesson 5 Grammar 7. When 注意する follows ～ように , function (1) conveys advice or warning（例 1), whereas function (2) expresses being cautious or paying attention in order to achieve a particular purpose（例 2).

例 1）私はルームメートに部屋のかぎを忘れないように注意した。
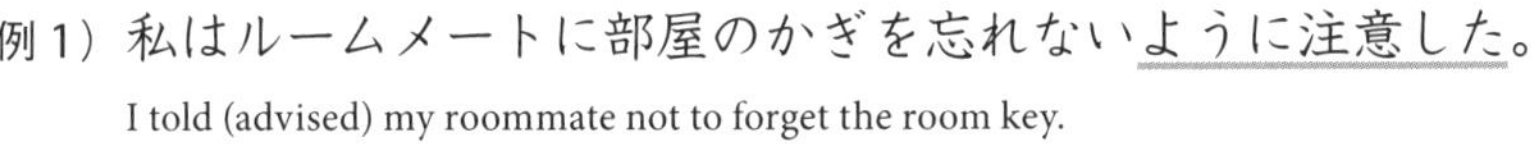
I told (advised) my roommate not to forget the room key.

例 2）私は毎晩予定表を見て、宿題を忘れないように注意しています。
I am careful not to forget to do my homework by checking my schedule every night.

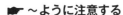

8. ～ほど 〈to the extent that ~; so much that ~〉

[読み物 2- 行 55]

A：来週はいよいよ入学試験だね。
We are finally taking the entrance exam next week.
B：うん。夜、眠(ねむ)れない**ほど**緊張(きんちょう)しているよ。
Yeah, I'm so nervous I can't even fall asleep at night.

1 留学前に友達がパーティーをしてくれた時は、涙(なみだ)が出る**ほど**うれしかった。

2 あの会社の社長はまだ中学生だそうだ。信じられない**ほど**若い。

3 最近、忙しくて、テレビを見る時間もない**ほど**だ。

4 A：次は期末試験だから、死ぬ**ほど**勉強しなきゃ……。
　B：そうだね。一緒にがんばろう！

Vる／Vないほど

- XほどY uses X as an example (either factual or metaphorical) to emphasize the high level of Y. Typically, X takes verbs in potential forms or intransitive verbs, as well as adjectives followed by なる.
- 飛び上がるほど(うれしい), 涙が出るほど(うれしい) and 死ぬほど(忙しい) are idiomatic phrases that are commonly used for emphasis.
- This expression XほどY may also be seen in reversed order Yて、Xほどだ to convey the same idea. [3] can be rephrased as 最近、テレビを見る時間もないほど忙しい to mean the same thing. However, 死ぬほど in [4] would only be used in XほどY structure.

9. わざわざ 〈go all the way to; take the trouble to〉

[読み物 2- 行 56]

A：お誕生日おめでとう！ これ、私が作ったケーキなんだけど、よかったら食べて。

Happy Birthday! Here, I baked this cake for you. Would you like a piece?

B：え？ **わざわざ**作ってきてくれたの？ ありがとう！

Wow, you went all the way to bake this for me? Thank you!

[1] 彼は有名なラーメンを食べるために、**わざわざ**飛行機で札幌まで行ったそうだ。

[2] 国の両親が**わざわざ**私のために暖かい服を送ってくれた。

[3] A：遠いのに**わざわざ**空港まで迎えに来てくださって、どうもありがとうございました。
B：いいえ。

[4] 学生：すみません。宿題を家に忘れてきてしまいました。
これから取りに帰ってもいいですか。
先生：**わざわざ**取りに行かなくても、明日でいいですよ。

わざわざ

- わざわざ implies that someone went out of their way or spent their time and effort to do something when it was not necessary.
- わざわざ is often used in conjunction with expressions of appreciation for someone's unsolicited act of kindness that required time and/or effort ([3]). It is also used to decline an offer or preempt someone's action by acknowledging that the action is not necessary ([4]).

☛ わざわざ and せっかく (L4-3)

わざわざ and せっかく both imply that the subject of the sentence is intentionally taking the trouble (i.e., going out of their way) to do something; however, the two words have a subtle difference in their connotation. The difference is that わざわざ conveys that the speaker considers the action to be something unnecessary, whereas せっかく is used when the speaker thinks of the action as an opportunity or a special occasion, which they feel should not be wasted.

例 1） わざわざケーキを作ったのに、彼は食べてくれなかった。

Even though I took the trouble to bake a cake (when I did not need to spend my time and effort to bake one), he did not even eat it.

例 2）せっかくケーキを作ったのに、彼は食べてくれなかった。

Even though I took the trouble to bake a cake (as I thought it would make him happy), he did not even eat it (and I'm sad that my thoughtfulness, time and effort were wasted).

せっかく is also limited in that it can only be used with particular expressions such as ～のに and ～から , while there is no restriction for structures to be paired with わざわざ .

例 3）○ 友達に服を貸したら、わざわざクリーニングをして返してくれた。

When I lent some clothes to a friend, she took the trouble to get them dry-cleaned before returning them to me.

× 友達に服を貸したら、せっかくクリーニングをして返してくれた。

投書文を書く

1 モデル作文

日本で生活して疑問に思うことについて投書をする。

投書文「わりばしをやめよう」

留学生　パク・ジフン

日本に来て３カ月がたった。実際に日本で生活してみると、日本と韓国(かんこく)とでは様々な違いがあることに気がつく。その中でも一番気になるのはわりばしだ。

❶ はじめに
自分／状況(じょうきょう)の説明
トピックの紹介

韓国の飲食店では金属(きんぞく)のはしを洗(あら)って何度も使う。しかし、日本の飲食店では木のわりばしをよく使うことに気がついた。居酒屋、ラーメン屋、和食のレストランなど、いろいろな店にわりばしが置かれている。日本は環境を大事にしているのに、どうしてわりばしを使うのだろうか。日本人の友人は「わりばしは新しくてきれいだからいい」と言っていた。確かに(a)、わりばしは新品できれいなことがわかるから、客は安心して使える。また、洗わずにそのまま捨てられるので店にとっても便利かもしれない。しかし(a)、木から作られているはしを一回で捨ててしまうのはもったいないのではないだろうか(b)。

❷ 気になったこととその説明

わりばしは資源のむだだから、洗って何度も使えるはしを使うべきではないか(b)と思う。

❸ 主張

単語　わりばし disposable chopsticks　金属(きんぞく) metal　もったいない wasteful

■ 書くポイント

1.「確かに～。しかし～。」を使って、反対の意見の一部を認め（みと）てから主張を述べる。説得力を持たせることができる。…… (a)

(行 11) **確かに**、わりばしは新品できれいなことがわかるから、客は安心して使える。また、洗わずにそのまま捨てられるので店にとっても便利かもしれない。
＝反対の意見を一部認め（みと）る

(行 13) **しかし**、木から作られているはしを一回で捨ててしまうのはもったいないのではないだろうか。＝自分の意見を述べる

2. 疑問文の形（かたち）で主張を述べる。本当の質問や疑問ではない。…… (b)

(行 14) もったいない**のではないだろうか**。＝もったいない。

(行 15) 洗（あら）って何度も使えるはしを使うべき**ではないか**と思う。
＝洗って何度も使えるはしを使うべきだ。

2 タスク

■ 書く前に

(1) あなたの国、または日本について、何か問題だと思うことはありますか。

(2) どうして問題だと思いますか。

(3) その問題について、あなたが主張したいことは何ですか。

■ 書いてみよう

下の表現を使って、投書文を「だ体」で書きなさい。(300～400字)

・「確かに、～。しかし、～。」
・「～(の)ではないかと思う」

寮生活でのトラブル

迷惑なルームメート

1-1 やってみよう

1）同じ寮やアパートに住んでいる人で迷惑な (annoying) 人はいますか。
その人にどんな苦情 (complaint) を言いたいですか。下の表にメモしなさい。

① 迷惑な人はだれ？
例 隣の部屋の人

② どんな苦情を言いたい？
例 夜遅くまでパーティーをしないでほしい

2）1）で考えたことを使って、ロールプレイをしなさい。

カジュアルな会話

A あなた	B Aと同じ寮に住んでいる学生
同じ寮に住んでいる学生に、苦情を言いなさい。	Aさんの苦情を聞いて、対応しなさい。

1-2 聞いてみよう

3.Kaiwa_L6-1

1）モデル会話を聞いて、下の質問に答えなさい。

① 研(けん)は今日キッチンを使いましたか。どうして使いましたか。

② ジョージは研に、何をしてほしがっていますか。

③ ジョージは出かける時、何をし忘れますか。

2）ジョージは、研(けん)に苦情(くじょう)を言う時、何と言っていましたか。

① 苦情を言い始める時

こんなこと ＿＿＿＿＿＿＿＿ んだけど、研は使ったものを

そのまままシンクに置きっぱなしにする ＿＿＿＿＿＿＿＿ ？

② 迷惑(めいわく)な理由を言う時

僕も洗(あら)い物(もの)は好きじゃないから研の ＿＿＿＿＿＿＿＿、

キッチンは寮のみんなが使うところだから……。

ここにも注目

▸「～っぱなし」

同じ状態(じょうたい) (state) がずっと続くという意味です。しなければいけないことをしないで、「そのままにしておく」「そのままでいる」という意味で、悪い意味で使われることが多い表現です。

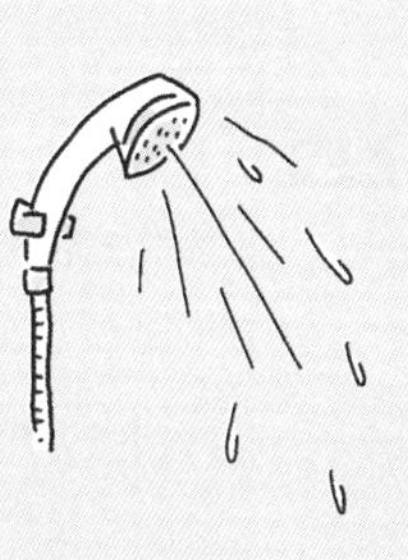

例1 母：さっき、シャワーを使った人はだれ？

水を出しっぱなしにしないでよ。

子：ごめん。

例2 今日はとても暑かったので、一日中エアコンをつけっぱなしだった。

例3 接客の仕事は一日中立ちっぱなしなので、疲れる。

1-3 モデル会話

3.Kaiwa_L6-1

カジュアルな会話

寮のキッチンの使い方

寮でジョージ（ジ:）が研(けん)（研:）に話しかける。

ジ: ❶ねえ、研、**もしかして**、今日キッチン使った？

研: うん。お昼に和風パスタを作った時に使ったよ。どうして？

ジ: ❷**実は**、僕も使いたかった**んだけど**、汚れたお皿やフライパンがあって……。

研: あ、ごめん。洗(あら)うの忘れてた。

ジ: ❸**こんなこと言いたくないんだけど**、研は使ったものをそのままシンクに置きっぱなしにす**ることが多くない？**

研: あ、そうかも……。

ジ: ❹僕も洗い物は好きじゃないから研**の気持ちはわかるけど**、キッチンは寮のみんなが使うところだ**から**……。

研: ごめん。ジョージの言うとおりだよ。これからは気をつけるよ。

ジ: ❺うん。**よろしくね。でも、僕も**窓(まど)をよく開けっぱなしで出かけちゃうことがあるから、**人のことは言えないんだけどね。**

研: あっ、あれってジョージだったの？ この間、急に雨が降った時、床(ゆか)がびしょびしょになって大変だったんだよ。

ジ: わあ、ごめん。

研: ううん。僕たち、いいコンビかもしれないね。

単語 もしかして by any chance　フライパン frying pan　シンク kitchen sink
人(ひと)のことは言(い)えない I am in no position to criticize　床(ゆか) floor
びしょびしょになる to get water-soaked　コンビ pair

フローチャート

あなた：苦情 (complaint) を言う	同じ寮の学生：対応する

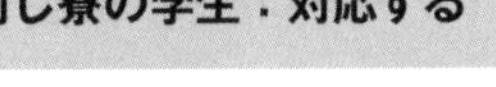

パートA

❶ 話しかけて、質問する

ねえ、〇〇さん、**もしかして**、今日キッチン使った？

うん。どうして？

❷ 迷惑に思っていることを話す

実は、私も使いたかっ**たんだけど**、汚れたお皿があっ**て**……。

あ、ごめん。洗うの忘れてた。

パートB

❸ 相手を怒らせないように、苦情を言う

こんなこと言いたくないんだけど、〇〇さんは使ったものをそのままシンクに置きっぱなしにする**ことが多くない？**

そうかも……。

❹ 迷惑な理由を言う

私も洗い物は好きじゃないから〇〇さん**の気持ちはわかるけど**、キッチンは寮のみんなが使うところだ**から**……。

ごめん。
これからは気をつけるよ。

❺ 会話を終える

うん、**よろしくね。でも、私も**窓をよく開けっぱなしで出かけちゃうから、**人のことは言えないんだけどね。**

1-4 練習しよう

▶ のパターンを使って話してみましょう。

パートA ❶話しかけて、質問する → ❷迷惑に思っていることを話す

あなた：❶ねえ、〇〇さん、**もしかして、** 今日キッチン使った ？
同じ寮の学生：うん。どうして？
あなた：❷**実は、** 私も使いたかった **んだけど、** 汚れたお皿があっ **て……。**
同じ寮の学生：あ、ごめん。 洗うの忘れてた 。

1. 洗濯をしようと思ったら、同じ寮の学生の洗濯物が洗濯機にずっと入ったままでした。苦情を言いなさい。

2. 夜、寝ようと思ったら、隣の部屋の学生が聞いている音楽がうるさくて、寝られません。苦情を言いなさい。

3. 「1-1. やってみよう」の 1) ①② (p. 190) で考えた状況 (situation) を使って、迷惑に思っていることを話してみよう。

パートB　❸相手を怒らせないように、苦情を言う → ❹迷惑な理由を言う → ❺会話を終える

あなた：❸**こんなこと言いたくないんだけど、**＿○○さんは、使ったものをそのままシンクに置きっぱなしにする＿**ことが多くない？**

同じ寮の学生：そうかも……。

あなた：❹＿私も洗い物は好きじゃないから＿**○○さんの気持ちはわかるけど、**＿キッチンは寮のみんなが使うところだ＿**から……。**

同じ寮の学生：ごめん。これからは気をつけるよ。

あなた：❺うん、**よろしくね。でも、私も人のことは言えないんだけどね。**

1. 同じ寮の学生は、洗濯物を洗濯機に入れたままにしていることがよくあります。怒らせないように苦情を言いなさい。

2. 隣の部屋の学生は大きな音で音楽を聞いていることがよくあります。怒らせないように苦情を言いなさい。

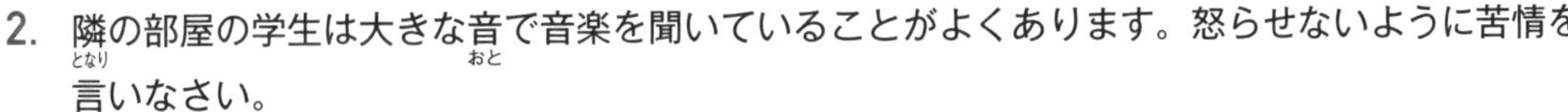

3. 「1-1. やってみよう」の 1) ①② (p. 190) で考えた状況を使って、相手を怒らせないように苦情を言ってみよう。

☛ ペアを変えて、パートA と パートB を続けてやってみましょう！

会話2 言い訳

2-1 やってみよう

1）先生やアパートの管理人(かんりにん) (caretaker for an apartment) に注意されたことがありますか。その時、あなたは何と言いましたか。2つ考えて下の表にメモしなさい。

	a. だれに？	b. どうして？	c. その時あなたは何と言った？
①			
②			

2）ロールプレイをしなさい。

フォーマルな会話

A あなた

管理人(かんりにん)に注意されます。
上手にあやまりなさい。

B Aのアパートの管理人(かんりにん)

Aさんがゴミを
分別しないで捨てるので、
注意しなさい。

2-2 聞いてみよう

3.Kaiwa_L6-2

1）モデル会話を聞いて、下の質問に答えなさい。

① グエン・ヴァン・タンはどんなことを注意されましたか。2つ答えなさい。

② グエン・ヴァン・タンはどんな言い訳 (excuse) をしましたか。2つ答えなさい。

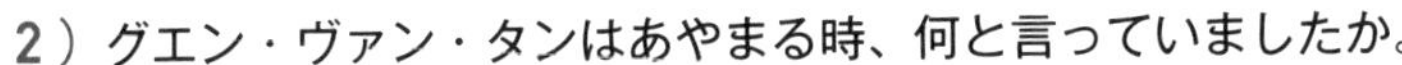

2）グエン・ヴァン・タンはあやまる時、何と言っていましたか。

① ゴミを出す時間についてあやまって、言い訳をする時

あっ、すみません。朝寝坊 ＿＿＿＿＿＿＿＿＿＿＿＿＿＿＿＿ ……。

② ゴミの分別についてあやまる時

ご迷惑を ＿＿＿＿＿＿＿＿＿＿ すみませんでした。

これからは ＿＿＿＿＿＿＿＿＿＿＿＿＿＿＿＿ にします。

本当にすみませんでした。

ここにも注目

▸「～もので／～ものですから」

原因 (cause) や理由を表します。あやまって言い訳をする時によく使います。

例1　先生：テイラーさん、５分遅刻ですよ。もう少し早く来てください。
　　テイラー：すみません。朝、電車に乗り遅れてしまったもので……。

例2　上司：プロジェクト、無事に終わってよかったなあ。今晩一杯飲みに行こうか。
　　部下：すみません。今日は息子を保育園に迎えに行かなきゃいけないものですから……。

▸「つい」

「不注意 (carelessness) でしてしまった」と言い訳をする時、使います。

例1　〈ルームメートに〉勝手にケーキ食べちゃってごめん。たくさんあったから、つい……（食べてしまいました）。

例2　〈ホストファミリーのお母さんに〉帰るのが遅くなって、すみませんでした。パーティーが盛り上がっていたので、つい……（遅くなってしまいました）。

▸「てっきり」

「絶対そうだ」と思っていた予想 (expectation) が、反対の結果になった時に使います。

例1　外はすごい雨だ。てっきり今日は雨が降らないと思っていたから、かさを持ってこなかった。

例2　田中：研は、パーティーに来なかったね。
　　山下：うん。パーティーについていろいろ話してたから、てっきり彼も来ると思ってたよ。

3.Kaiwa_L6-2

フォーマルな会話

ゴミ出しのルール

グエン・ヴァン・タン（グ:）が寮のゴミ捨て場に行く。そこで、管理人（管:）に会う。

グ: あ、管理人さん。おはようございます。

管: ちょっと、グエンさん。もう９時半ですよ。ゴミは８時半までに出すことになっていますよね。

グ: ❶あっ、**すみません。**朝寝坊してしまった**もので、つい……。**

管: もうゴミ収集車が行ってしまったので、そのゴミは部屋に持って帰ってください。次はきちんと８時半までに出しに来てくださいね。

グ: すみません。❶**これからは、このようなことがないようにします。**

管: お願いしますね。それと……そこに入っているペットボトルのことですけど。

グ: あ、はい。

管: ちゃんと分別してくれないと困ります。

グ: えっ、ペットボトルって燃えるゴミじゃないんですか。

管: ペットボトルはリサイクルできるから資源ゴミです。

グ: えっ、そうだったんですか。❷**てっきり、**燃えるゴミだ**と思っていました。すみません。**

管: 分別していないと、持っていってもらえないから……。

グ: ❸**ご迷惑をおかけしてすみませんでした。**

これからはちゃんと分ける**ようにします。本当にすみませんでした。**

管: よろしくお願いしますね。

単語 ゴミ捨て場 a garbage collection site　管理人 caretaker for an apartment　ゴミ収集車 garbage wagon
てっきり I thought for sure　迷惑をかける to bother someone
ご迷惑をおかけしてすみません I'm sorry for causing you trouble.

フローチャート

あなた：あやまる	管理人(かんりにん)：注意する

パートA

管理人：ちょっと、○○さん。ゴミは8時半までに出すことになっていますよね。

❶ あやまって、言い訳 (excuse) をし、決意(けつい) (resolution) を伝える

あなた：あっ、すみません。朝寝坊(あさねぼう)してしまったもので、つい……。これからは、このようなことがないようにします。

管理人：お願いしますね。

パートB

管理人：それと、そこに入っているペットボトルのことですけど。

あなた：はい。

管理人：ちゃんと分別してくれないと困(こま)ります。

❷ かん違い (misunderstanding) をしていたことを伝えてあやまる

あなた：えっ、てっきり、ペットボトルは燃えるゴミだと思っていました。すみません。

管理人：分別していないと、持っていってもらえないから……。

❸ もう一度あやまり、決意を伝える

あなた：ご迷惑(めいわく)をおかけしてすみませんでした。これからはちゃんと分けるようにします。本当にすみませんでした。

2-4 練習しよう

▶ のパターンを使って話してみましょう。

パートA ❶ あやまって、言い訳 (excuse) をし、決意 (resolution) を伝える

管理人：ちょっと、○○さん。ゴミは８時半までに出すことになっていますよね。

あなた：❶ あっ、**すみません。** 朝寝坊し てしまった**もので、つい……。**

これからは、このようなことがないようにします。

管理人：お願いしますね。

1. 漢字の宿題を遅れて出したので、先生に注意されました。先生にあやまりなさい。

2. 「2-1. やってみよう」の 1) ① (p. 196) で考えたことを使って話してみよう。

パートB ❷ かん違い (misunderstanding) をしていたことを伝えてあやまる
→ ❸ もう一度あやまり、決意を伝える

管理人：それから、そこに入っているペットボトル のことですけど。

あなた：はい。

管理人：ちゃんと分別し てくれないと困ります。

あなた：❷ えっ、**てっきり、** ペットボトルは燃えるゴミだ **と思っていました。**

すみません。

管理人：分別していないと、持っていってもらえない から……。

あなた：❸ **ご迷惑をおかけしてすみませんでした。**

これからはちゃんと 分ける **ようにします。本当にすみませんでした。**

1. 「昨日の作文の宿題を早く出してくれないと困る」と先生に言われました。しかし、あなたは明日が締め切りだと思っていました。先生に上手にあやまりなさい。

2. 「2-1. やってみよう」の 1) ② (p. 196) で考えたことを使って話してみよう。

☛ ペアを変えて、パートA と パートB を続けてやってみましょう！

カジュアルな会話にチャレンジ！

1 ロールプレイをやってみよう

A あなた

ルームメート／友達に
行動を注意されます。
上手にあやまりなさい。

B Aのルームメート／友達

Aさんの行動に困(こま)っています。
注意しなさい。

例）貸したノートを返してもらっていない

2 練習しよう

パートA

ルームメート：ちょっと、○○さん。＿ゴミは交替(こうたい)で (in turn) 出す＿ことに決めたよね。

あなた：❶**あっ、ごめん。～から、つい……。もうこんなことがないようにするね。**

ルームメート：よろしくね。

▶「使ったお皿をすぐに洗(あら)っていない」とルームメートに言われました。あやまりなさい。

パートB

ルームメート：それから、＿そこに入っているペットボトル＿のことなんだけど……。

あなた：うん。

ルームメート：＿ちゃんと分別し＿てくれないと困(こま)るんだけど。

あなた：❷**えっ、てっきり、＿ペットボトルは燃えるゴミだ＿と思ってた。ごめん。**

ルームメート：＿分別していないと、持っていってもらえない＿から……。

あなた：❸**迷惑(めいわく)をかけちゃってごめん。これからはちゃんと＿分ける＿ようにするよ。本当にごめん。**

▶前に借りたマンガのことで、ルームメートに注意されました。ルームメートは、すぐ返してくれないと困ると言っています。でもあなたは、そのマンガはルームメートがくれたんだと思っていました。上手にあやまりなさい。

☛ ペアを変えて、パートA と パートB を続けてやってみましょう！

中国人留学生から見た日本

ゴミの分別

4.Chokai_L6-1

留学生のメイリンが、寮のルームメートとゴミを出す日について話しています。2 人はいつどんなゴミを出しますか。会話を聞いて、内容に合う表に○をつけなさい。

単語 金属（きんぞく） metal　粗大ゴミ（そだい） bulky garbage

a.（　　　）

ゴミの種類	燃えるゴミ	燃えないゴミ	資源ゴミ	粗大ゴミ
捨てる日	火	第 3 水曜日	月	第 3 金曜日
捨てる物				

b.（　　　）

ゴミの種類	燃えるゴミ	燃えないゴミ	資源ゴミ	粗大ゴミ
捨てる日	金	第 3 水曜日	月	第 3 金曜日
捨てる物		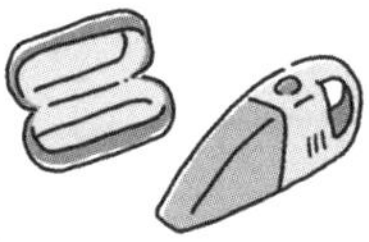		

c.（　　　）

ゴミの種類	燃えるゴミ	燃えないゴミ	資源ゴミ	粗大ゴミ
捨てる日	金	第 3 水曜日	月	水
捨てる物				

d.（　　　）

ゴミの種類	燃えるゴミ	燃えないゴミ	資源ゴミ	粗大ゴミ
捨てる日	火	第 3 水曜日	月	第 3 金曜日
捨てる物		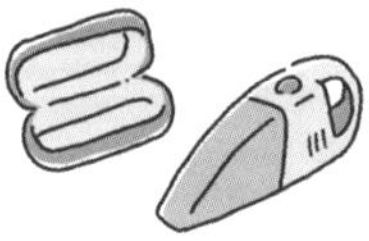		

聴解 2　注意する時の言い方

4.Chokai_L6-2

聞く前に

友達や家族に注意したいのに言えなくて、困ったり問題になったりしたことがありますか。

リスニング

中国人留学生のメイリンが、クラスで「注意する時の言い方」についてスピーチをしています。スピーチを聞いて質問に答えなさい。

単語　嫌な思いをする to get offended　はっきり clearly　誤解 misunderstanding

1. スピーチの内容に合うものに○、合わないものに×をつけなさい。

① (　　) メイリンは、暑い日に窓を閉めるのを忘れて出かけてしまった。

② (　　) ルームメートはメイリンに、「窓を閉めたほうがいいんじゃない？」と言った。

③ (　　) ルームメートは、窓を開けたまま出かけてもいいと思っていた。

④ (　　) ルームメートは、何回も「窓が開いていたよ」と言った。

⑤ (　　) メイリンは、はっきり注意したほうが誤解がなくていいと考えている。

2. メイリンは、ルームメートの「窓が開いていたよ」にはどんな意味があったと考えていますか。

3. メイリンは、どうしてはっきり言ってほしいと思っていますか。

ディスカッション

1. あなたが相手に言いにくいと思うのはどんなことですか。

2. はっきり言えない時、あなたはどうやって言いたいことを伝えますか。

3. あなたは、下の①と②の状況の時、何と言いますか。はっきり言う場合とあまりはっきり言わない場合の言い方を考えてみましょう。

① 暑いのでエアコンの温度を下げたいが、友達は寒いと思っているようだ。

② 友達が家に遊びに来ている。もう遅いので、そろそろ帰ってもらいたい。

ブラッシュアップ

初級文法チェック①

書き言葉の文体 Styles in written Japanese

Written and spoken Japanese differ in styles. Written Japanese is further divided into two subcategories: です・ます style and だ・である style. These two styles are used in different contexts, and need to be used appropriately according to their form and function.

次の (1) ~ (3) はどのような文章に使いますか。
a. レポート、b. 先生へのメール、c. 友達へのメールの中から選んでください。

(1) インターンシップをするためには、推薦状が必要です。 (　　)

(2) インターンシップをするためには、推薦状が必要である。 (　　)

(3) インターンシップをするためには、推薦状が必要だよ。 (　　)

1. です・ます体／だ体／である体 Polite style / Plain style / Literary style

	です・ます体 Polite Style	だ体 Plain Style	である体 Literary Style
名詞 Nouns	学生です	学生だ	学生である
	学生ではありません	学生ではない	-
	学生でした	学生だった	学生であった
	学生ではありませんでした	学生ではなかった	-
な形容詞 な-adjectives	便利です	便利だ	便利である
	便利ではありません	便利ではない	-
	便利でした	便利だった	便利であった
	便利ではありませんでした	便利ではなかった	-
い形容詞 い-adjectives	いいです	いい	-
	よくありません	よくない	-
動詞 Verbs	話します	話す	-
	話しません	話さない	-
その他 Other expressions	大変なのです	大変なのだ	大変なのである
	問題ではありませんか	問題ではないか	-
	できるでしょう	できるだろう	できるであろう
	見ましょう	見よう	-

です・ます style (polite style) refers to the style in which nouns and adjectives are followed by です and verbs are written in ます form. This style shows respect towards the audience, while conveying a soft tone of voice (as if the writer is speaking to the reader). It is often used in letters and e-mail messages addressed to someone superior to the writer.

On the other hand, だ style (plain style) takes nouns/な-adjectives followed by だ and verbs/い-adjectives in plain forms. The plain style in written language is considered more formal than です・ます style, and is often used in written reports, theses, articles in newspaper, and other compositions in which the writer may need to convey ideas in a concise and assertive manner.

・In casual writing addressed to the general public (such as blog articles and essays), either です・ます style or だ style may be used.

・In each writing, the same style should be used consistently; です・ます style and だ style are not to be mixed.

・In だ style, だ after nouns/な-adjectives can be replaced by である style (literary style). である style is used only when emphatic expression is needed.

2. 話し言葉(ことば)と書き言葉 Spoken vs. written Japanese

The plain form is also used in spoken Japanese, but this usage is considered casual. Expressions specific to speech, such as the examples in the table below, should not be used for the plain style in writing, as they differ significantly in the level of formality.

❖ Differences between spoken language and だ style in written language

	話し言葉(ことば) Spoken Language	書き言葉(ことば)の「だ体(たい)」 だ Style in Written Language
文末表現(ぶんまつひょうげん) Sentence-final Expressions	・便利(べんり)**だよ** ・来て**ください**	・便利だ ・来て**ほしい**／来て**もらいたい**
縮約形(しゅくやくけい) Contracted Forms	・しなく**ちゃ**いけない ・しな**きゃ**いけない ・食べ**ちゃ**った ・おい**とい**た ・作って**る**	・しなく**ては**いけない ・しな**ければ**いけない ・食べ**てしま**った ・おい**てお**いた ・作って**いる**
接続詞(せつぞくし)・副詞(ふくし)など Conjunctions, Adverbs, etc.	・日本語の授業は楽しい。 **でも**、難(むずか)しい。 ・このパソコンはいい**けど**、高い。 ・京都(きょうと)の桜(さくら)はきれいだ**って**聞いた。 ・今年の夏は**すごく**／**とっても**暑(あつ)い。	・日本語の授業は楽しい。 **しかし**、難しい。 ・このパソコンはいい**が**、高い。 ・京都の桜はきれいだ**と**聞いた。 ・今年の夏は**大変**／**とても**暑い。

答え ▸ (1) b (2) a (3) c

初級文法チェック②

そうだ／らしい／ようだ／みたいだ

☛第1課

Listed below are four expressions of conjecture that are often confused. Note that some of these expressions also have functions other than conjecture.

一番いい答えを選んでください。

(1) A：（本を読みながら）あはははは……。
B：その本、【a. おもしろい　b. おもしろ】そうだね。
A：うん。すごくおもしろいよ。貸してあげようか。

(2) ニュースによると、沖縄に台風が近づいている【a. そう　b. よう】ですよ。

(3) 田中さんの弟さんは背が低くて髪が長いから、
後ろから見ると女の人【a. そう　b. らしい　c. のよう】です。

(4) 私の妹は髪が長くて、女【a. そう　b. らしい　c. のよう】です。

1. ～そうだ

A 伝聞 Hearsay

1 A：サラさんが言っていたけど、この本は難しい**そうだ**よ。
B：そうなんだ。今学期は大変かもしれないね。

2 キムさんによると、ワンさんはとてもまじめだ**そう**です。

3 ニュースによると、昨日九州で雪が降った**そうだ**。

4 サラさんはフランス人だ**そうだ**。

普 そうだ

- This structure is used when the speaker directly quotes information acquired from someone else.
- Unlike the function listed below (B), そうだ for this function (i.e., hearsay) can be used only at the end of the sentence.

B 直感による推量 Conjecture based on intuition

1 A：見て！ この本、難し**そう**。
B：本当だ。漢字が多くて難し**そうな**本だね。

2 今日の宿題は難しく**なさそうだ**。

3 ワンさんはまじめ**そう**です。

4 雨が降り**そうだ**。

1

3

4

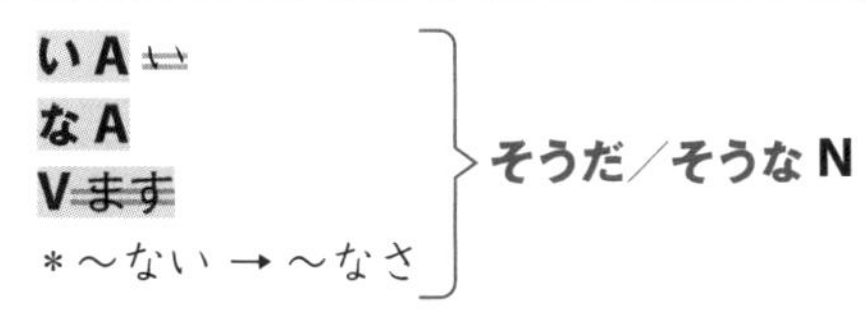

- This structure is used to express the speaker's impression of something based on what was heard, seen, etc.
- そうだ here is used to state the speaker's *conjecture* or *judgment* (rather than direct observation) that is based on the appearance of the subject being discussed. As such, this structure cannot be used with words describing qualities that are obvious just by looking at the person, thing, etc. (e.g., きれい, かわいい)

例）×（あの人は）きれいそうだ。

- そうだ conjugates in the same pattern as な-adjectives.

2. 〜らしい

A 伝聞(でんぶん)による推量(すいりょう) Conjecture based on hearsay

1 A：この宿題、３時間もかかったよ。
　　１ページだけだったのに……。
　B：ええっ、そんなに！
→ C：あの宿題はとても難(むずか)しい**らしい**。

1

2 A：来学期は寮(りょう)に住もうと思っているんだ。
　B：Cさんから聞いたんだけど、あそこは毎週パーティーがあって、にぎやか**らしい**よ。

3 うわさでは、あの二人は結婚する**らしい**。

- This structure is used when stating conjecture based on information the speaker obtained through hearsay or reading. This does not directly quote someone else's statement, so it can be used when referring to information that is not definitive (as shown in 2 and 3).
- Unlike function B below, らしい for this function can only be used at the end of the sentence.

B 典型的(てんけいてき)な性質(せいしつ)やイメージを表す Stereotypical N

1 A：今日はいい天気ですね。
　B：本当に。暖(あたた)かくて春**らしい**ですね。
　(It's warm today just how spring should be.)

1

2 今日は暖かくて冬**らしくない**天気だ。
(It's warm today even though it's winter.)

3 うちの犬はさんぽが嫌(きら)いで、犬**らしくない**。

4 子：いってきます。
　母：またバイト？ 学生なら学生**らしく**勉強しなさい。

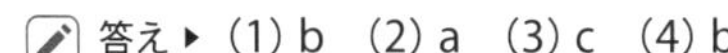
答え ▸ (1) b　(2) a　(3) c　(4) b

N	らしい らしい N らしく V

- X は N らしい expresses that X is a perfect example of N, as it has qualities that are considered stereotypical of N.
- らしい conjugates the same way as い-adjectives.

3. ～ようだ

A 経験による推量(すいりょう) Conjecture based on experience

[1] *Seeing a smart person struggling with a book, the speaker speculates:*

あの本は難(むずか)しい**ようだ**。

[2] あの授業は楽(らく)な**ようだ**。スケジュールには宿題も試験もない。

[3] 駅前の店は 11 時になっても、シャッターが開(あ)かない。今日は休みの**ようだ**。

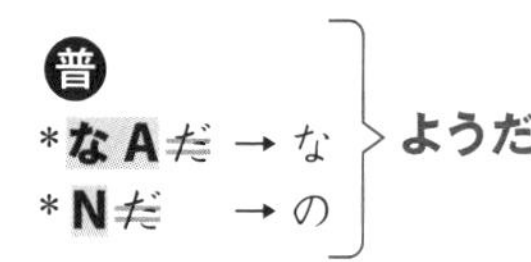
普
*な A ~~だ~~ → な
*N ~~だ~~ → の
} ようだ

- ～ようだ is used to express conjecture based on the speaker's experience or knowledge. This structure expresses conjecture derived from logical thinking rather than intuition.
- Unlike ようだ for functions B and C below, ようだ for conjecture is used only at the end of the sentence.

B 例示(れいじ) Example

[1] 私は［タイ料理の**ような**］辛(から)い料理が好きだ。

[2] 日本では［キティの**ような**］かわいいキャラクターが人気です。

N1 のような N2

- "N1 のような N2" presents N1 as an example of N2.
- ようだ here conjugates in the same way as な-adjectives.

C たとえ Simile

[1] 田中(たなか)さんは 50 歳だが、子どもの**ような**人だ。(Tanaka is *not* a child.)

[2] 田中さんは子どもの**ように**よく泣(な)く。

cf. らしい would be used if Tanaka is actually a child.

　３歳のマコトくんはいつも元気で、子ども**らしい**。(Makoto is a child.)

[3] ジョージはモデルの**ように**かっこいい。(George is *not* a model.)

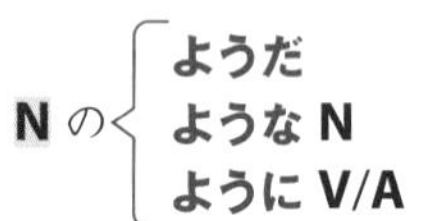
N の { ようだ / ような N / ように V/A }

This is an expression used to compare the subject to someone/something else.

4. ～みたいだ

1 あの本は難しいみたいだ。
　あの本は難(むずか)しいようだ。(3- A - 1)

2 私はタイ料理みたいな辛い料理が好きだ。
　私はタイ料理のような辛(から)い料理が好きだ。(3- B - 1)

3 ジョージはモデルみたいにかっこいい。
　ジョージはモデルのようにかっこいい。(3- C - 3)

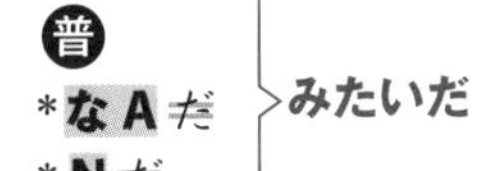

- みたいだ is a colloquial equivalent of ようだ.
- みたいだ conjugates in the same way as な-adjectives.

❖ まとめ

おいしいそうだ (1- A)

おいしそうだ (1- B)

おいしいらしい (2- A)

おいしいようだ (3- A)
おいしいみたいだ (4)

初級文法チェック③

敬語（けいご） Polite style

☛第2課（だいにか）

Below is a review of the polite style, including honorific and humble forms. Pay closer attention to the use of polite style when making a statement about someone in your in-group.

正しい答えを選（えら）んでください。

(1) 部下：　部長、今朝のニュースを【a. ご覧（らん）になり　b. 拝見（はいけん）し】ましたか。
　　部長：　ああ、【a. ご覧になった　b. 見た　c. 拝見した】よ。

(2) 社員A：社長が今日何時に【a. いらっしゃる　b. 参（まい）る】か知ってる？
　　社員B：9時の予定（よてい）だよ。

1. 尊敬語（そんけいご） Honorific form

Honorific forms are used when making statements about someone who is of higher status than the speaker. They express that the speaker regards the person highly.

A 尊敬動詞（そんけいどうし）の3つの形（かたち） Three subcategories of honorific verbs

① Special verbs

例）先生は今オフィスにいらっしゃいます。（います）

② お＋V~~ます~~＋になる／ご～になる

例1）先生は日本の文化についてお話しになりました。（話しました）

例2）一度ご使用（しよう）になったものは返品（へんぴん）できません。（使用した）

③ れる／られる (Same form as passive)

例）先生は来年日本文化のクラスを教えられるそうです。（教える）

- When special verbs are available, use them instead of other honorific forms. See p. 215 for a list of special verbs.
- When special verbs are not available, use "お＋V~~ます~~＋になる." When the verb is a Sino-Japanese word (i.e., *kango*), use "ご＋V (without する) ＋になる."
- れる／られる is considered slightly less respectful than the first or second form, but is nevertheless an honorific form.
- The three subcategories of honorific forms should not be used simultaneously in one verb.

話す → × お話しになられる（②③を使用 Combined use of forms ② and ③）
　　　○ お話しになる（②を使用 Use of form ② alone）
　　　○ 話される（③を使用 Use of form ③ alone）

答え ▸（1）a, b　（2）a

B 形容詞・名詞・副詞の尊敬表現 Honorific forms of adjectives/nouns/adverbs

例）忙しい ➡ お忙しい　　家族 ➡ ご家族

- お or ご is attached to adjectives/nouns/adverbs when describing people of higher status, their objects, or people who belong to their group (e.g., family members).

C その他の尊敬表現 Other honorific expressions

① お＋V~~ます~~＋ください／ご～ください (Honorific form of V てください)

例）待ってください ➡ お待ちください　　相談してください ➡ ご相談ください

② お＋V~~ます~~＋ですか／ご～ですか (Honorific form of V ていますか／V ますか)

例）急いでいますか ➡ お急ぎですか　　帰宅しますか ➡ ご帰宅ですか

③ Other special expressions of honorific form

例）人 ➡ 方　　家 ➡ お宅　　どう ➡ いかが　　だれ ➡ どなた　　あれ ➡ あちら

2. 謙譲語 Humble form

The humble form lowers the speaker, thereby elevating the person of higher status. It is used to make statements about the speaker's own action or objects related to the speaker.

There are two types in humble form: Type I is a rather typical humble expression used to show respect for the person at the receiving end of speaker's action, while Type II is used to show respect for the listener.

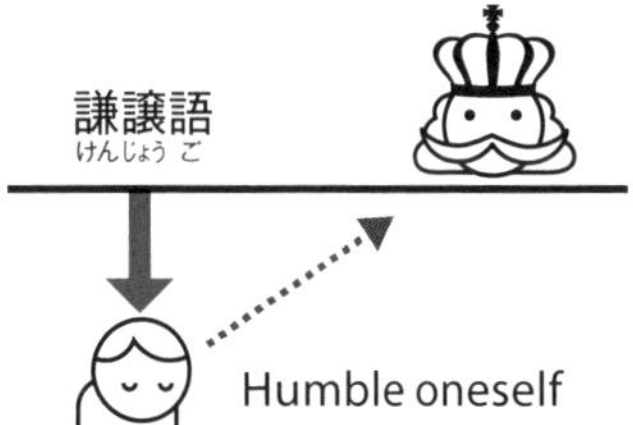

A 謙譲語タイプⅠ Humble form Type I

① Special verbs

例）授業の後、先生のオフィスに伺いました。（行きました）

② お＋V~~ます~~＋する／ご～する

例1）試験の時、先生のペンをお借りしました。（借りました）

例2）先生を駅までご案内しました。（案内しました）

- Humble form Type I is used when the speaker's action somehow affects or relates to a person of higher status.
- When special verbs are available, use them instead of the humble form in ②. See p. 215 for a list of special verbs.
- When special verbs are not available, use "お＋V~~ます~~＋する." When the verb is a Sino-Japanese word (i.e., *kango*), use ご＋V する.

B 謙譲語タイプⅡ Humble form Type II（Also called 丁重語）

例1）ユと申します。中国から参りました。A社で働いております。(*self-introduction*)

例2）メニューでございます。メインのお料理は肉と魚がございます。(*at a restaurant*)

- Humble form Type II is used when the speaker's action does not directly affect people of higher status, but the speaker still needs to show respect to the listener. It is commonly used in formal settings such as self-introduction, or by people working in a customer service industry. です・ます style is always used with this form. Only special verbs are available for Humble Type II.

3. ウチ／ソトと敬語 In-group/out-group and polite style

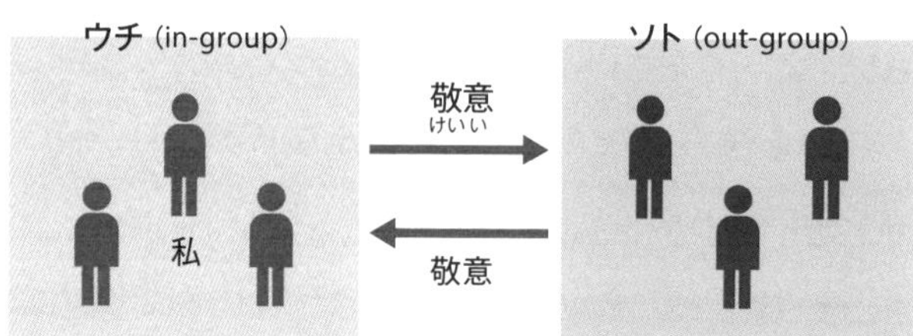

- The polite style is used not only for people of higher status, but also for people in an *out-group*, meaning people outside of the speaker's social circle or people who are not in familiar relationships with the speaker. Honorific forms are used to make statements about people in an *out-group*, whereas the humble form or です・ます style is used to talk about people within the speaker's *in-group* or people who are in familiar relationships with the speaker.

例 1）　　例 2）

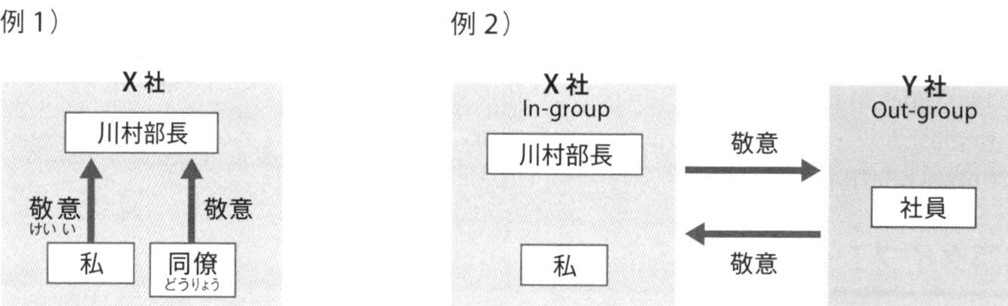

例 1）会社の中で話す時

同僚：川村部長はいらっしゃいますか。
私　：今日は**いらっしゃいません**よ。

例 2）他の会社の人と話す時

Y 社の社員　　：川村部長はいらっしゃいますか。
私（X 社の社員）：**川村**はただいま、外出して**おります**。

- When speaking about people of higher status who are in your *in-group*, the appropriate style to use in a conversation can change depending on the situation.
- If you are having a conversation with people in your *in-group*, honorific forms should be used to talk about people of higher status (e.g., 川村部長 in example 1). On the contrary, when your conversation partner is in an *out-group* (e.g., people who work for other companies), then humble forms should be used when referring to people in your *in-group*, even when the referents hold higher statuses. In such cases, titles (e.g., 部長 , さん) should also be omitted.
- Who belongs in the speaker's *in-group* or *out-group* is not fixed, and it depends on the situation and who the conversation partner is.

❖ 特別な形の動詞 List of Special Verbs

	尊敬語（目上の人がする） Honorific Form Actions done by people of higher status	謙譲語（私がする） Humble Form Actions done by the speaker	
		タイプⅠ（目上の人に関係がある動作） Type I Actions related to people of higher status	タイプⅡ（聞き手への敬意［丁重語］） Type II Show respect for the listener
行く・来る	いらっしゃる いらっしゃいます	伺う 伺います	参ります
いる	いらっしゃる いらっしゃいます		おります
Vている	Vていらっしゃる Vていらっしゃいます		Vております
言う	おっしゃる おっしゃいます		申します
ある	（おありだ） （おありです）		ございます
Nだ	Nでいらっしゃる Nでいらっしゃいます		Nでございます
する	なさる なさいます	（お／ご～いたします）	いたします
食べる・飲む	めしあがる めしあがります		いただきます
見る	ご覧になる ご覧になります	拝見する 拝見します	
聞く		伺う 伺います ※お聞きする can also be used	
会う		お目にかかる お目にかかります ※お会いする can also be used	
寝る	お休みになる お休みになります		
知っている	ご存じだ ご存じです		
あげる		さしあげる さしあげます	
もらう		いただく いただきます	
くれる	くださる くださいます		

初級文法チェック④

あげる／くれる／もらう

In this section we will review expressions of giving and receiving. Pay special attention to the directions of giving/receiving, as particles（は／が／に）are often omitted especially when the subject is 私.

1. あげる／くれる／もらう（物の授受 Giving and receiving things）

「あげる／くれる／もらう」のどれを使いますか。a・b の言葉に続けて文を言ってください。（必要なら敬語を使ってください。）

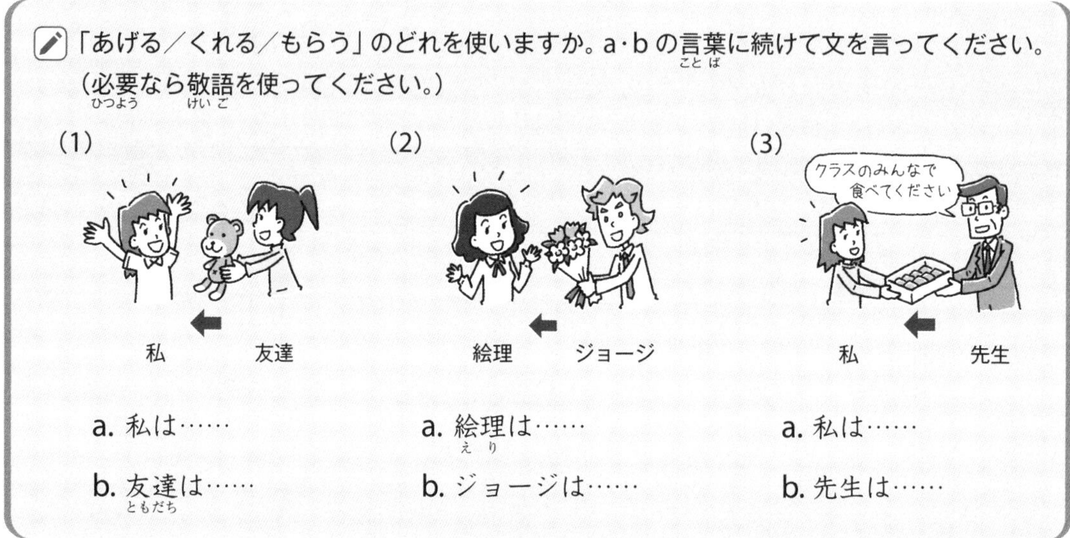

(1)	(2)	(3)
a. 私は……	a. 絵理は……	a. 私は……
b. 友達は……	b. ジョージは……	b. 先生は……

あげる (to give)	[Giver	**は / が**	Receiver (×私)	**に**	〈物〉**を**	**あげる**]
くれる (to give to me)	[Giver	**は / が**	Receiver (私)	**に**	〈物〉**を**	**くれる**]
もらう (to receive)	[Receiver	**は / が**	Giver (×私)	**に**	〈物〉**を**	**もらう**]

A あげる to give

1 （私は） リサに プレゼントを あげました。

I gave a present to Lisa.

2 研は リサに プレゼントを あげました。

Ken gave a present to Lisa.

- When the subject of the sentence is the giver and the speaker is the receiver, you cannot say, "Giver は私に～をあげる." くれる should be used instead of あげる.

  例）× 研は私にプレゼントをあげました。→ くれました

- The humble form of the verb あげる is さしあげる.

B くれる to give to me

1 サラは (私に) プレゼントを くれました。

Sarah gave me a present.

2 田中(たなか)部長は (私の) 子どもに プレゼントを くださいました。

1

- くれる is used when someone gives something to the speaker (私).
- くれる can also be used when the receiver is someone who belongs in the same social group as the speaker (e.g., 私の子ども).
- The honorific form of the verb くれる is くださる.

C もらう to receive

1 (私は) サラに プレゼントを もらいました。

I received a present from Sarah.

2 研(けん)は サラに プレゼントを もらいました。

Ken received a present from Sarah.

1

- When the speaker is the giver, you cannot describe the action from the perspective of the receiver (e.g., "Receiver は私に～をもらう"). The speaker should be the subject of the sentence and あげる should be used instead of もらう.

  × 研は私にプレゼントをもらいました。

  → 私は研にプレゼントをあげました。

- The humble form of もらう is いただく.

2. ～てあげる／～てくれる／～てもらう (行為(こうい)の授受(じゅじゅ) Giving and receiving an action)

「～てあげる／くれる／もらう」を使って文を完成(かんせい)させてください。

(1) ジョージ 絵理

a. ジョージは絵理(えり)に指輪(ゆびわ)をあげました。

→ジョージは絵理に指輪を買 ＿＿＿＿＿＿＿＿＿＿ 。

b. 絵理はジョージに指輪をもらいました。

→絵理はジョージに指輪を買 ＿＿＿＿＿＿＿＿＿＿ 。

(2) 私 日本人の友達

a. 日本人の友達(ともだち)に日本語を教え ＿＿＿＿＿＿＿＿＿＿ 。

b. 日本人の友達は日本語を教え ＿＿＿＿＿＿＿＿＿＿ 。

~てあげる (to give)　[Giver　は / が　Receiver（×私）＋助詞(じょし)　V て あげる]
~てくれる (to give to me)　[Giver　は / が　Receiver（私）　＋助詞　V て くれる]
~てもらう (to receive)　[Reciever は / が　Giver（×私）　に　V て もらう]

- To express giving or receiving of an action (e.g., favor) rather than an object, use て-form ＋あげる／くれる／もらう .
- Pay attention to the context and the structure of the sentence, as particles（は／が or に）are often omitted, especially when the sentence involves 私 .

A ~てあげる

1 [お母さんは子どもにケーキを作った。]

➡ お母さんは子どもにケーキを作ってあげました。

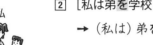

2 [私は弟を学校に連れていった。]

➡（私は）弟を学校に連れていってあげました。

3 [（私は）父の車を洗(あら)った。]

➡（私は）父の車を洗ってあげました。

4 [（母が忙(いそが)しいので、）私がスーパーに行った。]

➡ 私は母のためにスーパーに行ってあげました。

- V てあげる expresses that the action done by the agent would benefit the receiver. The receiver of the action should be someone other than 私 , and when 私 is the receiver, V てくれる would be used.
- In this construction using V てあげる , the particle following the receiver is the same particle that would be used with the original verb, as shown in 1, 2 and 3.
- As in 4（スーパーに行く）, when the verb does not take the receiver as its object, ~のために would be used to specify the receiver.
- When the agent of the verb is the speaker (i.e., 私), using V てあげる may sound like the speaker is emphasizing the favor he/she has done; it may be perceived as self-approval. When the receiver is of higher social status than the speaker, it would come off as rude, even if you use V てさしあげる .

B ~てくれる

1 [ホストファミリーは私に日本語を教えた。]

➡ ホストファミリーは（私に）日本語を教えてくれました。

2 [田中(たなか)先生は（私の）子どもを家まで送った。]

➡ 田中先生は（私の）子どもを家まで送ってくださいました。

③ ［ホストファミリーは（私の）部屋を掃除した。］
→ ホストファミリーは（私の）部屋を掃除してくれました。

④ ［（私が忙しいので、）姉が郵便局に行った。］
→ 姉が（私のために）郵便局に行ってくれました。

- Vてくれる conveys that the action (V) done by someone else would benefit the speaker. It also expresses the speaker's gratitude for the action.
- In this construction using Vてくれる , the particle following the receiver (i.e., the speaker) is the same particle used with the original verb, as shown in ①, ② and ③.
- As in ④ (郵便局に行く), when the verb does not take the receiver as its object, ～のために may be used to denote the receiver (which is 私 , in the case of this example).
- 私に , 私の , and 私のために are often omitted.

C ～てもらう

①

① 私：お父さん、駅まで送って！
父：いいよ。

↓

［父は私を駅まで送りました。］
→（私は）父に駅まで送ってもらいました。

② 私　：一人じゃさびしいから、一緒にパーティーに行って。
友達：いいよ。

↓

［友達は私と一緒にパーティーに行きました。］
→ 私は友達に一緒にパーティーに行ってもらいました。

- Sentences using Vてくれる can be rephrased by using Vてもらう .

  例）友達は（giver）　私に（receiver）　おいしい店を教えてくれました。

  私は（receiver）　友達に（giver）　おいしい店を教えてもらいました。

- In the Vてもらう structure, the giver always takes the particle に .
- Similar to the sentence using Vてくれる , Vてもらう can be used to show the speaker's gratitude for the action, when 私 is the subject (receiver). The difference between Vてくれる and Vてもらう is that Vてもらう implies that the action was done as a favor specifically requested by the speaker.

1. 答え ▸ (1) a. 友達にぬいぐるみをもらいました。　b. 私にぬいぐるみをくれました。
(2) a. ジョージに花をもらいました。　b. 絵理に花をあげました。
(3) a. 先生におみやげをいただきました。　b. 私におみやげをくださいました。

2. 答え ▸ (1) a. ってあげました　b. ってもらいました
(2) a. てもらいました　b. てくれました

初級文法チェック⑤

受身形／使役形／使役受身形 Passive/Causative/Causative-passive

☛第4課

Below is a review of the passive, causative, and causative-passive forms of verbs, as well as the structures ～てあげる／くれる／もらう and ～させてあげる／くれる／もらう. Read the sentences below to see if you can distinguish these forms.

下の (1) ～ (3) の問題に答えなさい。

a. 森さんに写真を撮られた。　(　　　) [私・森] 〈 ☺・☹ 〉
b. 森さんに写真を撮ってもらった。　(　　　) [私・森] 〈 ☺・☹ 〉
c. 森さんに写真を撮らせた。　(　　　) [私・森]
d. 森さんに写真を撮らせてあげた。　(　　　) [私・森]
e. 森さんに写真を撮らされた。　(　　　) [私・森] 〈 ☺・☹ 〉
f. 森さんが写真を撮らせてくれた。　(　　　) [私・森] 〈 ☺・☹ 〉

(1) a ～ f の下線部分は、①Vてあげる／くれる／もらう、②受身形、③使役形、④使役形＋てあげる／くれる／もらう、⑤使役受身形のどれですか。番号を (　　　) に書いてください。

(2) 写真を撮った人を [　　　] から選んでください。

(3) a・b・e・f の文は、話者 (speaker) が Happy ☺ か Unhappy ☹ か、選んでください。

1. 受身形 Passive

A 迷惑の受身 Adverse passive

・When the subject is a person, passive voice sentences express more or less the same idea as the active voice counterparts (sentences where the subject performs the action). The difference between them is that the passive voice expresses the subject's feeling of annoyance, dissatisfaction, etc. caused by someone's action.

[1] 友達は**私**をばかにしました。　→ (**私**は) 友達**に**ばかにされました。

[2] どろぼうが**私**のさいふをとりました。 → (**私**は) どろぼう**に**さいふをとられました。

? 私のさいふは、どろぼうにとられました。

＊ Using "my wallet (私のさいふ)" as the subject of a passive voice sentence sounds unnatural in Japanese; 私 (the owner of the object) should be the subject instead.

[3] だれかが**私**の足をふみました。 → (**私**は) だれか**に**足をふまれました。

? 私の足は、だれかにふまれました。

＊ Similar to [2], "my foot" should not be the subject of the passive voice sentence, as it sounds unnatural in Japanese; 私 should be the subject instead.

4 試験の前に友達が遊びに来ました。(*Simply stating the fact.*)

→ (**私**は) 試験の前に友達**に**遊びに来られました。(*The speaker is unhappy.*)

* The passive voice expresses the speaker's annoyance, etc. even when the active voice counterpart does not explicitly mention 私 in the sentence.

5 雨が降りました。(*Simply stating the fact.*)

→ (**私**は) 雨**に**降られました。(*The speaker is unhappy because he/she didn't have an umbrella.*)

* It is also possible to express annoyance caused by inanimate objects (e.g., 雨 in this case).

B 中立の受身 Neutral passive

- When the subject is a person, passive voice sentences often imply the subject's annoyance. However, the passive voice can also be used to simply state the fact without implying annoyance. Below are some examples of such cases.

肯定的な意味を持つ動詞の場合 Using verbs with positive connotations

1 先生に作文をほめられました。

2 山中教授は医学研究者に尊敬されている。

社会的事実を述べる場合 Stating simple facts

3 (多くの人が) 世界中で**英語**を使っています。→ **英語**は世界中で使われています。

4 コンサートは7時からAホールで行われます。

5 村上春樹が『**ノルウェーの森**』**という本**を書きました。

→『**ノルウェーの森**』**という本**は村上春樹によって 書かれました。

* The passive voice can be used when stating simple facts (e.g., who wrote a book that is fairly well-known). In such cases, the agents of the verbs (author of the book, in this case) are marked by ～によって, rather than ～に.

▸ **迷惑の受身** (adverse passive) **and ～てもらう**

To state the fact that a stranger took a picture of the speaker, use the adverse passive if the speaker felt annoyed by it (as in 1), and use ～てもらう if the speaker requested it (as in 2).

Fact:「知らない人が私の写真を撮った」

1 私は知らない人に写真を撮られました。

2 私　　　　：すみません、写真を撮ってもらえませんか。

知らない人：いいですよ。

→ 私は知らない人に写真を撮ってもらいました。

1 

2 

答え ▸ (1) a. ② b. ① c. ③ d. ④ e. ⑤ f. ④

(2) a. 森 b. 森 c. 森 d. 森 e. 私 f. 私

(3) a. ☹ b. ☺ e. ☹ f. ☺

2. 使役形(しえきけい) Causative

A 強制(きょうせい) Compulsion

• Verbs in the causative form generally express that the action was done under compulsion. The subject of the sentence is the person who forced someone else to do the action.

[1] お母さん：野菜(やさい)を食べなさい！
子ども　：（本当は食べたくないけど…）はい……。
→ お母さんは子ども**に**野菜**を**食べさせました。

＊ As shown in [1] above, when the original verb takes an object followed by the particle を (e.g., 野菜を), then the person who was forced to do the action (e.g., 子ども) should take the particle に. This is a grammatical rule called *double を constraint*, which limits the use of particle を to once per verb.

[2] 先生：立ちなさい！
学生：はい……。
→ 先生は学生**を**立たせました。

[3] 部長：来週の出張(しゅっちょう)に森(もり)が行きたがっていますが、どうしましょう？
社長：じゃあ、今回は森**に**行かせよう。

＊ If the original verb is an intransitive verb, the causee (the person who was forced to do the action) is followed by the particle を, as in [2]. Use of the particle に is not prohibited, as shown in [3], but in this case the sentence has the connotations that the subject (causer) considered the feeling of the person who does the action (causee). As such, example [3] implies that 社長 is showing consideration for 森's desire to go on the business trip.

B 感情の誘発(ゆうはつ) Induction

• Causative forms of intransitive verbs expressing emotions (e.g., 笑う, 泣(な)く, 怒る, びっくりする, 心配する, 困(こま)る) do not mean that the emotions were "forced" by the causer; rather, they convey that the emotions were *induced* by the causer. In such cases, the causee should take the particle を.

[1] 兄は弟**を**泣(な)かせました。
[2] 親**を**喜(よろこ)ばせるために、いい会社に就職(しゅうしょく)したい。

[1]

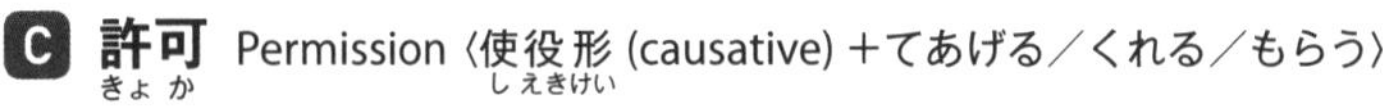

C 許可(きょか) Permission 〈使役形(しえきけい) (causative) ＋てあげる／くれる／もらう〉

• Causative verbs followed by てあげる／くれる／もらう express giving or receiving of permission to do the action.

[1] 弟　　：お兄ちゃんの新しいギター、かっこいいね。ちょっと弾(ひ)いてみてもいい？
私（兄）：いいよ。
→ 私は弟に（私の）ギターを弾かせてあげました。

＊ When the speaker (私) gives someone else permission to do something, then てあげる is used with the causative form. In [1] above, 私 is the person who gives permission, and 弟 is the person who receives the permission (to play the speaker's guitar).

2 ［喫茶店で］
私：わあ、お母さんのケーキ、おいしそう。ちょっと食べてもいい？
母：いいよ。ちょっとだけね。
→ 母は私に（母の）ケーキを食べさせてくれました。

3 私　　　　　：お母さん、ちょっとパソコンを使ってもいいですか。
ホストマザー：どうぞ。
→ 私はホストマザーにパソコンを使わせてもらいました。

＊ When the speaker receives a permission to do something, either ～てくれる or ～てもらう can be used with the causative form, depending on who the subject is. If the person *giving* the permission is the subject, then ～てくれる is used (see 2); if the person *receiving* the permission is the subject, then ～てもらう is used (see 3). In both cases, the speaker's gratitude is expressed.

3. 使役受身形 Causative-passive

・The causative-passive form is used to state that the subject of the sentence was forced to do something.

1 先生：3000字の作文を書いてください。
学生：（本当は書きたくないけど…）はい……。
→ **学生**は先生**に**長い作文を書かされました（書かせられました）。

2 先輩：3年生は先に帰るから、1、2年生は掃除をしてから、帰ってね。
後輩：はい……。
→ **後輩**は先輩**に**掃除をさせられました。

▸ **使役形と使役受身形**

There are two ways to express the idea that someone (causer) forced someone else (causee) to do something: (1) Subject (causer) + verb in causative form, and (2) Subject (causee) + verb in causative-passive form.

母→子　母：野菜を食べなさい！
子：（本当は食べたくないけど…）はい……。

(1) **お母さん**は子どもに野菜を食べさせました。(causative)
(2) **子ども**はお母さんに野菜を食べさせられました。(causative-passive)

When the speaker (私) is either the causer or causee, then 私 should generally be used as the subject of the sentence.

私→子　私は子どもに野菜を食べさせました。(causative)
（? 子どもは私に野菜を食べさせられました。）

母→私　私は母に野菜を食べさせられました。(causative-passive)
（? 母は私に野菜を食べさせました。）

初級文法チェック⑥

条件文 Conditional sentences ～たら／～と／～ば／～なら

☛第5課

たら／と／ば／なら in "X たら／と／ば／なら Y" state that X is a condition for Y to occur. These forms express slightly different connotations and are not always interchangeable; read below to review the conditional forms and their differences.

正しい答えを選んでください。

(1) 冬に【a. なると　b. なったら】スキーをしましょう。

(2) 頭が痛いが、少し【a. 休むなら　b. 休めば】よくなると思う。

(3) A：ちょっとコンビニに行ってくるね。
B：寒いから【a. 出かけるなら　b. 出かけたら】コートを着ていきなさい。

(4) ドアの前に【a. 立つと　b. 立つなら】ドアが開きます。

1. ～たら

A X たら Y (Y in present tense)

1 宿題が終わっ**たら**、寝ようと思います。

2 明日晴れ**たら**、テニスがしたいです。

3 寒かっ**たら**、ヒーターをつけてください。

4 熱が出**たら**、学校を休んだほうがいい。

- This form states that Y will occur *after* the condition X is completed/realized.
- Y often uses structures that express the speaker's subjective opinion, volition or desire, such as ～(よ)う and ～たい.

例）寝る → 寝よう (volition)／寝たい (desire)／寝てください (request)／
寝たほうがいい (advice)

- ～たら is less restrictive and can be used in more situations compared to ～と, ～ば, and ～なら. However, in cases where Y would be realized before X is, ～なら should be used instead of ～たら.

B X たら Y (Y in past tense)

1 朝起き**たら**、雪が降っていました。

2 図書館に行っ**たら**、閉まっていました。

- When Y is in the past tense, X たら Y expresses that the speaker learned of Y when X was done. This usage has the connotations that the speaker was surprised to learn Y, or that Y was an unexpected event.

答え▸ (1) b　(2) b　(3) a　(4) a

2. ～と

1 春になる**と**、桜が咲きます。

2 スイッチを押す**と**、電気がつきます。

3 毎朝起きる**と**、（いつも）コーヒーを飲みます。

4 A：これ、おみやげです。
　　気に入っていただける**といい**んですが……。
　B：ありがとうございます。

- The conditional form ～と used in "X と Y" (Y in present tense) expresses that Y *always* happens when X occurs. This structure is often used for a natural phenomenon (1), something that occurs automatically (2), and habitual routines (3).
- Unlike ～たら , forms that express the speaker's subjective opinion, volition or desire (e.g., ～(よ)う and ～たい) cannot be used in Y when using the conditional form ～と .
  例）○ あの喫茶店に行くと、いつもケーキを食べてしまう。
  　　× あの喫茶店に行くと、ケーキを食べようと思います。
- X といいんですが and X といいですね are set phrases used to express the speaker's hope (4).

3. ～ば

1 教科書の単語を全部覚えれ**ば**、単語テストでいい点が取れます。

2 薬を飲め**ば**、風邪がよくなります。

3 薬を飲ま**なければ**、風邪がよくなりません。

- X ば Y (Y in present tense) conveys that a desirable result (Y) would be achieved if the condition X is met.
- As in 3, when the construction "X なければ Y ない" is used, X is considered a prerequisite for Y to happen.
- When X uses a verb that expresses an action or change, then Y cannot use expressions that convey the speaker's subjective opinion or wish (e.g., ～たい , ～(よ)う , ～てください , ～たほうがいい). However, when X uses an adjective or a verb that describes a state, Y can have expressions of the speaker's subjective opinion or wish.

	X ば		Y
(a)	動作動詞 Action verb	＋ば	話し手の主観の表現：× Speaker's subjective opinion
(b)	変化動詞 Verb expressing change	＋ば	
(c)	状態動詞 Verbs describing state（ある、わかるなど）	＋ば	話し手の主観の表現：○
(d)	形容詞 Adjectives	＋ば	

(a) ○ 大学に行けば、様々なことが学べます。
　　× 大学に行けば、様々なことが学びたいです。

(b) ○ 給料が増えれば、新しいアパートに引っ越せます。
× 給料が増えれば、新しいアパートに引っ越したほうがいい。

(c) 時間があれば、一緒に旅行に行きましょう。

(d) 今日忙しければ、明日オフィスに来てください。

4. ～なら

1 A：将来は日本で働くつもりです。
B：日本で働く**なら**、敬語を勉強しておいたほうがいいですよ。

2 A：この本、すごくおもしろくて、すぐ読み終わっちゃった。
B：もう読み終わった**なら**、私に貸してくれない？

3 (*Your subordinate looks tired.*)
疲れている**なら**、早く帰ってもいいよ。

4 A：単語を覚えても、すぐに忘れちゃうんだ……。
B：それ**なら**、このアプリを使ってみたら？ 楽しみながら何度も勉強できるよ。

5 (*On a travel agency flyer*)
古い町を見たい**なら**、京都や奈良がおすすめ！

- X なら means "if X is the case." X in "X なら Y" rephrases/reiterates something that was discussed previously or something that is known in the context (e.g., a statement made by the conversation partner). Y expresses the speaker's judgment, command, desire, or volition regarding the matter mentioned in X.
- Unlike other types of conditional sentences, ～なら can be used for a situation in which X is achieved *after* Y occurred (see 1).
- As in 4, それなら "in that case" is used as a set phrase to refer to the previous statement made by the conversation partner.

		Meaning	Can Y use expressions for the speaker's subjective opinion?
X たら Y	X たら Y (present)	If X occurs (or *after* X occurs), Y will happen.	○
	X たら Y (past)	The speaker discovered Y when X occurred. Y in this case is considered something that was unexpected.	×
X と Y		• If X occurs, Y always happens. • Used to describe natural phenomena and things that occur automatically or habitually.	×
X ば Y		Used to describe a prerequisite (X) for a desirable result (Y) to happen.	Not when X includes either action verbs or verbs expressing change.
			Opinion can be expressed when X uses stative verbs or adjectives.
X なら Y		Used to state the speaker's opinion (Y) in the case of X.	○

初級文法チェック⑦

助詞(じょし)「は」と「が」 Particles は and が

In Japanese, the particle は marks the topic of the sentence, whereas が marks the nominative case. Both are often considered the equivalent of *subjects* of the sentences, but the two particles are not always interchangeable. Below is a review of differences between は and が.

正しい答えを選(えら)んでください。

(1) A：テスト a.【は・が】いつですか。

B：金曜日です。

A：何 b.【は・が】出ますか。

B：6課(か)の文法と助詞(じょし)の問題が出ます。漢字 c.【は・が】出ません。

(2) ジョージは背(せ)【は・が】高くて、やせています。

(3) ジョージ【は・が】住んでいる寮(りょう)は大学の近くにあります。

1.「は」と「が」の違い Differences between は and が

1 A：すみません。受付(うけつけ)**は**どこですか。

B：受付**は**あちらです。

2 A：あの建物の中に何**が**ありますか。

B：食堂や学生ラウンジ**が**あります。

3 ジョージ：初めまして。私**は**ジョージ・テイラーと申(もう)します。

4 A：昨日(きのう)のパーティーにリーさん**が**来ましたよ。

B：ああ、リーさん**は**元気でしたか。

A：はい。(リーさん**は**) 元気でしたよ。

- は in "X は" marks X as the topic of the sentence, thereby signaling that the sentence will be a statement *about* X. が, on the other hand, marks the subject of the sentence.
- は places focus on the part of the sentence that *follows* は; therefore, main points of the sentence (e.g., interrogative words, important information) come *after* は (see 1). は is also used to mark the subject of the sentence that is already made clear in the context and shared between the speaker and the listener.
- On the contrary, が places focus on the part of the sentence that *precedes* が. As such, important information is mentioned *before* the particle が (see 2). Also in contrast to は, が is used to mark a subject that is considered to be new information for one of the speakers.

は：	topic	**は**	important information
が：	important information	**が**	statement

2.「は」の特徴的な使い方：対比 Specific use of は: Making a contrast

[1] サッカー**は**よく見ますが、野球**は**あまり見ません。

[2] 喫茶店で**は**コーヒーをあまり飲みません。

[3] 喫茶店でコーヒー**は**あまり飲みません。

- The particle は has a contrastive function as well. In [1] above, は is used to make contrast between soccer and baseball. Because of this contrastive function of the particle, conjunctions for reverse conditions (e.g., でも , ～が) are often used with them.
- In negative sentences, は is often used to mark the specific item that is being negated. In [2], 喫茶店で is being negated specifically, implying that the speaker may drink coffee at other places, just *not at the café*. On the contrary, in [3], コーヒー is being negated, meaning that the speaker may drink other types of beverages but *not coffee*.

3.「が」の特徴的な使い方 Specific uses of が

A 中立叙述を表す「が」 が for neutral statement

[1] あ、バス**が**来た！

[2] あ、雪**が**やんだ。

[1]

- が is used to simply state a fact or to objectively describe something that the speaker notices, sees or hears.

B 総記を表す「が」 が for exhaustive listing

[1] 客　：どの色**が**おすすめですか。
店員：黒**が**おすすめです。

[2] A：そのお弁当、おいしそうですね。自分で作ったんですか。
B：いえ、ホストマザー**が**作ってくれたんです。

[3] だれも運転できないなら、私**が**運転します。

- "X が Y" places emphasis on X; it has the connotation that it is X (and not others) that Y applies to.
- Interrogative words and answers to questions are marked with が (e.g., どの色が and 黒が in [1]).
- [3] emphasizes that it is 私 (and not anyone else) who will drive; therefore, が is used with 私 to place emphasis on it.

C 節の中の「が」 が within a clause

[1] 母**が**家族の誕生日に作るケーキはおいしい。

[2] リーさん**が**住んでいるアパートは学校の近くにある。

[3] 娘**が**風邪をひいた時、私は会社を休みました。

- In general, the particle が is used within a noun-modifying clause (i.e., a clause that precedes a noun and describes the noun). See examples (a) and (b) below.

(a) 母は家族の誕生日(たんじょうび)にケーキを作る。そのケーキはおいしい。

(b) [母が家族の誕生日に作る] ケーキはおいしい。(1)

- In a sentence with both an independent clause and a dependent clause, if the subject of the dependent clause is different from the subject of the independent clause, then the subject of the dependent clause should take the particle が (see 3).
- Within a quote (e.g., ～と思う, ～と言う), the subject does not always have to take the particle が. Whether to use は or が depends on the original particle used.

例) ジョージ「日本のコンビニ**は**便利(べんり)だね。」
→ ジョージは日本のコンビニ**は**便利だと言いました。

4. 「XはYが～」のパターン Sentences using both は and が

1 サラ**は**髪(かみ)**が**長いです。

2 東京(とうきょう)**は**物価(ぶっか)**が**高いです。

3 私**は**日本のアニメ**が**好きです。

4 ジョージ**は**テニス**が**上手です。

- "XはYが～" is a structure in which both は and が are used. This structure can be roughly translated as: "Speaking of X, Y is/does . . ."
- There are two patterns for this construction: (a) Y is a part of X (1 and 2), and (b) Y is an object that triggers certain feelings for X, or a specific ability of X (3 and 4).

答え ▶ (1) a. は　b. が　c. は　(2) が　(3) が

漢字チャレンジ①

形(かたち)が似(に)ている漢字 Kanji with similar shapes

☛ 第1課(だいか)

「大」「犬」「太」という漢字は、形(かたち)がよく似(に)ていて間違いやすいです。
他にもたくさんあるので見てみましょう。

1. 似(に)ている漢字を使った単語を読んでみよう。

(1) 人 vs. 入る　(2) 土 vs. 上　(3) 体 vs. 休み　(4) 木 vs. 本

2. 似ている漢字を使った単語を考えよう。

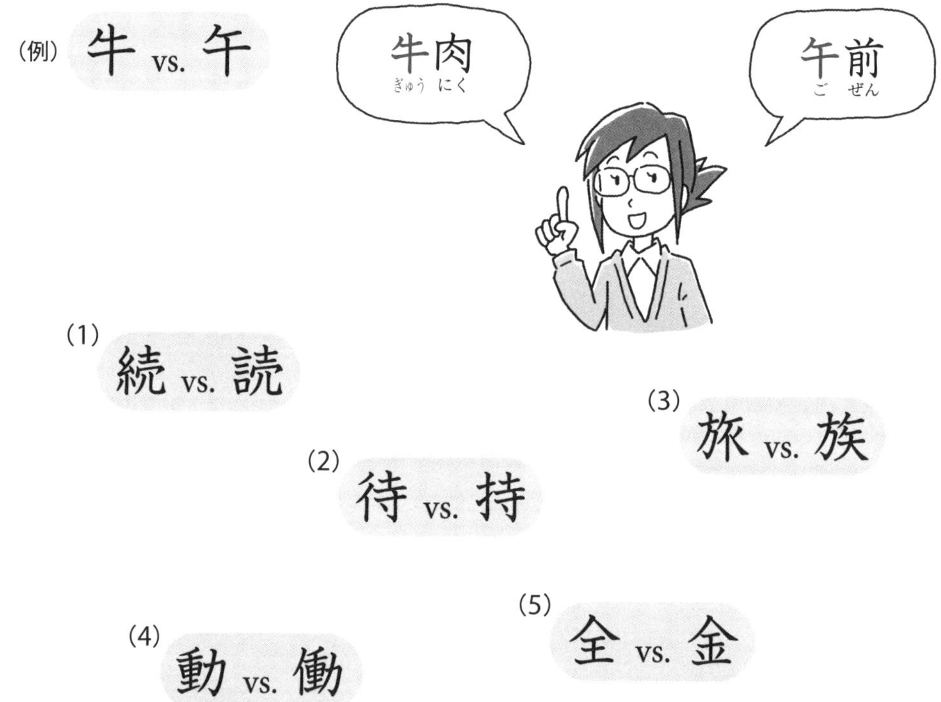

チャレンジ! 似(に)ている漢字をもっと勉強しよう。

① 水 [水曜日]　氷 [氷(こおり)] (ice)
② 千 [五千円]　干 [干(ほ)す] (to dry)
③ 手 [手紙]　毛 [毛(け)] (hair)
④ 考 [考える]　老 [老人(ろうじん)] (old person)

※新しい漢字：①氷　②干す　③毛　④老人

漢字チャレンジ②

音符(おんぷ) Phonetic indicators

☛第1課(だいか)

「生」(学生)と「性」(女性 female)という漢字は、同じ「生」というパーツ(part)が使われていて、どちらも音読みは「せい」です。このように音読みを表すパーツを「音符(おんぷ)」と言い、漢字の音読みがわからない時のヒントになります。

1. (1)～(4) の音符(おんぷ)が使われている単語を下の a～h から探(さが)して（　）に記号を書こう。

2. その単語を読んでみよう。

(例) 生(せい)　(a)(b)

(1) 五(ご)　(　　)(　　)　　(2) 受(じゅ)　(　　)(　　)

(3) 間(かん)　(　　)(　　)　　(4) 安(あん)　(　　)(　　)

~~a.~~ 学生	~~b.~~ 性格	c. 受賞	d. 案内	e. 日本語
f. 時間	g. 安心	h. 簡単	i. 授業	j. 五回

チャレンジ！ [　] の単語を読んでみよう。

① 生 [男性　姓名 (full name)]　② 工 [工学 (engineering)　紅葉(よう) (autumn leaves)]

③ 長 [部長　手帳 (pocket diary)]　④ 交 [学校　郊外 (suburbs)]

⑤ 東 [東京　凍結(けつ) (freezing)]　⑥ 召 [紹介　招待(たい) (invitation)]

※新しい漢字：①姓名　②紅葉　③手帳　④郊外　⑤凍結　⑥招待

漢字チャレンジ③

部首(ぶしゅ)「にんべん(亻)・ひとやね(𠆢)」

☛ 第2課(だい)

「部首(ぶしゅ)」とは、いろいろな漢字に使われているパーツです。部首にはそれぞれ意味があります。
(部首の例) 氵 辶 扌 宀 貝 言 忄 糸 木 口 日

「にんべん(亻)」と「ひとやね(𠆢)」は「人」の意味を表す部首です。

1. 「にんべん」と「ひとやね」の漢字を使った単語を読んでみよう。

(1) 働く　(2) 住む　(3) 時代　(4) 紹介　(5) 信じる

2. (1)〜(11) の漢字を使った単語をできるだけたくさん考えよう。

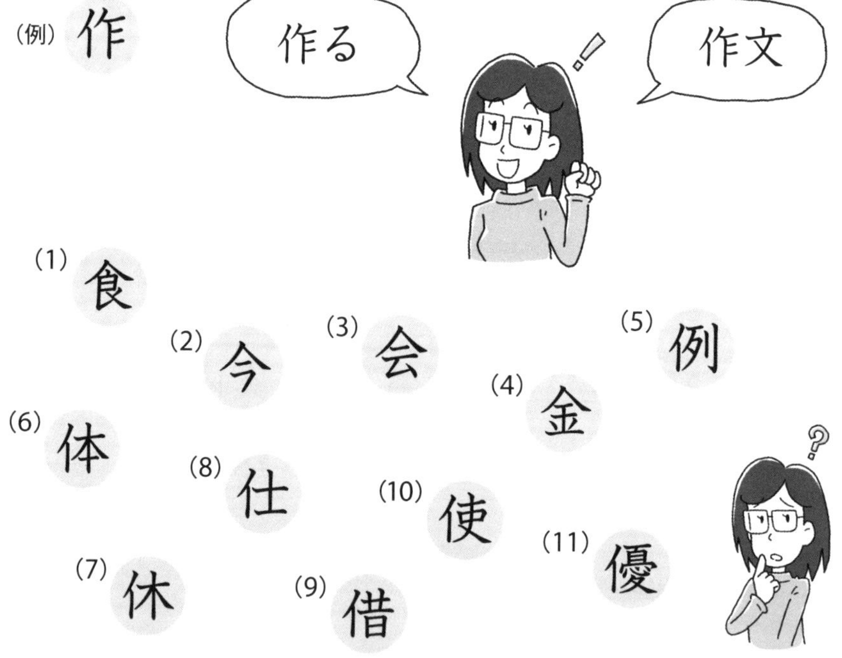

チャレンジ! 「にんべん」の漢字をもっと勉強しよう。

① 倍 [二倍(ばい)] (double)
② 伺 [伺(うかが)う] (to ask/visit [a superior])
③ 億 [一億(おく)] (one hundred million)
④ 停 [バス停(てい)] (bus stop)
⑤ 健 [健康(けんこう)] (health)

漢字チャレンジ④

部首(ぶしゅ)「きへん(木)・き(木)」

☛ 第(だい)2課

「きへん(木)」と「き(木)」は「木」の意味を表す部首(ぶしゅ)です。

1. 「きへん」と「き」の漢字を使った単語を読んでみよう。

(1) 二枚　(2) 目標　(3) 案内　(4) 横

(5) 性格　(6) 授業　(7) 山田様

2. [　　] から漢字を選(えら)んでミニクロスワードを完成(かんせい)させ、「A↓」と「B→」の単語を読んでみよう。

① 果(circled)	② 楽	③ 相	④ 本	⑤ 校

(例) A↓ …結果(けっか)　B→ …果物(くだもの)

(例) A↓: 結 / 果　B→: 果 / 物

(1) A↓: 高 / [　]　B→: 学 / [　]

(2) A↓: [　] / 手　B→: [　] / 談

(3) A↓: 音 / [　]　B→: [　] / しい

(4) A↓: 日 / [　]　B→: [　] / 当

チャレンジ! 「きへん」と「き」の漢字をもっと勉強しよう。

① 林 [林(はやし)] (small woods)　② 森 [森(もり)] (forest)　③ 杯 [三杯(ばい)] (three cups)

④ 柔 [柔道(じゅうどう) (judo)　柔(やわ)らかい (soft)]　⑤ 植 [植(う)える (to plant)　植物(しょくぶつ) (plant)]

漢字チャレンジ⑤

接頭辞(せっとうじ) Prefixes

☛第3課(だい)

「毎日」「毎週」の「毎」はよく単語の最初に使われて、everyという意味を表します。
このように単語の最初につく漢字を「接頭辞(せっとうじ)」と言い、単語を覚える時や単語の意味を推測(すいそく)する (to guess) 時に役に立ちます。

1. 接頭辞の意味を考えて、(　　) に書こう。

2. a〜cの単語を読んで、意味を考えよう。

意味

(例) 新〜 (=　　　　　　　　) [a. 新人　b. 新入生　c. 新品(ぴん)]

1. 新＝あたらしい
2. a. しんじん (新しい人)
   b. しんにゅうせい (新しく入った学生)
   c. しんぴん (新しい物)

(1) 最〜 (=　　　　　　　　) [a. 最初　b. 最高　c. 最悪]

(2) 全〜 (=　　　　　　　　) [a. 全部　b. 全員　c. 全額]

(3) 予〜 (=　　　　　　　　) [a. 予約　b. 予習　c. (天気)予報]

チャレンジ! 単語の最初につく漢字をもっと勉強しよう。

① 無〜 (=無い)	無計画 (unplanned)	無職 (unemployed)	無糖(とう) (sugarless)
② 不〜 (=〜ない)	不必要 (unnecessary)	不都合(つごう) (inconvenient)	不平等(びょうどう) (inequality)
③ 好〜 (=いい)	好調(こう) (excellent condition)	好都合 (convenient)	好印象(いんしょう) (good impression)
④ 再〜 (=もう一度)	再会(さい) (reunion)	再就職 (re-employment)	再検査(けんさ) (re-examination)
⑤ 未〜 (=まだ)	未来(みらい) (future)	未婚 (unmarried)	未熟(じゅく) (immature)

※新しい漢字：①無糖　②不平等　③好印象　④再検査　⑤未熟

漢字チャレンジ⑥

接尾辞(せつびじ) Suffixes

☛第3課(だい)

「作家」「画家」の「家」は単語の最後について、「人」という意味を表します。
このように単語の最後につく漢字を「接尾辞(せつびじ)」といい、単語を覚える時や単語の意味を推測(すいそく)する時に役に立ちます。

1. 接尾辞の意味を考えて、(　　)に書こう。

2. a〜cの単語を読んで、意味を考えよう。

意味

(例) 〜館 (=　　　　　　　　　) [a. 図書館　b. 映画館　c. 美術館]

1. 館=建物
2. a. としょかん (本を借りたり、読んだりするところ)
   b. えいがかん (映画を見るところ)
   c. びじゅつかん (絵などを見るところ)

(1) 〜員 (=　　　　　　　　　) [a. 駅員　b. 会社員　c. 店員]

(2) 〜料 (=　　　　　　　　　) [a. 授業料　b. 給(きゅう)料　c. 送料]

(3) 〜屋 (=　　　　　　　　　) [a. 本屋　b. 花屋　c. 肉屋]

(4) 〜性 (=　　　　　　　　　) [a. 将来性　b. 安全性　c. 多様(たよう)性]

チャレンジ! 単語の最後につく漢字をもっと勉強しよう。

① 〜者 (=人) [記者 (reporter)　科学者 (scientist)　筆(ひっ)者 (author)]

② 〜場 (=場所) [キャンプ場 (campsite)　運動場 (athletic field)　駐車(ちゅうしゃ)場 (parking lot)]

③ 〜書 (=本) [教科書 (textbook)　参考(さんこう)書 (study-aid book)　辞(じ)書 (dictionary)]

④ 〜化 (=〜になる) [国際化 (internationalization)　少子化 (declining birthrate)　書籍(しょせき)化 (turning into a book)]

※新しい漢字:①筆者　②駐車場　③辞書　④書籍化

漢字チャレンジ⑦

部首「くちへん（口）・くち（口）」

ぶしゅ

☛第4課
だい

「部首」とは、いろいろな漢字に使われているパーツです。部首にはそれぞれ意味があります。
ぶしゅ
（部首の例）氵 辶 扌 宀 貝 言 忄 糸 木 口 日

「くちへん（口）」と「くち（口）」は「口」の意味を表す部首です。

1.「くちへん」と「くち」の漢字を使った単語を読んでみよう。

(1) 右　(2) 同じ　(3) 作品　(4) 古い　(5) 吹く

2.（1）～（10）の漢字を使った単語をできるだけたくさん考えよう。

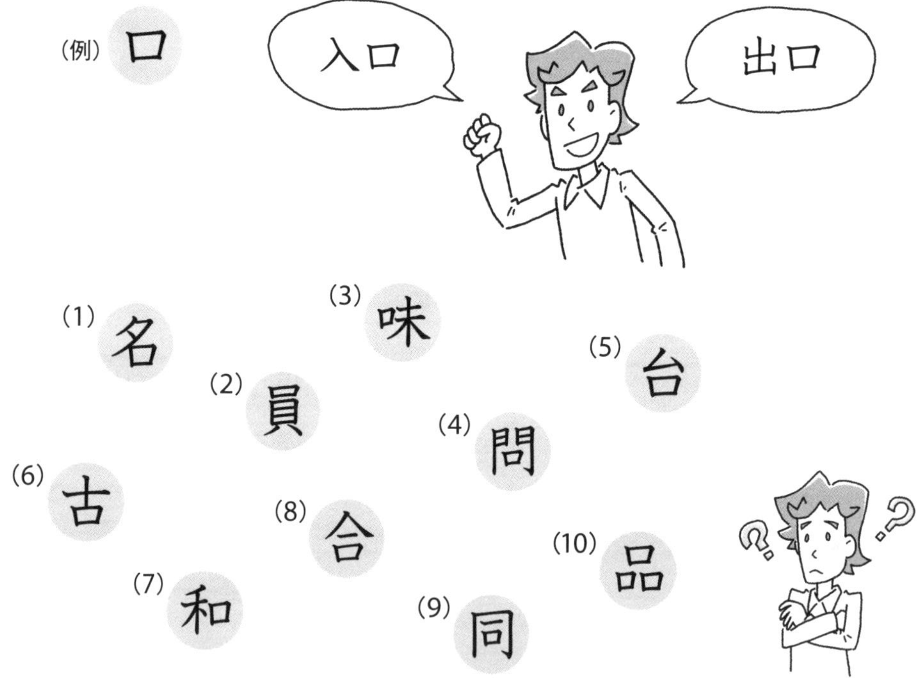

チャレンジ！「くちへん」と「くち」の漢字をもっと勉強しよう。

① 含［含む］ ふく (to include)
② 告［告白］ こくはく (confession)
③ 命［命］ いのち (life)
④ 叫［叫ぶ］ さけ (to shout)
⑤ 喫［喫茶店］ きっさ (coffee shop)

漢字チャレンジ⑧

部首(ぶしゅ)「ひへん(⽇)・ひ(日)」

☛第4課(だい)

「ひへん(⽇)」と「ひ(日)」は「日」の意味を表す部首(ぶしゅ)です。

1. 「ひへん」と「ひ」の漢字を使った単語を読んでみよう。

(1) 映画館　(2) 昔　(3) 春　(4) 暑い　(5) 普通

2. ［　　］から漢字を選んでミニクロスワードを完成(かんせい)させ、「A↓」と「B→」の単語を読んでみよう。

① 時　② 明　③ 早　④ 書　⑤ 昼

(1)

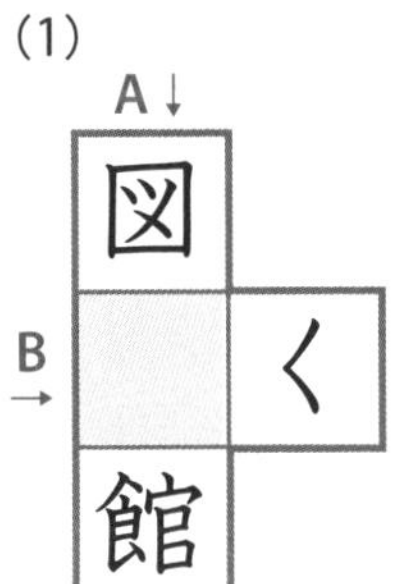

(2)

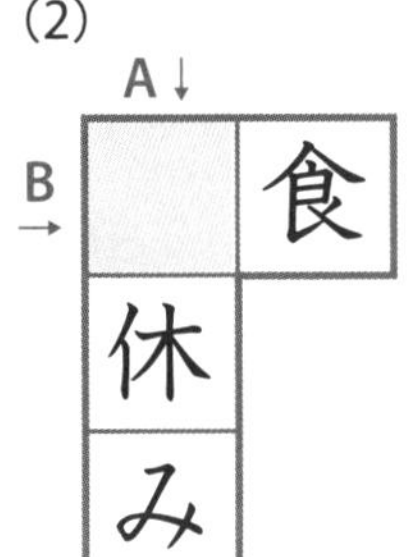

(3)

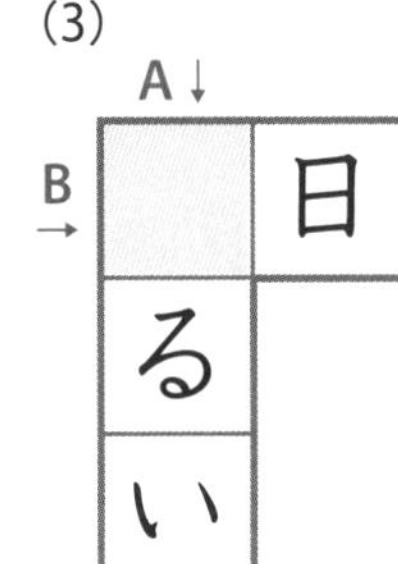

(4)

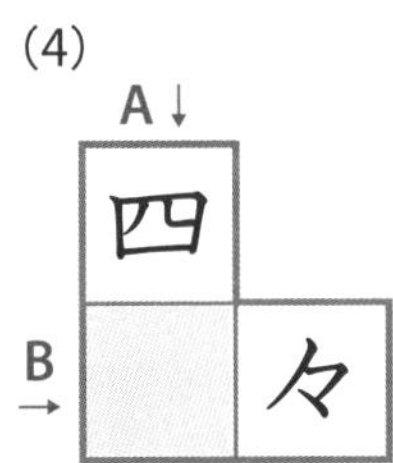

(5)

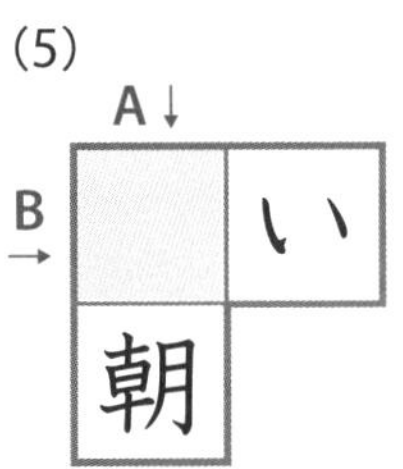

チャレンジ！　「ひへん」と「ひ」の漢字をもっと勉強しよう。

① 晴 [晴(は)れ] (fine weather)　② 曇 [曇(くも)り] (cloudiness)　③ 星 [星(ほし)] (star)

④ 暖 [暖(あたた)かい] (warm)　⑤ 替 [両替(りょうがえ)] (currency exchange)

漢字チャレンジ⑨

反対語(はんたいご) Antonyms

☛第5課

「高い」と「安い」のように反対(はんたい)の意味を持つ言葉を「反対語」と言います。
反対語のペアを見てみましょう。

1. (1)～(7)と反対の意味の単語をb～hから選んでペアにしよう。

2. それぞれのペアを読んでみよう。

(例) 高い ●———● a. 安い

(1) 熱い ● ● b. 寒い

(2) 長い ● ● c. 短い

(3) 早い ● ● d. 冷たい

(4) 強い ● ● e. 借りる

(5) 暑い ● ● f. 買う

(6) 売る ● ● g. 遅い

(7) 貸す ● ● h. 弱い

1. 高い —— a. 安い
2. たかい／やすい

チャレンジ！ 反対語(はんたいご)をもっと勉強しよう。

① 増える ↔ 減(へ)る (to decrease)

② 結婚 ↔ 離(り)婚 (divorce)

③ 具(ぐ)体(たい)的 (concrete) ↔ 抽(ちゅう)象(しょう)的 (abstract)

④ 冷(れい)房(ぼう) (air conditioning) ↔ 暖(だん)房 (heating)

※新しい漢字：①減る ②離婚 ③抽象的 ④暖房

漢字チャレンジ⑩

同音異義語（どうおんいぎご） Homonyms

☛第5課

「紙」と「髪」は読み方が同じですが、意味も漢字もまったく違います。このような単語を「同音異義語（どうおんいぎご）」と言います。漢字を書く時に間違えないように気をつけましょう。

1. aとbの単語を読んでみよう。

2. 意味や使い方の違いを考えてみよう。

（例） 

1. かがく
2. a. chemistry　b. science

(1) a. 物　b. 者

(2) a. 三課　b. 参加

(3) a. 量　b. 寮

(4) a. 自信　b. 自身

(5) a. 暖かい　b. 温かい

チャレンジ！ 同じ読み方の漢字をもっと勉強しよう。

① とる：［ 取る (to take)　撮る (to take pictures) ］

② なく：［ 泣く (to cry)　鳴く ([an animal] makes a sound) ］

③ かわ：［ 皮 (skin)　革 (leather) ］

④ せいか：［ 成果 (achievement)　聖歌 (sacred song) ］

⑤ こうい：［ 好意 (affection)　行為 (act) ］

※新しい漢字：①撮る　②泣く・鳴く　③革　④聖歌　⑤行為

漢字チャレンジ⑪

部首「しんにょう（辶）」

ぶしゅ

☛第6課

「部首」とは、いろいろな漢字に使われているパーツです。部首にはそれぞれ意味があります。
ぶしゅ
（部首の例）氵 辶 扌 宀 貝 言 忄 糸 木 口 日

「しんにょう（辶）」は「行く」「進む」の意味を表す部首です。

1. 「しんにょう」の漢字を使った単語を読んでみよう。

(1) 道　(2) 連れていく　(3) 過ごす　(4) 友達　(5) 違う

2. (1)～(10) の漢字を使った単語をできるだけたくさん考えよう。

チャレンジ！ 「しんにょう」の漢字をもっと勉強しよう。

① 追［追う］お (to chase)　② 逃［逃げる］に (to run away)　③ 途［途中］とちゅう (on the way)

④ 退［退学］たいがく (leaving school)　⑤ 適［適当な］てきとう (appropriate)

部首「ごんべん（訁）」

☛第6課

「ごんべん（訁）」は「言う」や「言葉」の意味を表す部首です。

1. 「ごんべん」の漢字を使った単語を読んでみよう。

(1) 日記　(2) 外国語　(3) 試験　(4) 説明

(5) 計画　(6) 誘う　(7) 講演　(8) 第一課

2. ［　　］から漢字を選んでミニクロスワードを完成させ、「A↓」と「B→」の単語を読んでみよう。

(1)

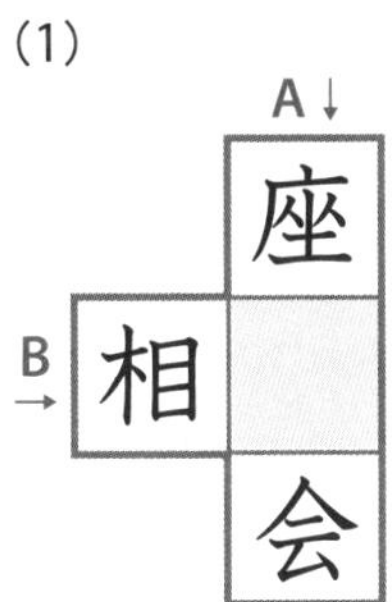

(2)

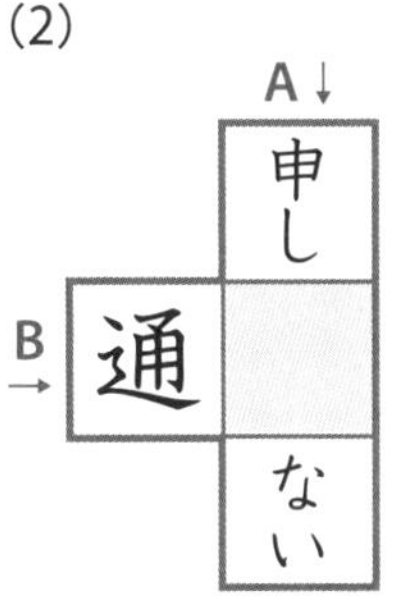

(3)

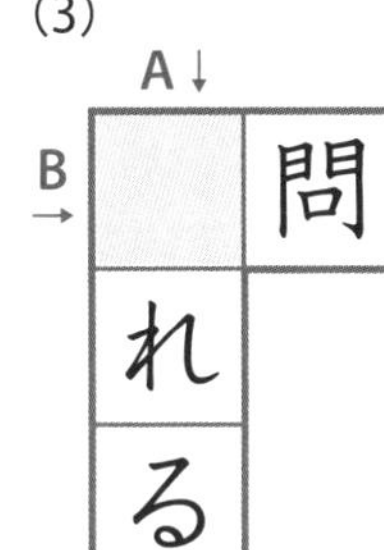

(4)

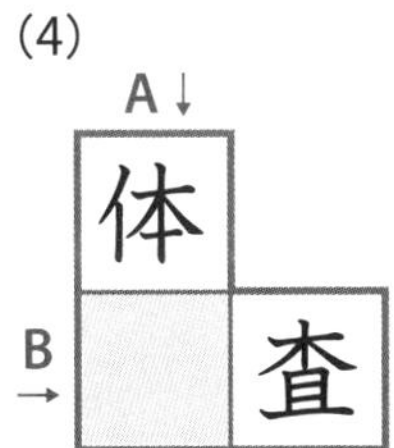

(5)

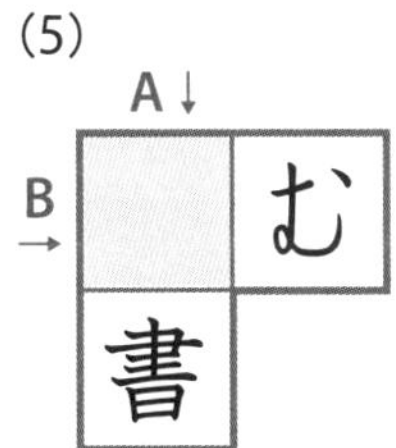

チャレンジ！　「ごんべん」の漢字をもっと勉強しよう。

① 許［許す（ゆる）］(to forgive; to allow)　② 訓［訓練（くんれん）］(training; drill)　③ 詞［歌詞（かし）］(lyrics)

④ 誤［誤解（ごかい）］(misunderstanding)　⑤ 警［警察（けいさつ）］(police)

第1課・聴解1 ジブリ美術館

（4.Chokai_L1-1）

■解答 a

留学生のジョージとルームメートの研が「ジブリ美術館」について話しています。会話を聞いて、内容と合うものに○をつけなさい。

ジョージ：ねえ、研。東京にジブリの美術館があるの知ってる？
研：うん、たしか、東京の三鷹っていうところにあるらしいよ。僕もずっと行きたいと思ってるんだけど、まだ行ったことない。
ジ：え、本当？ じゃあ、今度行ってみない？
研：いいね。ちょっとネットで調べてみる？
ジ：うん。
研：……えーと、休みは火曜日か。
ジ：週末なら大丈夫だね。
研：時間は……朝10時から夕方6時まで開いてるね。
ジ：あっ、でも入れる時間が決まってるよ。
研：ほんとだ。1日4回で、最後は4時か…。
ジ：入場料はいくら？
研：えーと、大人と大学生は1,000円。そんなに高くないんだね。
……ああ、チケットは予約しなきゃいけないのか。
ジ：えー、どうやって予約するの？
研：コンビニとか、それからネットや電話でもできるみたいだよ。
ジ：じゃあ、今ネットで予約しちゃおうよ。
研：そうしようか。じゃあ、いつにするか決めよう。

第1課・聴解2 店員へのあいさつ

（4.Chokai_L1-2）

■解答

1. ① ×　② ×　③ ×　④ ○　⑤ ○
2. 店員さんに「こんにちは」と言われて、「こんにちは」と返したからです。
3. あいさつを返すほうが気持ちよく買い物ができるし、店員さんも楽しく働けると思っているからです。

アメリカ人留学生のジョージが、クラスで「店員へのあいさつ」というタイトルでスピーチをしています。スピーチを聞いて質問に答えなさい。

日本に着いた日、飲み物を買うためにコンビニに行きました。店に入ると店員さんが笑顔で「いらっしゃいませ、こんにちは」とあいさつをしてくれたので、私も笑顔で「こんにちは」と返したら、なぜか店員さんに変な顔をされてしまいました。

次の日、スーパーのレジでも同じようなことがありました。「お待たせしました」と言われたので「いえいえ、大丈夫です」と返したのですが、また変な顔をされてしまいました。

不思議に思って他のお客さんの様子を見てみると、店員さんに返事をする人はあまりいません。コンビニでアルバイトをしている日本人の友達によると、レジで店員さんに「こんにちは」などとあいさつするお客さんはほとんどいないらしいです。「いらっしゃいませ、こんにちは」はマニュアルどおりのあいさつで、意味がないのかもしれません。でも、店員さんにあいさつしてもらったら、あいさつを返すほうが気持ちよく買い物ができるし、店員さんも楽しく働けると思います。みなさんはどう思いますか。

第2課・聴解1 お花見旅行の相談（そうだん）

（🎧 4.Chokai_L2-1）

■解答　d

留学生のサラと日本人学生の美希（みき）が「お花見旅行」について話しています。会話を聞いて2人がお花見旅行に行く町に○をつけなさい。

美希（みき）：サラ、おはよう。
サラ：おはよ。
美：このごろ少し暖（あたた）かくなってきたね。
サ：うん、ずいぶん春らしくなってきたね。春に日本にいるんだから、どこかに桜（さくら）を見に行きたいな。ねえ、春休みに一緒（いっしょ）にお花見旅行に行かない？
美：いいね。楽しそう！　あ、そうだ。これ知ってる？「桜の開花予想（よそう）」。
サ：開花予想？
美：桜がいつ咲（さ）き始めるか、2月ぐらいから予想が発表されるんだよ。ネットでも見られるの。……ほら、これ。
サ：へえ。これは……どういうふうに見るの？
美：例えば、3月25日のラインだったら、このラインより南は25日までに咲くんだよ。
サ：へえ。北に行けば行くほど咲くのが遅くなるんだね。大阪（おおさか）は3月25日。大阪でお花見をするなら3月25日ごろがいいってこと？
美：ううん、これは「開花予想」だから、3月25日に咲き始めるっていうこと。満開（まんかい）になるまで1週間ぐらいかかるから、一番きれいなのは……4月1日ごろかな？
サ：なるほど。じゃあ、これを見て、いつ、どこに行くか決めればいいんだね。
美：うん。サラはどこか行きたいところある？
サ：仙台（せんだい）か、福岡（ふくおか）に行ってみたいな。行ったことがないから。
美：日にちはいつごろがいい？
サ：春休みが4月2日まででしょう？　新学期の準備があるし、3月28日から30日はどう？
美：じゃあ、満開の桜が見たかったら、ここしかないね。
サ：そうだね！　ここで決まりだね！

第2課・聴解2 目上の人をほめること

（🎧 4.Chokai_L2-2）

■解答
1. ① ×　② ○　③ ○　④ ×　⑤ ○
2. 「佐藤（さとう）さんの説明のおかげで、とてもよくわかりました」と言ったほうがよかったです。
3. 日本語は難しいと思っています。

フランス人留学生のサラが、クラスで「目上の人をほめること」についてスピーチをしています。スピーチを聞いて質問に答えなさい。

先月、大学で、ある会社のインターンシッププログラムの説明会がありました。説明会では担当（たんとう）の佐藤（さとう）さんという方が、仕事の内容（ないよう）やインターンシップの申し込み方法についてわかりやすく説明してくださいました。最後に質問の時間があったのですが、私は質問をする前に「とても上手に教えてくださってありがとうございました」とお礼を言いました。すると、後で大学のキャリアセンターのスタッフに「『上手』は人を評価（ひょうか）する言葉だから、目上の人には使わないほうがいいです。上手だったことを伝えたい時は『佐藤さんの説明のおかげで、とてもよくわかりました』と言いましょう」と言われてしまいました。

そう思ってテレビを見てみると、たとえば料理番組で料理の先生をほめる時など、「上手」という言葉は使われていません。その代わりに「色がきれいで華やかですね」とか「とてもおいしいです」などと言っています。

目上の人と話す時は敬語だけではなく言い方にも気をつけなければいけないので、日本語は難しいと思いました。

第3課・聴解1 富士登山の計画

（4.Chokai_L3-1）

■解答　c

登山サークルのアンドレアと研が、富士山のパンフレットを見ながら登山イベントの計画を立てています。会話を聞いて、この人たちが登るルートに○をつけなさい。

研：そろそろ富士登山のイベントの計画を立てないとね。

アンドレア：研は何度も登ったことあるんだよね？ 僕、1回しか行ったことがないから、不安だなあ。

研：大丈夫。わからないことがあったら聞いてよ。まずはルートを決めようか。

ア：ええと、ルートは4つあるんだよね。

研：今年は初めて登る人もいるんだよね？ でも、何度も登ってる人もいるし、人によって登りたいルートが違うかもしれないね。

ア：そうだね。どうしよう？

研：初めての人がいるなら、一番長いルートはやめたほうがいいと思う。

ア：そうだね。他のルートに比べて、登るのにずいぶん時間がかかるみたいだし……。

研：うん。

ア：じゃあ、この一番短いルートは？

研：短いからって、簡単だとは限らないよ。このルートは道が急だから、難しいんだ。

ア：そっか。じゃあ、人気の「吉田ルート」はどう？ 道が安全で歩きやすいって聞いたけど……。

研：うーん。人気があるルートは人が多いから、ゆっくり歩かないといけないことがあるんだよね。登るスピードがゆっくりだと、登山経験が長い4年生はいらいらしたり、疲れたりするかも。

ア：そうなんだ。じゃあ、あまり人が多くなくて、長すぎないルートがいいね。

第3課・聴解2 レストランで並ぶこと

（4.Chokai_L3-2）

■解答

1. ① ○　② ×　③ ×　④ ○　⑤ ×
2. スマートフォンやテレビゲームなど、新しいものが発売される時です。
3. あまり大変なことではないと思っています。

イタリア人留学生のアンドレアが、クラスで「レストランで並ぶこと」についてスピーチをしています。スピーチを聞いて質問に答えなさい。

週末、日本人の友達と晩ご飯を食べに行きました。その友達が「食べたいラーメンがある」と言うのでそのお店に行ったのですが、私たちが行った時には、もうたくさんの人が並んでいました。お店の人に聞いたら、「1時間ほどかかります」と言うのです。そんなに待ちたくなかったので、私は「別の店に行こう」と言ったのですが、友達が「絶対にここで食べたい」と言うので、結局行列に並ぶことになりました。

待っている間に、友達に、「日本人は待つのが好きだよね。本当によく行列を見るよ」と言ったら、「外国の人も並んでるよ。何か新しいものが発売される時は、どこでもたくさん並んでるでしょう？ 例えば、スマートフォンとか、テレビゲームとか。それに、イタリアに旅行に行った時、ピザの店で結構待たされたよ」と言われました。

確かに日本人だけが長い行列に並ぶとは限りません。でも、日本人にとって行列に並ぶことは、あまり大変なことではないようだと感じます。みなさんは何のためなら並んでもいいですか。どのぐらいの時間なら待てますか。

第4課・聴解1 アルバイトの初日

（4.Chokai_L4-1）

■解答 ①③⑤⑨

レストランの店長が、今日からアルバイトを始める留学生のレオンに、仕事の内容について説明しています。会話を聞いて、レオンがやることに✓（チェック）をつけなさい。

店長：今から接客の仕方について説明します。これが接客マニュアルです。いろいろ書いてあるけど、とりあえず今から言うことができるようにしてください。チェックしながら聞いてね。

レオン：はい、お願いします。

店：まず、お客様を席に案内したら、すぐにお水とおしぼりを持っていってください。

レ：あの、すみません、おしぼりって何ですか。

店：このぬれた小さいタオルのことです。食べる前や食べている時に、手をふくのに使います。

レ：へえ、洗いに行かずに済むから、いいですね。

店：おしぼりはお客様一人ずつに、広げてわたしてください。

レ：わかりました。

店：次に、メニューを開いて、お客様にわたしてください。そして、「ご注文が決まりましたら、こちらのボタンでお呼びください」と言って、戻ってきてください。

レ：はい……あ、あの、「ボタン」って何のことですか。

店：ああ、このテーブルの上にあるボタンのことです。お客様がこれを押すとチャイムが鳴って、あそこの番号のランプがつきます。

レ：ああ、そうなんですか。

店：番号のランプがついたら、すぐにその番号のテーブルに注文を取りに行ってください。お待たせしないようにしてくださいね。

それと、もう一つ、お客様が少ない時は、できるだけお客様のテーブルを回って、コップに水を入れるようにしてください。お客様に言われる前に行動することが大切です。

レ：わかりました。

店：じゃあ、入ったばかりだから大変かもしれないけど、がんばってください。

レ：はい、がんばります。

第4課・聴解2 夏の長期休暇

（4.Chokai_L4-2）

■解答

1. ① ○　② ×　③ ○　④ ○　⑤ ×
2. 自分だけ休むのは同僚に申し訳ないし、自分がいないとできない仕事があるから、休むと周りに迷惑がかかると考えるからです。
3. 日本人はプライベートより仕事を優先する人が多いからです。

ドイツ人留学生のレオンが、クラスで「夏の長期休暇」についてスピーチをしています。スピーチを聞いて質問に答えなさい。

日本もドイツも勤勉な国として知られていますが、働き方は全然違うような気がします。夏休みに日本の会社でインターンシップをした時、驚いたことがありました。

それは、日本人が長い休みをあまり取らないことです。ドイツでは、7月から8月までの間に2～3週間の長い休みを取って、家族と旅行するのが一般的です。週2回のアルバイトでさえ、ちゃんと休みを取ります。日本では8月15日ごろの「お盆」という時期に1週間ぐらいの休みがありますが、2～3週間の休みを取るのは難しいそうです。

インターンシップ先の社員の人にどうして長い休みを取らないのか聞いたら、「自分だけ休むのは同僚に申し訳ない」とか、「自分がいないとできない仕事があるから、周りに迷惑がかかる」と言っていました。昔と比べたらずいぶん休みが取りやすくなったそうですが、たいていの人は1日の休みを時々取るだけだそうです。長い休みを取れば家族とゆっくり旅行できるのに、と思いますが、日本ではプライベートより仕事を優先する人が多いようです。

みなさんの国ではどうでしょうか。

第5課・聴解1 今日の晩ご飯

（4.Chokai_L5-1）

■解答　d

留学生のソヨンが、寮のルームメートと今日の晩ご飯について話しています。会話を聞いて、2人が作るものに○をつけなさい。

ルームメート：もう6時かあ。今日の晩ご飯どうする？ 何か作る？

ソヨン：出かけるのは嫌だから、今あるもので作ろうよ。冷蔵庫に何が残ってたっけ？

ル：確かとり肉と玉ねぎがあったはず……。それで何が作れるかな？

ソ：ネットで調べてみよ。……見て。いろんなレシピが出てきたよ。

ル：見せて見せて。わあ、何これ、おいしそう！

ソ：ほんとだ！ ああ、でも、トマト缶もヨーグルトもないなあ……。じゃあ、これは？ これなら、あるもので作れるよ。

ル：そうだけど……。揚げ物は油の片づけが大変だからなあ……。

ソ：じゃあ、これは？ 簡単そうだよ。あ、でも三つ葉がないか……。

ル：ねえ、オムライスもよさそうじゃない？ にんじんとグリーンピースが入ったミックスベジタブルが冷凍庫にあるし、たまごもあるし。……ケチャップはあったっけ？

ソ：冷蔵庫、見てみる。……あ、あと少ししかない！ 買っておけばよかった……。

ル：じゃあ、やっぱりこれにしようよ。とり肉も玉ねぎもたまごも調味料も全部あるし、簡単そうだし。

ソ：そうだね！ おなかすいたし、早く作ろう！

第5課・聴解2 家に遊びに行く約束

（4.Chokai_L5-2）

■解答

1. ① ○　② ○　③ ×　④ ×　⑤ ○
2. お客さんが来る前にそうじしたい人もいるからです。
3. 約束しておかないと家に遊びに行けないことです。

韓国人留学生のソヨンが、クラスで「家に遊びに行く約束」についてスピーチをしています。スピーチを聞いて質問に答えなさい。

日本に留学して３カ月になり、仲がいい日本人の友達もできました。その友達は同じ授業を取っているので、授業の後に晩ご飯を食べに行ったりカラオケに行ったりします。

この間、その友達の家の近くを通ったので、遊びに行ってみることにしました。ところが友達は、「今はちょっと無理。遊びに来る時は、前もって連絡してもらえないかな？」と言って、中に入れてくれませんでした。

授業の後で遊ぶ時は前もって約束しなくてもいいのに、どうして家に遊びに行く時は約束が必要なのかわかりませんでした。それで、他の日本人の友達に聞いてみたら、「その時忙しかっただけかもしれないけど、人の家に行く時は、約束しておいたほうがいいよ。お客さんが来る前にそうじしたい人もいるし」と言われました。

約束をしておかないと家に遊びに行けないのは面倒だと思うのですが、日本では約束をしておいたほうがいいのでしょうか。みなさんの国ではどうですか。

第6課・聴解1 ゴミの分別

（4.Chokai_L6-1）

■解答　b

留学生のメイリンが、寮のルームメートとゴミを出す日について話しています。２人はいつどんなゴミを出しますか。会話を聞いて、内容に合う表に○をつけなさい。

ルームメート：たまに大そうじすると、びっくりするほどたくさんゴミが出てくるね。

メイリン：そうだねえ。とにかく分別しなきゃ。……えっと、新聞は燃えるから燃えるゴミだね。

ル：ううん。新聞はリサイクルできるから資源ゴミだよ。

メ：そっか。じゃあ、この目覚まし時計は？

ル：うーんと、ゴミの分別表によると、プラスチックが多い場合は燃えるゴミ、金属が多い場合は燃えないゴミだって。

メ：ふーん。じゃ、これはほとんどプラスチックだから、こっちの袋に入れておくね。このサングラスは？

ル：ケースと分けて捨てなきゃいけないみたい。サングラスはプラスチックだから燃えるゴミ、ケースは金属だから……

メ：燃えないゴミだね。ああ、このハンディークリーナー、こわれちゃったんだよねえ。これって粗大ゴミ？ だとしたら、このまま出せないよね？

ル：えーっと、一番長いところが50センチ以上のものは粗大ゴミだって。それ、30センチくらいだから、燃えないゴミでいいんじゃない？

メ：じゃあ、こっちだね。ところで、このゴミ、いつ捨てればいいのかな？

ル：燃えるゴミは火・金だよ。今日は水曜日か……。

メ：じゃあ、あさっての朝、私、出しとくよ。
ル：ありがとう。じゃあ、燃えないゴミは私が。えっと、これは月１回、第３水曜日だから、まだ先だね。
メ：うん。資源ゴミは？
ル：毎週月曜日だって。
メ：資源ゴミは重いから、ジョージに手伝ってくれるようにお願いしようよ。
ル：そうだね。

第６課・聴解２ 注意する時の言い方

（4.Chokai_L6-2）

■解答
1. ①× ②○ ③× ④○ ⑤○
2. 「閉(し)めて」という注意の意味があったと考えています。
3. はっきり言ったほうが誤解(ごかい)がなくて、お互(たが)いに気持ちよく過ごせるからです。

中国人(ちゅうごくじん)留学生のメイリンが、クラスで「注意する時の言い方」についてスピーチをしています。スピーチを聞いて質問に答えなさい。

この間、日本人のルームメートの言いたいことがわからなくて、少し嫌な思いをしました。その日は暑かったので、私は窓(まど)を開けて出かけました。部屋に帰った時、ルームメートに「出かける時は窓を閉(し)めたほうがいいんじゃない？」と言われたのですが、私はただのアドバイスだと思い、あまり気にしていませんでした。そして、次の日も暑かったので、窓を開けたまま出かけました。その晩ルームメートは少し怒って「昨日(きのう)、窓を閉めてから出かけるように頼んだのに、なんで窓を開けたまま出かけたの？」と言いました。ルームメートの「閉めたほうがいいんじゃない？」というのは「閉めて」という注意の意味だったのです。

考えてみると、家に帰ってきたらルームメートに「また窓が開いていたよ」と言われたことが前に何度かありました。これも「閉めて」という意味だったのでしょうか。

注意する時は少し言いにくくても、はっきり言ってくれたほうが誤解(ごかい)がなくて、お互(たが)いに気持ちよく過ごせると思います。みなさんだったら、ルームメートにどのように注意しますか。

文型・表現さくいん

単語さくいん

おくちなおし　お口直し　palate cleanser　L5-読1
おくれる　遅れる　to be late; to fall behind　L4-読1
おこなう　行う　to do; to conduct　L2-読1
おさけ　お酒　liquor; sake　◆L2-読2
おじぎ　bow　L4-読2
おしゃべり　chatter　L4-読2
おす　押す　to push　◆L5-読1
おすすめ　recommendation　L5-読1
おせちりょうり　おせち料理　traditional Japanese New Year dishes　L2-読1
おそれる　恐れる　to be afraid of; to fear　◇L6-読2
おつまみ　snacks to go with alcohol　L3-読2
[～を] おとずれる　訪れる　to visit (a place)　◆L3-読1
おとな　大人　adult　L1-読1
[～に] おどろく　驚く　to get surprised　◇L4-読2
おねがい（する）　お願い　to request; to ask a favor　◆L2-読1
おはなみ　お花見　cherry-blossom viewing　L2-読2
おべんとう　お弁当　bento; Japanese box lunch　L2-読2
おぼえる　覚える　to remember; to memorize　◆L3-読2
おゆ　お湯　hot water　◇L5-読1
おれい　お礼　gratitude　◆L2-読2

か

～か　～課　division; department; section　◇L2-読1
～か　～化　change to ~; ~ization　L6-読2
かいがい　海外　overseas　L4-読1
かいしゃがえり　会社帰り　one's way home from work　L3-読2
かいしょう（する）　解消　to relieve (stress)　◇L3-読2
かいてんずし　回転ずし　sushi-go-round　L5-読1
ガイド　guide　L3-読1
かうんたーせき　カウンター席　counter seat　L5-読1
かえる　変える　to change (something) [*vt.*]　L5-読1
かぎる　限る　to limit　◆L3-読1
かく　描く　to draw　L1-読1
かくじつに　確実に　definitely; certainly　L6-読1
がくせいじだい　学生時代　school days　L1-読2
～かげつ　～カ月　~ month(s)　L2-読1
[時間を] かける　to spend (time) [*vt.*]　L1-読1
かける　to cover; to put something on [*vt.*]　L6-読1
[～が] かさなる　重なる　to overlap [*vi.*]　L4-読1
かしこまりました　Certainly.　L4-読2
かじょうな　過剰な　excessive　L6-読1
かず　数　number　◇L3-読2
かぞくづれ　家族連れ　family　L3-読2
かたい　hard; firm　L1-読1
かたづけ　片づけ　cleaning up　◇L4-読2
かたる　語る　to talk　L4-読1
かちかん　価値観　values　◇L4-読1
かつおぶし　かつお節　shaved dried bonito　L5-読2
かつどう　活動　activity　L2-読2
かつやく（する）　活躍　to play an active part　◇L6-読2
かてい　家庭　home; family　◇L5-読2
かていりょうり　家庭料理　home cooking　L5-読2
かならず　必ず　certainly; always　◆L1-読2
かのうせい　可能性　possibility　◇L6-読2
かみ　髪　hair　L1-読1
かみぶくろ　紙袋　paper bag　◇L6-読1
がめん　画面　screen　◆L5-読1
からあげ　から揚げ　fried chicken　L3-読2
ガリ　pickled ginger　L5-読1
かるく　軽く　lightly　L5-読2
カレールー　curry roux　L5-読2
かわ　皮　skin; coat　◇L5-読2
かわった　変わった　different; unusual　L5-読1
[～と] かわらない　変わらない　to be no different　L3-読2
かんがえなおす　考え直す　to reconsider　L6-読1
かんきょう　環境　environment　◇L1-読1
かんけい　関係　relation; connection　◆L6-読2
かんけいがある　関係がある　to be related　L6-読2
かんじゃ　患者　patient　L1-読2
かんじょう　感情　feeling; emotion　L6-読2
かんじる　感じる　to feel　L3-読2
かんしん　関心　interest　◆L6-読2
かんせい（する）　完成　to complete　◇L5-読2
かんたんな　簡単な　easy; simple　◆L1-読2
かんとく　監督　director　L1-読1
かんばん　看板　signboard　◇L5-読1

き

きかい　機会　chance; opportunity　◆L2-読2
[～に] きがつく　気がつく　to notice　L2-読2
きがるに　気軽に　freely; readily　◆L4-読1

きかん　期間　a period of time ◇L2-読2
きぎょう　企業　company ◇L4-読1
[～に] きこく(する)　帰国
to return to one's country L4-読1
ぎじゅつ　技術　technology ◇L1-読2
きせつ　季節　season ◇L2-読1
きたい(する)　期待　to expect L4-読2
きちんと　neatly; accurately L4-読2
きづかい　気づかい　concern; consideration L6-読1
きっかけ　start; impetus L1-読1
きっと　surely; certainly L2-読1
[～が] きにいる　気に入る
to like; to be pleased with L2-読2
[～を] きにする　気にする　to mind; to worry L3-読2
[～が] きになる　気になる
to be on one's mind; to worry L6-読1
きびしい　厳しい　strict L1-読1
きまった　決まった　fixed L3-読2
きまり　決まり　agreement; rule L4-読2
きめる　決める　to set; to decide [*vt.*] ◆L1-読2
ぎもん　疑問　doubt; question ◆L6-読1
きゅうしゅう(する)　吸収　to absorb ◇L6-読2
きゅうな　急な　sudden; urgent L2-読1
ぎゅうにく　牛肉　beef L5-読2
きょういく(する)　教育
to educate; to train (employee) ◆L4-読2
きょうかしょ　教科書　textbook ◇L2-読2
きょうじゅ　教授　professor L1-読2
きょうみ　興味　interest ◇L1-読1
ぎょうれつ　行列　line; queue ◆L5-読1
きょり　距離　distance L3-読1
[～に] きをつける　気をつける
to take care; to be careful L2-読1
きんがく　金額　amount of money; price ◇L3-読2
きんべんさ　勤勉さ　diligence ◇L4-読2

く

クッキー　cookie L6-読1
[～と／に] くらべる　比べる
to compare with/to L4-読1
くりかえす　繰り返す　to repeat ◇L5-読1
くるしむ　苦しむ　to suffer ◇L1-読2
[～に] くろう(する)　苦労
to have trouble; to have a hard time ◇L4-読2
くわえる　加える　to add [*vt.*] L5-読2
くわしい　詳しい　detailed ◇L5-読1

け

けいかく　計画　plan L3-読1
けいかくをたてる　計画を立てる
to make a plan L3-読1
けいぐ　敬具　sincerely yours
[a closing greeting in letters] ◇L2-読2
けいけんをつむ　経験を積む
to gain experience ◇L4-読1
げいじゅつてきな　芸術的な　artistic ◇L1-読1
けが　injury L1-読2
げざん(する)　下山　to go down a mountain L3-読1
けっかをだす　結果を出す　to achieve results L1-読2
けっきょく　結局　after all; eventually ◆L6-読1
けっして～ない　決して～ない
never; definitely not ◆L1-読2
けっしん(する)　決心
to make up one's mind; to determine ◆L1-読2
～けん　～県　~ Prefecture ◆L3-読1
けんきゅうしゃ　研究者　researcher L1-読2
げんご　言語　language L4-読1
げんざい　現在　currently; present time ◇L4-読1
けんざかい　県境　prefectural border ◇L3-読1
げんじょう　現状　current state ◇L6-読2
～げんてい　～限定　limited; ~ only ◆L5-読1
げんばくどーむ　原爆ドーム　Atomic Bomb
Dome (Hiroshima Peace Memorial) L4-読1
けんめい　件名　subject L2-読1

こ

こうえん　講演　lecture; speech ◇L1-読2
こうえん　公園　park ◇L2-読2
[～に] こうかてきな　効果的な　effective ◆L6-読2
こうかん(する)　交換　to exchange ◇L4-読1
こうきゅうな　高級な
expensive; high-class ◇L5-読1
こうどう(する)　行動　to act; to move [*vi.*] L4-読1
[～と] こうりゅう(する)　交流
to exchange; to interact ◇L2-読1
こえる　超える　to exceed; to be over ◇L6-読2
こくさい　国際　international ◆L1-読1
こくさいかんかく　国際感覚
cosmopolitan outlook L6-読2
[～が] こげる　to get burned [*vi.*] L5-読2
こしつ　個室　private room ◆L3-読2

ことなる 異なる to differ ◇L2- 読 2
～ごとに every ~ L5- 読 1
ことば 言葉 word; language ◇L1- 読 2
ごみばこ ゴミ箱 trash can ◇L3- 読 1
コミュニティーセンター community center L2- 読 1
ゴム rubber L1- 読 1
ごらいこう ご来光 rising sun ◇L3- 読 1
ころ 頃 when; the time ◇L2- 読 2
こんご 今後 from now; hereafter L6- 読 2
こんぶ kelp L5- 読 2
こんらん（する） 混乱 to get confused ◇L6- 読 2

さ

サークル circle L3- 読 2
[～に] ざいがく（する） 在学 to be in school ◇L4- 読 1
さいだいの 最大の the greatest L3- 読 2
サイドメニュー side menu L5- 読 1
さいよう（する） 採用 to hire; to employ ◇L4- 読 1
ざいりょう 材料 ingredients; materials ◇L5- 読 2
～さき ～先 one's destination L4- 読 1
さくひん 作品 a work L1- 読 1
さくら 桜 cherry blossoms L2- 読 2
さけ 酒 liquor; sake ◆L2- 読 2
[～に] さそう 誘う to invite (someone) to ◇L2- 読 2
ざだんかい 座談会 round-table talk ◇L4- 読 1
さつ 札 bill; note ◇L3- 読 1
さっか 作家 writer L1- 読 1
ざっし 雑誌 magazine ◇L6- 読 1
さて now then L2- 読 1
さとう 佐藤 Sato [surname] L2- 読 2
さとう 砂糖 sugar L5- 読 2
サマーコース summer course L2- 読 2
さまざまな 様々な various L3- 読 2
さむい 寒い cold (weather) ◆L2- 読 1
さらだゆ／さらだあぶら サラダ油 salad oil ◇L5- 読 2
さらに additionally L3- 読 2
サラリーマン salaried employee L3- 読 2
[～に] さんか（する） 参加 to participate; to join ◇L3- 読 1
[～に] さんせい（する） 賛成 to approve; to agree ◆L6- 読 2
さんちょう 山頂 summit ◇L3- 読 1
ざんねんな 残念な unfortunate; disappointing ◆L4- 読 1

し

～し ～市 ~ City L2- 読 1
シーン scene L1- 読 1
じかんたい 時間帯 period of time (in a day) ◇L5- 読 1
じかんない 時間内 within a time frame L3- 読 2
じかんをすごす 時間を過ごす to spend time L4- 読 1
じき 時期 time; period L4- 読 1
しげん 資源 resource ◇L6- 読 1
しげんごみ 資源ゴミ recyclable waste ◇L6- 読 1
じこく 自国 one's home country L6- 読 2
じしん 自身 oneself L4- 読 1
[～に] じしんがつく 自信がつく to gain confidence in L4- 読 1
しずおかけん 静岡県 Shizuoka Prefecture L3- 読 1
しぜんに 自然に naturally; effortlessly L4- 読 1
じぜんに 事前に in advance L4- 読 1
[～と] したしい 親しい close; intimate L3- 読 2
じっかん（する） 実感 to realize L4- 読 1
じっさいに 実際に actually L4- 読 1
じつは 実は actually ◆L2- 読 1
しっぱい（する） 失敗 to fail ◇L6- 読 2
しばらくすると after a little while L5- 読 1
じぶんじしん 自分自身 oneself L4- 読 1
しめきり 締め切り deadline L2- 読 1
しゃいん 社員 employee of a company L4- 読 2
じゃがいも potato L5- 読 2
しやをひろげる 視野を広げる to broaden one's perspective ◇L4- 読 1
しゅうかん 習慣 custom ◇L2- 読 2
[～に] しゅうしょく（する） 就職 to get employed ◆L1- 読 1
しゅうしょくかつどう 就職活動 job hunting L4- 読 1
じゅうどう 柔道 judo L1- 読 2
しゅうとく（する） 習得 to acquire L6- 読 2
じゆうに 自由に freely L4- 読 1
じゅうぶんな 十分な enough; sufficient L4- 読 1
じゅうような 重要な important L4- 読 1
じゅぎょうりょう 授業料 tuition L4- 読 1
じゅく 塾 cram school L6- 読 2

しゅじゅつ 手術 surgery ◇L1-読2

じゅしょう(する) 受賞
to receive an award ◆L1-読1

しゅちょう(する) 主張 to insist; to claim ◆L6-読2

しゅっしん 出身 one's hometown ◇L1-読2

[~に] しゅっぴん(する) 出品
to submit (one's work to ~) L1-読1

しゅふ 主婦 housewife; homemaker L3-読2

しゅみ 趣味 hobby L1-読1

しゅるい 種類 kinds ◆L3-読2

じゅんばんに 順番に in order ◆L5-読1

じゅんび(する) 準備 to prepare ◇L2-読2

しょうが ginger L5-読1

しょうかい(する) 紹介 to introduce ◆L1-読1

じょうじゅん 上旬 early in the month L2-読1

[~が] じょうたつ(する) 上達
to improve [*vi.*] L6-読2

しょうちょう 象徴 symbol ◇L3-読1

しょうひん 商品 merchandise; product ◆L6-読1

じょうぶな 丈夫な sturdy; tough L3-読1

じょうほう 情報 information ◆L3-読1

しょうゆ soy sauce L5-読1

しょうらい 将来 future ◆L1-読2

ショック shock L1-読2

しょにち 初日 first day L4-読2

[人と] しりあう 知り合う to get to know ◆L2-読2

しる 汁 soup; juice ◇L5-読2

じんせい 人生 life L1-読2

しんせんな 新鮮な fresh ◇L5-読1

しんねんかい 新年会 New Year party L3-読2

す

すいせんじょう 推薦状
recommendation letter L2-読1

すきなだけ 好きなだけ
as much as one likes L3-読2

すくう 救う to save; to cure L1-読2

すごす 過ごす to spend one's time ◇L2-読2

すずき 鈴木 Suzuki [surname] L2-読1

[~が] すすむ 進む
to proceed; to advance [*vi.*] ◆L6-読2

~ずつ each ~ (e.g., 一つずつ one by one) L6-読1

すづけ 酢漬け pickles L5-読1

すでに already L6-読2

すてる 捨てる to throw away ◆L5-読2

ストーリー story L1-読1

すばらしい great; wonderful L1-読1

すべて all L2-読2

スポンジ sponge L6-読2

すまん sorry (=すみません) L1-読2

[~が] すむ 済む to finish; to end [*vi.*] ◆L4-読1

スライス(する) to slice L5-読2

せ

せいかく 性格 personality; character ◇L1-読2

せいかつひ 生活費 living expenses ◇L4-読1

せいかつようしき 生活様式 lifestyle ◇L4-読1

せいこう(する) 成功 to succeed L1-読2

せいじ 政治 politics ◇L4-読1

せいせき 成績 grade; result ◆L4-読1

せいど 制度 system ◇L6-読2

せかいじゅうで 世界中で
around the world L1-読1

せかいぶんかいさん 世界文化遺産
World's Cultural Heritage (site) L3-読1

せき 席 seat ◇L3-読2

せきにつく 席に着く to have a seat L3-読2

せっきょくてきに 積極的に actively ◇L4-読1

[~に/と] せっする 接する to attend to ◆L4-読2

ぜんこくてきに 全国的に nationwide L6-読2

せんじつ 先日 the other day L2-読2

せんとちひろのかみかくし 千と千尋の神隠し
Spirited Away [movie title] L1-読1

せんぱい 先輩 one's senior ◇L6-読2

そ

そうき 早期 early L6-読2

そそぐ 注ぐ to pour; to fill one's cup L5-読1

そだてる 育てる to educate; to train [*vt.*] L6-読2

そのせつ その節
at that time; on that occasion ◇L2-読2

そのほかに その他に
other than that; in addition ◇L3-読1

ソフトドリンク non-alcoholic drinks L3-読2

そろそろ soon; nearly L2-読2

そんけい(する) 尊敬 to respect ◆L1-読2

た

だいいちに 第一に first ◆L6-読2

[~に] たいおう(する) 対応
to serve; to respond ◇L4-読2

たいけん（する） 体験 to experience L4-読1
たいしょう 対象 target L4-読1
たいせつにする 大切にする to take care of; to treasure L2-読2
たいてい generally; mostly L3-読2
だいひょう（する） 代表 to represent L4-読2
ダウンジャケット down jacket L3-読1
だし soup; stock L5-読2
たしかに 確かに certainly; indeed ◆L4-読1
だす 出す to put out [*vt.*] L4-読2
たすける 助ける to save; to help [*vt.*] ◆L1-読2
ただしい 正しい correct; true L4-読1
たった only; merely L1-読1
タッチパネル touchscreen L5-読1
たてに 縦に vertically ◇L5-読2
たとえば 例えば for example ◆L1-読1
たのしむ 楽しむ to enjoy L2-読1
たのむ 頼む to ask; to request ◆L4-読2
たまねぎ 玉ねぎ onion ◇L5-読2
たような 多様な various; diverse L4-読1
たんい 単位 credit ◇L4-読1

ち

チェーン chain L3-読2
チューハイ *shochu*-based highball L3-読2
ちゅうび 中火 medium heat L5-読2
ちゅうもん（する） 注文 to order L3-読2
ちゅうもんひん 注文品 ordered thing L5-読1
ちょうせい（する） 調整 to adjust ◇L5-読2

つ

ツアー tour L3-読1
つい unintentionally; automatically ◇L5-読1
[〜に] ついていく to keep up with L4-読1
[〜を] つうじて 通じて through; via L4-読1
つうじょう 通常 usually; normally L5-読1
つかれる 疲れる to get tired; to get exhausted ◆L3-読2
つぎつぎと 次々と continuously; one after another L5-読1
[〜に] つく 付く to be attached to; to be connected to [*vi.*] ◇L5-読1
[〜に] つたえる 伝える to convey (a message) to ~ [*vt.*] ◆L2-読2
つつむ 包む to wrap ◇L6-読1
つまらないものですが It's nothing, but L2-読2
つまり in other words L1-読2
つめたい 冷たい cold (thing/people) ◇L2-読1

て

ティーバッグ tea bag L5-読1
ていこうかん 抵抗感 reluctance; resistance ◇L6-読2
ていねいに 丁寧に carefully; politely ◇L6-読1
ていばん 定番 standard ◆L5-読2
てつだう 手伝う to help; to assist ◆L2-読1
では well then L2-読2
てん 点 point ◆L3-読1

と

〜ど 〜度 degrees L3-読1
とうしょ（する） 投書 to write to a newspaper ◆L6-読1
どうりで no wonder L4-読2
[〜に] とうろく（する） 登録 to register ◇L3-読1
とおい 遠い far ◆L4-読1
とかす 溶かす to melt; to dissolve L5-読2
ときには 時には sometimes L4-読1
[〜が] とくいな 得意な good at ◆L1-読1
とくちょう 特徴 characteristic ◇L3-読2
どくとくな 独特な unique; original; distinctive ◇L3-読2
とくに 特に especially L1-読1
とくべつな 特別な special L3-読1
とざん（する） 登山 to climb a mountain ◆L3-読1
とざんきゃく 登山客 mountain climber ◇L3-読1
とざんぐつ 登山靴 hiking boots L3-読1
どちらも both L6-読2
とつぜんの 突然の sudden ◇L2-読1
[〜に] とどける 届ける to deliver (something) to [*vt.*] L1-読2
となりのトトロ *My Neighbor Totoro* [movie title] L1-読1
[〜に] とまる 泊まる to stay [*vi.*] ◆L3-読1
ともだち 友達 friend ◇L2-読2
とる 取る to win (a prize); to take ◆L1-読1
どんどん rapidly; steadily L4-読1

な

ないよう 内容 description; content ◇L4-読2
なおす 直す to fix [*vt.*] ◇L1-読1

[病気を] なおす to cure; to heal [*vt.*] L1-読2
なかなか〜ない cannot easily ~ L4-読1
[〜と] なかよくなる 仲よくなる to make friends with ◇L3-読2
[すしが] ながれてくる 流れてくる to come down (revolving conveyor belt carries plates of sushi to) L5-読1
ながれる 流れる to flow L5-読1
なによりも 何よりも more than anything L4-読1
なべ pot L5-読2
[〜に] なれる 慣れる to get used to ◇L2-読1
なん＋counter＋も 何＋counter＋も many ~ of L3-読2

に

[〜が] にがてな 苦手な poor at ◇L1-読2
にぎり hand-pressed sushi L5-読1
にくじゃが 肉じゃが *nikujaga* (simmered meat, potatoes and onions) L5-読2
にこむ 煮込む to simmer; to stew ◇L5-読2
〜にたいする 〜に対する to; toward; for; concerning L6-読1
[〜を] にだす 煮出す to extract the flavor of ~ by boiling ◇L5-読2
にちじょうせいかつ 日常生活 daily life ◆L4-読1
にほんしゅ 日本酒 Japanese rice wine; sake L3-読2
にゅうもん 入門 introduction ◆L5-読1
にゅうりょく(する) 入力 to enter L5-読1
にる 煮る to boil; to simmer [*vt.*] ◇L5-読2
にんじん carrot L5-読2
にんずう 人数 number of people L5-読1

ぬ

[〜が] ぬれる to get wet [*vi.*] L6-読1

ね

ネタ ingredient (for sushi) L5-読1
ねだん 値段 price ◇L3-読2
ねっしんに 熱心に enthusiastically ◆L4-読2
ねっする 熱する to heat up L5-読2
ねんし 年始 beginning of the year L3-読2
ねんだい 年代 age; generation L2-読2
ねんまつ 年末 end of the year L3-読2
ねんれい 年齢 age ◇L6-読2

の

のーべるしょう ノーベル賞 Nobel Prize ◇L1-読2
[〜が] のこる 残る to remain; to be left [*vi.*] L4-読2
ノズル nozzle; faucet L5-読1
のべる 述べる to state; to express ◆L6-読2
のぼる 登る to climb ◆L3-読1
のみかい 飲み会 drinking party L3-読2
のみほうだい 飲み放題 all you can drink ◇L3-読2
[〜に] のる to be put on [*vi.*] L5-読1

は

ば 場 place L3-読2
ばあい 場合 case; circumstance L4-読1
はいけい 拝啓 Dear Sir/Madam [a letter salutation] ◇L2-読2
はこ 箱 box L6-読1
はずかしい 恥ずかしい to be shy; to feel embarrassed L1-読1, ◆L6-読2
はたらきはじめる 働き始める to start working L1-読2
はつおん(する) 発音 to pronounce L6-読2
はっけん(する) 発見 to discover L2-読2
[〜が] はったつ(する) 発達 to develop L6-読2
はっぴょう(する) 発表 to release L1-読1
はなしあう 話し合う to discuss; to talk about L4-読1
はなみ 花見 cherry-blossom viewing L2-読2
はば 幅 width ◇L5-読2
ばん 晩 evening; night ◆L1-読1
ばんごはん 晩ご飯 dinner ◆L1-読1
[〜に] はんたい(する) 反対 to oppose; to disagree ◆L6-読2
はんぶん 半分 half L5-読2

ひ

ひ 火 flame; fire L5-読2
ひげ beard L1-読1
ひじょうに 非常に very; greatly; extremely ◆L4-読1
[〜が] ひつようなし 必要な necessary ◆L1-読2
ひとあじちがう 一味違う to be somewhat different L5-読1
ビニール plastic; vinyl L6-読1
ひので 日の出 sunrise L3-読1
ひまな 暇な not busy L4-読2
びょう 秒 second ◇L1-読1
ひょうげん(する) 表現 to express L6-読2
ひょうじ(する) 表示 to show; to display ◇L5-読1

ひょうめん　表面　surface　◆L5- 読 2
[会を] ひらく　開く　to hold (a party)　L3- 読 2
[～が] ひろがる　広がる
　to spread; to open [vi.]　L6- 読 2
ひろしま　広島　Hiroshima　L4- 読 1

ふ

ふあんな　不安な　nervous; anxious　L1- 読 2
[～が] ふえる　増える　to increase [vi.]　◆L5- 読 1
ふかく　深く　deeply　L4- 読 1
[～が] ふかまる　深まる　to deepen [vi.]　◇L2- 読 2
ふかめる　深める　to deepen　L3- 読 2
[～が] ふく　吹く　to blow　◇L2- 読 1
ふくそう　服装　clothes　◇L3- 読 1
ふくろ　袋　bag　◇L6- 読 1
ふじ（さん）　富士（山）　Mt. Fuji　L3- 読 1
ぶじに　無事に
　without any problems; peacefully　L2- 読 2
ふじゅうぶんな　不十分な　deficient　L6- 読 2
ふだん　usually　L6- 読 2
ふち　frame (of glasses)　L1- 読 1
ふつうの　普通の　normal; ordinary　◇L3- 読 2
ぶぶん　部分　part　L1- 読 2
ふる　降る　to fall; to come down　◆L2- 読 1
[～に] ふれる　触れる　to touch; to encounter　◇L4- 読 1
ぷろいしき　プロ意識　professionalism　◆L4- 読 2
プログラム　program　L2- 読 1
～ぶん　～分　for ~ people　L5- 読 2
ふんいき　雰囲気　atmosphere　L3- 読 2
ぶんべつ（する）　分別　to separate; to sort　L6- 読 1
ふんまつ　粉末　powder　◇L5- 読 1

へ

ベッドサイド　bedside　L1- 読 2
ペットボトル　plastic bottle　L6- 読 1
べつの　別の　another　L2- 読 2
ベルトコンベア　belt conveyor　L5- 読 1
ベルリン　Berlin　L1- 読 1
へんじ　返事　reply　◆L2- 読 1
べんとう　弁当　bento; Japanese box lunch　L2- 読 2
べんりな　便利な　convenient　◆L5- 読 1

ほ

ほうそう（する）　包装　to package; to wrap　◇L6- 読 1
ほうそうし　包装紙　wrapping paper　◇L6- 読 1
ぼうねんかい　忘年会　year-end party　L3- 読 2
ほうふな　豊富な　abundant　◇L5- 読 1
ほうほう　方法　method; means; way　◇L1- 読 2
ホームシックになる　to get homesick　L4- 読 1
ホール　hall　L4- 読 2
ほーるにだす　ホールに出す
　to let someone serve customers　L4- 読 2
ぼく　僕　I [used among men]　◇L4- 読 1
ぼご　母語　mother tongue　L4- 読 1
ぼっくすせき　ボックス席　booth　◇L5- 読 1
～ほど　about ~　L1- 読 2
ほとんど～ない　rarely; hardly　L1- 読 1
ボランティア　volunteer　L2- 読 2
ほんかくてきに　本格的に
　on a full scale; in full swing　L4- 読 1
ほんきで　本気で　seriously　L6- 読 2
ほんば　本場　the home; the best place　L5- 読 1

ま

まきもの　巻物　sushi roll　◆L5- 読 1
ますます　more and more　L6- 読 2
また　also; in addition　L1- 読 1
まなぶ　学ぶ　to learn; to study　L2- 読 2
まもる　守る　to follow (rules)　L3- 読 1
まわり　周り
　surroundings; surrounding people　◇L6- 読 2
[～が] まわる　回る
　to turn around; to go around [vi.]　L5- 読 1

み

みじかい　短い　short　◆L2- 読 2
みどり　緑　greenery; verdure　L2- 読 2
みにつける　身につける　to learn; to acquire　L6- 読 2
みやざきはやお　宮崎駿　Hayao Miyazaki　L1- 読 1
みりょく　魅力　appeal; charm　L3- 読 2
みりん　sweet rice wine for cooking　L5- 読 2

む

むく　to peel [vt.]　L5- 読 2
むずかしい　難しい　difficult　◆L1- 読 2
むずかしさ　難しさ　difficulty　L3- 読 1
むだにする　to waste [vt.]　L4- 読 1
むりに　無理に　forcedly; by constraint　L6- 読 2

め

[〜が] めにはいる　目に入る　to come into view [*vi.*]　L5- 読 1

メリット　merit; advantage　L4- 読 1

も

[〜に] もうしこむ　申し込む　to apply for　◇L2- 読 1

もうしわけない　申し訳ない　sorry　◇L2- 読 1

[〜が] もえる　燃える　to burn [*vi.*]　◆L6- 読 1

もえるごみ　燃えるゴミ　burnable waste　◆L6- 読 1

もくひょう　目標　goal; objective　◇L1- 読 2

もちかえる　持ち帰る　to bring back　L3- 読 1

もっとも　最も　most　L3- 読 1

もとめる　求める　to seek; to want　◆L3- 読 2

もののけひめ　もののけ姫　*Princess Mononoke* [movie title]　L1- 読 1

や

やく　約　about; approximately　◇L3- 読 1

[〜に] やくだつ　役立つ　to be useful　L3- 読 1

[〜に] やくにたつ　役に立つ　to be useful　◆L2- 読 1

やさしい　優しい　gentle; kind　◇L1- 読 1

やすさ　安さ　cheapness　L3- 読 2

やっと　at last; finally　L2- 読 1

やはり　undoubtedly; after all　L1- 読 1

やまごや　山小屋　mountain lodge　L3- 読 1

やまなかしんや　山中伸弥　Shinya Yamanaka　L1- 読 2

やまなしけん　山梨県　Yamanashi Prefecture　L3- 読 1

やりすぎ　overkill; overdone　L6- 読 1

やわらかい　soft　L1- 読 1

ゆ

ゆ　湯　hot water　◇L5- 読 1

ゆういぎな　有意義な　significant; meaningful　L4- 読 2

ゆうじん　友人　friend　L1- 読 2

ゆうせんてきに　優先的に　preferentially　L4- 読 1

ゆのみ　湯のみ　Japanese teacup　◇L5- 読 1

ゆめ　夢　dream　◇L1- 読 2

よ

ようい(する)　用意　to prepare; to arrange　L3- 読 1

ようす　様子　condition　L4- 読 2

ようすをみる　様子を見る　to watch; to see how it goes　L5- 読 2

ようふう　洋風　Western style　L5- 読 1

よごす　汚す　to make something dirty [*vt.*]　◇L3- 読 1

よしだるーと　吉田ルート　Yoshida Trail　L3- 読 1

よぶ　呼ぶ　to call; to refer to ~ as　L3- 読 2

よぶ　呼ぶ　to call (someone's name); to summon　◆L5- 読 1

よやく(する)　予約　to make a reservation　◇L3- 読 1

よわび　弱火　low heat　◆L5- 読 2

ら

らいにち(する)　来日　to come to Japan　L6- 読 1

らくな　楽な　easy　L4- 読 2

ラグビー　rugby　L1- 読 2

り

りかい(する)　理解　to understand　◇L2- 読 2

リサイクル(する)　to recycle　L6- 読 1

りゆう　理由　reason　◇L1- 読 2

りょう　量　quantity　◇L3- 読 2

りょう　寮　dormitory　◇L4- 読 1

る

ルート　route　L3- 読 1

れ

れいぎただしい　礼儀正しい　polite　◇L4- 読 2

れいど　0度　zero degrees　L3- 読 1

れきし　歴史　history　◇L4- 読 1

れんしゅう(する)　練習　to practice　◆L4- 読 2

ろ

ろんりてきに　論理的に　logically　◇L6- 読 2

わ

わいわい　noisily　L3- 読 2

わかい　若い　young　L1- 読 1

[〜が] わかれる　分かれる　to get separated [*vi.*]　L6- 読 1

わさび　*wasabi*　L5- 読 1

わしょく　和食　Japanese food　◆L2- 読 1

わふう　和風　Japanese style　L5- 読 2

を

〜をとおして　〜を通して　through ~　L4- 読 2

著者略歴

坂本 正（さかもと ただし）【監修】

米国ボストン大学大学院博士課程修了。博士（応用心理言語学）。前第二言語習得研究会会長、元日本語教育学会副会長、南山大学名誉教授、名古屋外国語大学名誉教授。現在、名古屋外国語大学特任教授、愛知国際学院相談役。著書に『プロフィシェンシーと日本語教育』（共著／ひつじ書房）、『どんどん使える！日本語文型トレーニング 初級』『どんどん使える！日本語文型トレーニング 中級』（監修／凡人社）、『日本語教育への道しるべ』全4巻シリーズ（監修・共著／凡人社）、『日本語教師の7つ道具シリーズ＋（プラス）教案の作り方編』（共著／アルク）、『オンライン授業で使える日本語活動集90』（監修／コスモピア）等がある。

安井 朱美（やすい あけみ）

東北大学大学院文学研究科博士前期課程修了。修士（言語科学）。南山大学を経て、現在、名古屋外国語大学国際日本語教育インスティテュート准教授。著書に『どんどん使える！日本語文型トレーニング 中級』（共著／凡人社）等がある。元 ACTFL OPI 試験官。

井手 友里子（いで ゆりこ）

米国ウィスコンシン大学マディソン校大学院修士課程修了。修士（日本語学）。現在、南山大学外国人留学生別科非常勤講師。元 ACTFL OPI 試験官。

土居 美有紀（どい みゆき）

米国ウィスコンシン大学マディソン校大学院修士課程修了。修士（日本語学）。現在、南山大学外国人留学生別科非常勤講師。元 ACTFL OPI 試験官。

浜田 英紀（はまだ ひでき）

米国インディアナ大学大学院博士課程修了。博士（言語教育学）。ノックス大学、コロンビア大学、南山大学を経て、現在、国際教養大学准教授。著書に『異文化コミュニケーション能力を問う 超文化コミュニケーション力をめざして』（共著／ココ出版）がある。

■文型・表現ノート　一覧

✪……使えるようにするもの

4技能でひろがる 中級日本語カルテット♪ I

［別冊］

QUARTET:
INTERMEDIATE JAPANESE
ACROSS THE FOUR LANGUAGE SKILLS
[SUPPLEMENTARY TEXT]

the japan times
PUBLISHING

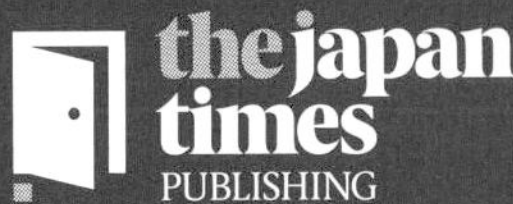

4技能でひろがる
中級日本語
カルテット I

QUARTET:
INTERMEDIATE JAPANESE
ACROSS THE FOUR LANGUAGE SKILLS

■ 単語リスト

第1課 読み物1 アニメ映画監督 宮﨑駿

かんとく みやざきはやお

◆ 新出漢字がある単語（読み書き） ◇ 新出漢字がある単語（読みだけ） ＿ 新出漢字

	漢	行	単語	読み	意味
		0	監督	かんとく	director
			宮﨑駿	みやざきはやお	Hayao Miyazaki
1.		1	やはり	やはり	undoubtedly; after all
			千と千尋の神隠し	せんとちひろのかみかくし	*Spirited Away* [movie title]
		2	作品	さくひん	a work
2.			特に	とくに	especially
	◇		アカデミー賞	あかでみーしょう	Academy Award
3.	◆		取る	とる	to win (a prize); to take
4.	◇	3	興味	きょうみ	interest
			もののけ姫	もののけひめ	*Princess Mononoke* [movie title]
			となりのトトロ	となりのととろ	*My Neighbor Totoro* [movie title]
		4	ストーリー	すとーりー	story
5.	◇		環境	かんきょう	environment
		5	大人	おとな	adult
		6	髪	かみ	hair
			ひげ	ひげ	beard
			ふち	ふち	frame (of glasses)
			笑顔	えがお	smile
6.	◇	7	優しい	やさしい	gentle; kind
7.			厳しい	きびしい	strict
8.	◆		例えば	たとえば	for example
		8	描く	かく	to draw
9.	◇		絵	え	picture; drawing; painting
10.	◇		直す	なおす	to fix [*vt.*]
		9	ゴム	ごむ	rubber
			かたい	かたい	hard; firm
			やわらかい	やわらかい	soft
11.		10	また	また	also; in addition
			たった	たった	only; merely
	◇		秒	びょう	second
			シーン	しーん	scene
		11	[時間を] かける	かける	to spend (time) [*vt.*]
12.		12	はずかしい	はずかしい	embarrassing; embarrassed
	◆	13	晩	ばん	evening; night
			ほとんど～ない	ほとんど～ない	rarely; hardly
	◆		晩ご飯	ばんごはん	dinner
		14	趣味	しゅみ	hobby
			若い	わかい	young
13.	◇	16	美しい	うつくしい	beautiful
14.	◇		芸術的な	げいじゅつてきな	artistic
		17	すばらしい	すばらしい	great; wonderful
			いつまでも	いつまでも	forever
			世界中で	せかいじゅうで	around the world
15.	◇		愛する	あいする	to love

16.	◇	19	紹介（する）	しょうかい（する）	to introduce
		20	～生まれ	～うまれ	born in ~
17.	◆		[～が] 得意な	とくいな	good at
		21	きっかけ	きっかけ	start; impetus
		22	作家	さっか	writer
18.	◇		[～に] 就職（する）	しゅうしょく（する）	to get employed
			発表（する）	はっぴょう（する）	to release
			ベルリン	べるりん	Berlin
19.	◆	23	国際	こくさい	international
20.	◇		映画祭	えいがさい	film festival
			[～に] 出品（する）	しゅっぴん（する）	to submit (one's work to ~)
			アカデミー名誉賞	あかでみーめいよしょう	Academy Honorary Award
	◇		受賞（する）	じゅしょう（する）	to receive an award

▶ **第1課・読み物1 ››››› 覚える単語と例文**　5.Tango_L1-1

1. やはり　日本はやはり東京が一番おもしろいと思います。
2. 特に　私は食べられないものが多いが、特にトマトが嫌いだ。
3. 取る　今年のスピーチコンテストで賞を取りたい。
4. 興味　日本のアニメに興味があったので、日本語の勉強を始めた。
5. 環境　しずかな環境で勉強したい。
6. 優しい　彼女はだれにでも優しくて親切だ。
7. 厳しい　私が子どもの時、両親はとても厳しかった。
8. 例えば　日本の料理、例えば、おすしや天ぷらなどが好きです。
9. 絵　これは妹が描いてくれた絵です。
10. 直す　先生に作文を直してもらいました。
11. また　彼は医者だ。また、研究者でもある。
12. はずかしい　「山」という漢字が読めなくて、はずかしかった。
13. 美しい　オーストラリアの海はとても美しいそうだ。
14. 芸術的な　ピカソの芸術的な絵が好きだ。
15. 愛する　彼女は子どもをとても愛している。
16. 紹介（する）　ガールフレンドを家族に紹介しました。
17. [～が] 得意な　外国からお客さんが来るのですが、英語が得意な人はいませんか。
18. [～に] 就職（する）　大学を卒業したら、日本の会社に就職したい。
19. 国際　東京には国際空港が２つある。
20. 映画祭　毎年５月にフランスでカンヌ国際映画祭が開かれる。

読み物2 ノーベル賞を取った研究者 山中伸弥教授

やまなかしんや

◆ 新出漢字がある単語（読み書き） ◇ 新出漢字がある単語（読みだけ） ＿ 新出漢字

	漢	行	単語	読み	意味
	◇	0	ノーベル賞	のーべるしょう	Nobel Prize
			研究者	けんきゅうしゃ	researcher
			山中伸弥	やまなかしんや	Shinya Yamanaka
			教授	きょうじゅ	professor
		1	iPS 細胞	あいぴーえすさいぼう	iPS cells
21.	◇		言葉	ことば	word; language
		2	部分	ぶぶん	part
22.	◆	3	将来	しょうらい	future
23.	◆		難しい	むずかしい	difficult
24.	◆	4	助ける	たすける	to save; to help [*vt.*]
	◇		夢	ゆめ	dream
25.	◇	8	出身	しゅっしん	one's hometown
			大阪	おおさか	Osaka
		9	学生時代	がくせいじだい	school days
			柔道	じゅうどう	judo
			ラグビー	らぐびー	rugby
26.			けが	けが	injury
	◆	11	決心（する）	けっしん（する）	to make up one's mind; to determine
			働き始める	はたらきはじめる	to start working
		12	[病気を] なおす	なおす	to cure; to heal [*vt.*]
27.	◇		方法	ほうほう	method; means; way
28.	◇		苦しむ	くるしむ	to suffer
		13	ショック	しょっく	shock
29.	◇		受ける	うける	to get; to receive
30.	◇	14	理由	りゆう	reason
31.	◇	16	性格	せいかく	personality; character
32.	◇		講演	こうえん	lecture; speech
33.	◆	17	必ず	かならず	certainly; always
	◇	18	手術	しゅじゅつ	surgery
		19	友人	ゆうじん	friend
			～ほど	～ほど	about ~
34.	◆		簡単な	かんたんな	easy; simple
35.	◇	20	[～が] 苦手な	にがてな	poor at
		21	すまん	すまん	sorry（＝すみません）
			[人に] あやまる	あやまる	to apologize
		22	不安な	ふあんな	nervous; anxious
		24	人生	じんせい	life
36.	◇		目標	もくひょう	goal; objective
37.	◇		技術	ぎじゅつ	technology
			ベッドサイド	べっどさいど	bedside
		25	[～に] 届ける	とどける	to deliver (something) to [*vt.*]
			患者	かんじゃ	patient
			救う	すくう	to save; to cure
38.		27	結果を出す	けっかをだす	to achieve results

39.		28	つまり	つまり	in other words
40.	◆		決める	きめる	to set; to decide [*vt.*]
41.	◆	29	[〜が] 必要な	ひつような	necessary
		30	成功(する)	せいこう(する)	to succeed
	◆	32	決して〜ない	けっして〜ない	never; definitely not
42.	◆	33	尊敬(する)	そんけい(する)	to respect

▶ 第1課・読み物2 ▸▸▸▸▸ 覚(おぼ)える単語(たんご)と例文(れいぶん)

5.Tango_L1-2

21. 言葉 　友達(ともだち)の言葉は本当だった。
22. 将来 　将来、海外で働きたいと思っています。
23. 難しい 　昨日(きのう)のテストには難しい問題が多かった。
24. 助ける 　困(こま)っている人を助けたいと思ってボランティアを始めた。
25. 出身 　出身はどちらですか。
26. けが 　サッカーをしていた時、ころんでけがをしてしまった。
27. 方法 　漢字のいい勉強方法を教えてください。
28. 苦しむ 　多くの人々が病気で苦しんでいます。
29. 受ける 　そのニュースを聞いてショックを受けた。
30. 理由 　この店で働きたい理由を教えてください。
31. 性格 　彼女は明るい性格なので、友達がたくさんいる。
32. 講演 　明日、環境問題についての講演会があるそうです。
33. 必ず 　毎朝必ずジョギングをしています。
34. 簡単な 　今日の宿題は簡単だったから、15分で終わった。
35. [〜が] 苦手な 　私は料理が苦手なので、あまり作りません。
36. 目標 　今年の目標は新しい漢字を300字覚(おぼ)えることです。
37. 技術 　この車には、最新の技術が使われています。
38. 結果を出す 　研究の結果を出すためには、時間がかかります。
39. つまり 　仕事ではTPO、つまり時、場所、場合(ばあい)に気をつけて話そう。
40. 決める 　今年は夏休みに東京に行くことに決めた。
41. [〜が] 必要な 　外国に行く時には、パスポートが必要です。
42. 尊敬(する) 　私が尊敬する人は両親だ。

第2課 読み物1 留学先からのメール

◆ 新出漢字がある単語（読み書き） ◇ 新出漢字がある単語（読みだけ） ＿ 新出漢字

	漢	行	単語	読み	意味
		1	鈴木	すずき	Suzuki [surname]
		2	宛先	あてさき	address
		3	件名	けんめい	subject
1.			推薦状	すいせんじょう	recommendation letter
2.	◆		お願い（する）	おねがい（する）	to request; to ask a favor
3.	◇	5	冷たい	つめたい	cold (thing/people)
4.	◇		[～が] 吹く	ふく	to blow
5.	◆		寒い	さむい	cold (weather)
6.	◆		降る	ふる	to fall; to come down
		6	やっと	やっと	at last; finally
7.	◇		[～に] 慣れる	なれる	to get used to
8.		7	楽しむ	たのしむ	to enjoy
			おせち料理	おせちりょうり	traditional Japanese New Year dishes
9.	◆	8	和食	わしょく	Japanese food
		10	さて	さて	now then
10.	◆		実は	じつは	actually
		11	～市	～し	~ City
			インターンシップ	いんたーんしっぷ	internship
			プログラム	ぷろぐらむ	program
11.	◇	12	[～と] 交流（する）	こうりゅう（する）	to exchange; to interact
	◇		～課	～か	division; department; section
	◆		手伝う	てつだう	to help; to assist
			コミュニティーセンター	こみゅにてぃーせんたー	community center
12.	◇	13	異文化	いぶんか	different culture
			イベント	いべんと	event
13.			行う	おこなう	to do; to conduct
		15	きっと	きっと	surely; certainly
14.	◆		[～に] 役に立つ	やくにたつ	to be useful
15.	◇	16	[～に] 申し込む	もうしこむ	to apply for
16.	◆	17	お忙しいところ	おいそがしいところ	while you are busy
			急な	きゅうな	sudden; urgent
		18	締め切り	しめきり	deadline
			～カ月	～かげつ	~ month(s)
			上旬	じょうじゅん	early in the month
17.	◇	19	突然の	とつぜんの	sudden
18.	◇		申し訳ない	もうしわけない	sorry
19.	◆	20	返事	へんじ	reply
20.	◇	21	季節	きせつ	season
21.			[～に] 気をつける	きをつける	to take care; to be careful

1. 推薦状(すいせんじょう)　先生に推薦状(すいせんじょう)を書いていただいた。
2. お願い(する)　ちょっとお願いがあるんだけど、今いい？
3. 冷たい　あの人は最近私に冷たい。どうしたんだろう。
4. [~が] 吹く　台風の時は、強い風が吹きます。
5. 寒い　冬の北海道(ほっかいどう)はとても寒いそうだ。
6. 降る　ここは11月になると雪が降る。
7. [~に] 慣れる　もう大学生活に慣れましたか。
8. 楽しむ　今日のパーティー、ゆっくり楽しんでください。
9. 和食　和食の中で好きなものは何ですか。
10. 実は　実は、来年アメリカに留学するんです。
11. [~と] 交流(する)　私の大学はドイツの大学と交流がある。
12. 異文化　いろいろな国の人と会って異文化についてもっと学びたい。
13. 行う　あの町では毎年10月にお祭りが行われる。
14. [~に] 役に立つ　スマートフォンは留学生活にとても役に立つだろう。
15. [~に] 申し込む　図書館のアルバイトに申し込むつもりだ。
16. お忙しいところ　お忙しいところ、どうもありがとうございます。
17. 突然の　突然のメール、失礼(しつれい)します。
18. 申し訳ない　申し訳ないのですが、少しお時間をいただけませんか。
19. 返事　返事はすぐ書いたほうがいいですよ。
20. 季節　日本には、春、夏、秋、冬の4つの季節がある。
21. [~に] 気をつける　道を歩く時は車に気をつけてください。

第2課　読み物2　先生への手紙

◆ 新出漢字がある単語（読み書き）　◇ 新出漢字がある単語（読みだけ）　＿ 新出漢字

	漢	行	単語	読み	意味
	◆	1	お礼	おれい	gratitude
22.	◇	2	拝啓	はいけい	Dear Sir/Madam [a letter salutation]
		3	桜	さくら	cherry blossoms
			緑	みどり	greenery; verdure
			そろそろ	そろそろ	soon; nearly
23.	◆		暑い	あつい	hot (weather)
24.	◇		頃	ころ	when; the time
		4	いかが	いかが	how
25.	◇		過ごす	すごす	to spend one's time
			サマーコース	さまーこーす	summer course
		5	先日	せんじつ	the other day
			無事に	ぶじに	without any problems; peacefully
			すべて	すべて	all
	◇		その節	そのせつ	at that time; on that occasion
26.	◆	6	短い	みじかい	short
	◇		期間	きかん	a period of time
	◇		教科書	きょうかしょ	textbook
27.		7	学ぶ	まなぶ	to learn; to study
28.	◇		準備（する）	じゅんび（する）	to prepare
29.	◇	8	異なる	ことなる	to differ
			年代	ねんだい	age; generation
30.	◆		[人と] 知り合う	しりあう	to get to know
31.	◇		理解（する）	りかい（する）	to understand
32.	◇		[〜が] 深まる	ふかまる	to deepen [*vi.*]
33.		10	発見（する）	はっけん（する）	to discover
	◇		公園	こうえん	park
			（お）花見	（お）はなみ	cherry-blossom viewing
34.		11	[〜に] 気がつく	きがつく	to notice
35.		12	[〜が] 集まる	あつまる	to gather [*vi.*]
			（お）弁当	（お）べんとう	bento; Japanese box lunch
	◆		（お）酒	（お）さけ	liquor; sake
	◇		居酒屋	いざかや	Japanese-style pub
		14	ボランティア	ぼらんてぃあ	volunteer
			別の	べつの	another
36.			活動	かつどう	activity
	◇	15	友達	ともだち	friend
37.	◇		[〜に] 誘う	さそう	to invite (someone) to
38.	◇	16	習慣	しゅうかん	custom
39.	◆		機会	きかい	chance; opportunity
		17	つまらないものですが	つまらないものですが	It's nothing, but
40.			[〜が] 気に入る	きにいる	to like; to be pleased with
		19	では	では	well then
		21	大切にする	たいせつにする	to take care of; to treasure
			佐藤	さとう	Sato [surname]

41.	◆		[〜に]伝える	つたえる	to convey (a message) to ~ [*vt.*]
42.	◇	22	敬具	けいぐ	sincerely yours [a closing greeting in letters]

▶第2課・読み物2 ›››››› 覚える単語と例文

5.Tango_L2-2

22. 拝啓　【手紙で】拝啓　9月になり、東京も朝晩すずしくなってきました。
23. 暑い　暑かったら、窓を開けてください。
24. 頃　子どもの頃、日本のアニメを見ていました。
25. 過ごす　夏休みは2週間ハワイで過ごした。
26. 短い　休みが短くてどこにも旅行に行けなかった。
27. 学ぶ　子どもの時から日本語を学びたいと思っていました。
28. 準備(する)　リーさんが今晩のパーティーの準備をしてくれた。
29. 異なる　考え方が同じ人もいるが、異なる人もいる。
30. [人と]知り合う　パーティーでスウェーデンの人と知り合った。
31. 理解(する)　人の気持ちを理解するのは、簡単なことではない。
32. [〜が]深まる　日本語の勉強を続けると、日本への興味が深まる。
33. 発見(する)　散歩している時に、新しい店を発見した。
34. [〜に]気がつく　彼女が髪を切ったことに気がついた。
35. [〜が]集まる　週末には多くの人がこの公園に集まります。
36. 活動　日本の大学で人気があるクラブ活動はテニスだろう。
37. [〜に]誘う　クラスの友達をカラオケに誘った。
38. 習慣　外国では、習慣の違いに気をつけなければいけない。
39. 機会　機会があれば、ぜひ日本に遊びに来てください。
40. [〜が]気に入る　書きやすいので、T社のペンが気に入っている。
41. [〜に]伝える　「ありがとう」とリーさんに伝えてください。
42. 敬具　【手紙で】では、お体を大切になさってください。　敬具

第3課 読み物1 留学生のための富士登山ガイド

◆ 新出漢字がある単語（読み書き） ◇ 新出漢字がある単語（読みだけ） __ 新出漢字

	漢	行	単語	読み	意味
		0	富士（山）	ふじ（さん）	Mt. Fuji
1.	◆		登山（する）	とざん（する）	to climb a mountain
			ガイド	がいど	guide
2.	◆	1	[～を] 訪れる	おとずれる	to visit (a place)
		3	山梨県	やまなしけん	Yamanashi Prefecture
		4	静岡県	しずおかけん	Shizuoka Prefecture
	◆		～県	～けん	~ Prefecture
	◇		県境	けんざかい	prefectural border
		5	特別な	とくべつな	special
3.	◇		象徴	しょうちょう	symbol
	◇	6	札	さつ	bill; note
			描く	えがく	to draw
		7	世界文化遺産	せかいぶんかいさん	World's Cultural Heritage (site)
4.	◇		[～に] 登録（する）	とうろく（する）	to register
	◇		登山客	とざんきゃく	mountain climber
		9	[～に] 役立つ	やくだつ	to be useful
5.	◆		情報	じょうほう	information
		10	ルート	るーと	route
6.	◆	11	登る	のぼる	to climb
7.	◆		一般的な	いっぱんてきな	general
8.	◇	12	約	やく	about; approximately
			山小屋	やまごや	mountain lodge
		13	距離	きょり	distance
			難しさ	むずかしさ	difficulty
		14	[～に] 合う	あう	to match; to be suitable
9.	◆		選ぶ	えらぶ	to choose
		16	計画	けいかく	plan
		19	最も	もっとも	most
			吉田ルート	よしだるーと	Yoshida Trail
10.	◇	20	山頂	さんちょう	summit
11.	◆	22	[～に] 泊まる	とまる	to stay [*vi.*]
			日の出	ひので	sunrise
		23	下山（する）	げざん（する）	to go down a mountain
	◇		ご来光	ごらいこう	rising sun
		24	一生	いっしょう	whole life; lifetime
		25	ツアー	つあー	tour
12.	◇		[～に] 参加（する）	さんか（する）	to participate; to join
13.		26	安心な	あんしんな	relieving; reassuring
14.	◇	27	予約（する）	よやく（する）	to make a reservation
	◇	28	服装	ふくそう	clothes
15.		29	計画を立てる	けいかくをたてる	to make a plan
	◆	30	限る	かぎる	to limit (See 文型・表現 9「～とは限らない」)
			0度	れいど	zero degrees
			～以下	～いか	~ or less

		31	ダウンジャケット	だうんじゃけっと	down jacket
16.		32	丈夫な	じょうぶな	sturdy; tough
			登山靴	とざんぐつ	hiking boots
	◇		岩	いわ	rock
		33	安全	あんぜん	safety
			用意（する）	ようい（する）	to prepare; to arrange
17.	◆	34	点	てん	point
18.	◇	35	その他に	そのほかに	other than that; in addition
	◇	37	ゴミ箱	ごみばこ	trash can
			持ち帰る	もちかえる	to bring back
19.	◇	38	汚す	よごす	to make something dirty [*vt.*]
20.			守る	まもる	to follow (rules)
21.		40	味わう	あじわう	to taste; to enjoy

▶第3課・読み物1 ›››››› 覚える単語と例文

5.Tango_L3-1

1. 登山（する）　登山の経験は一回もありません。
2. [～を] 訪れる　多くの外国人が京都を訪れる。
3. 象徴　ハトは平和の象徴だと言われている。
4. [～に] 登録（する）　日本語が学べるウェブサイトに登録した。
5. 情報　インターネットには情報が多い。
6. 登る　富士山に登ったことがありますか。
7. 一般的な　日本で一般的な映画料金は、大人1,900円、子ども1,000円だ。
8. 約　私の大学には約３万人の学生がいます。
9. 選ぶ　父へのプレゼントに青いネクタイを選びました。
10. 山頂　この山の山頂までは２時間くらいかかる。
11. [～に] 泊まる　日本の旅館に泊まってみたい。
12. [～に] 参加（する）　夏休みはボランティア活動に参加しようと思っている。
13. 安心な　海外旅行の時はクレジットカードを２枚持っていくと安心だ。
14. 予約（する）　インターネットでホテルを予約した。
15. 計画を立てる　ヨーロッパ旅行の計画を立てたい。
16. 丈夫な　このスーツケースは丈夫でこわれにくい。
17. 点　授業でわからなかった点を先生に質問した。
18. その他に　日本は東京や京都が有名だが、その他にもいいところはたくさんある。
19. 汚す　きれいな川をゴミで汚さないでください。
20. 守る　社会のルールは守らなくてはいけない。
21. 味わう　中国ではいろいろなお茶を味わうことができる。

第3課 📖読み物2 居酒屋 ～日本らしさが感じられる場所～

◆ 新出漢字がある単語（読み書き） ◇ 新出漢字がある単語（読みだけ） ＿ 新出漢字

	漢	行	単語	読み	意味
22.		0	感じる	かんじる	to feel
23.	◇	1	値段	ねだん	price
24.	◇	2	[～と]仲よくなる	なかよくなる	to make friends with
		3	チェーン	ちぇーん	chain
25.	◇	4	数	かず	number
			会社帰り	かいしゃがえり	one's way home from work
			サラリーマン	さらりーまん	salaried employee
		5	主婦	しゅふ	housewife; homemaker
			家族連れ	かぞくづれ	family
26.			様々な	さまざまな	various
27.	◆	6	求める	もとめる	to seek; to want
28.	◇		特徴	とくちょう	characteristic
29.		7	魅力	みりょく	appeal; charm
30.	◆	8	種類	しゅるい	kinds
	◇		席	せき	seat
31.			席に着く	せきにつく	to have a seat
32.	◇	10	普通の	ふつうの	normal; ordinary
			飲食店	いんしょくてん	restaurant
			[～と]変わらない	かわらない	to be no different
		11	えだ豆	えだまめ	*edamame*; boiled young soybeans
			から揚げ	からあげ	fried chicken
			おつまみ	おつまみ	snacks to go with alcohol
			呼ぶ	よぶ	to call; to refer to ~ as
		13	日本酒	にほんしゅ	Japanese rice wine; sake
			チューハイ	ちゅーはい	*shochu*-based highball
		14	注文（する）	ちゅうもん（する）	to order
			ソフトドリンク	そふとどりんく	non-alcoholic drinks
		17	安さ	やすさ	cheapness
33.		18	[～を]気にする	きにする	to mind; to worry
		20	さらに	さらに	additionally
34.	◇		量	りょう	quantity
	◇	21	飲み放題	のみほうだい	all you can drink
35.	◆		覚える	おぼえる	to remember; to memorize
		22	決まった	きまった	fixed
36.	◇		金額	きんがく	amount of money; price
		23	時間内	じかんない	within a time frame
			何＋counter＋も	なん＋counter＋も	many ~ of
			好きなだけ	すきなだけ	as much as one likes
		24	最大の	さいだいの	the greatest
		25	場	ば	place
			たいてい	たいてい	generally; mostly
	◆		個室	こしつ	private room
		27	サークル	さーくる	circle
			飲み会	のみかい	drinking party
	◇	28	打ち上げ	うちあげ	party celebrating the finish of a project, event, etc.

			年末	ねんまつ	end of the year
		29	忘年会	ぼうねんかい	year-end party
			年始	ねんし	beginning of the year
			新年会	しんねんかい	New Year party
			[会を] 開く	ひらく	to hold (a party)
		30	集まり	あつまり	gathering
			わいわい	わいわい	noisily
37.	◆		疲れる	つかれる	to get tired; to get exhausted
38.	◇		息抜き	いきぬき	breather; relaxation
39.	◇	31	解消 (する)	かいしょう (する)	to relieve (stress)
40.		32	[~と] 親しい	したしい	close; intimate
		34	深める	ふかめる	to deepen
		35	[~に] 足を運ぶ	あしをはこぶ	to go to; to visit
41.	◇		独特な	どくとくな	unique; original; distinctive
42.			雰囲気	ふんいき	atmosphere

▶第３課・読み物２ ▸▸▸▸▸ 覚える単語と例文

5.Tango_L3-2

22. 感じる　桜の花を見ると、春を感じる。
23. 値段　値段が安くても、サービスが悪ければ客は来ないだろう。
24. [~と] 仲よくなる　趣味が同じだったので、彼と仲よくなりました。
25. 数　参加者の数が少なくて、その旅行はキャンセルになった。
26. 様々な　東京には様々な国から来た人が住んでいる。
27. 求める　この会社は英語ができる人を求めている。
28. 特徴　日本の特徴の一つは、山が多いことだ。
29. 魅力　彼女の魅力は、いつもみんなに親切なところだ。
30. 種類　大きい動物園にはいろいろな種類の動物がいる。
31. 席に着く　みんなが席に着いてから、食事を始めましょう。
32. 普通の　前は普通の会社員でしたが、今は大学でビジネスを教えています。
33. [~を] 気にする　彼は来週のテストのことをずっと気にしている。
34. 量　あの店のパスタは量が多いので、全部食べられない。
35. 覚える　漢字を覚えるためには何回も書くことが必要だ。
36. 金額　留学に必要な金額は全部でいくらですか。
37. 疲れる　疲れていたので、おふろに入ってすぐに寝た。
38. 息抜き　ストレスを感じた時は、息抜きをしたほうがいい。
39. 解消 (する)　カラオケで大声で歌って、ストレスを解消した。
40. [~と] 親しい　外国語のクラスではよく話すので、クラスメートと親しくなれる。
41. 独特な　原宿には独特なファッションの人が多い。
42. 雰囲気　あのカフェは雰囲気がよくて、リラックスできる。

第4課 読み物1 座談会（ざだんかい）～留学を語る～

◆ 新出漢字がある単語（読み書き） ◇ 新出漢字がある単語（読みだけ） ＿ 新出漢字

	漢	行	単語	読み	意味
	◇	0	座談会	ざだんかい	round-table talk
			語る	かたる	to talk
1.	◇	1	現在	げんざい	currently; present time
		4	話し合う	はなしあう	to discuss; to talk about
		6	どんどん	どんどん	rapidly; steadily
		7	うまい	うまい	skillful; good at
		8	自身	じしん	oneself
		9	～以来	～いらい	since ~
2.	◆	10	日常生活	にちじょうせいかつ	daily life
3.	◆	12	気軽に	きがるに	freely; readily
	◇	13	僕	ぼく	I [used among men]
			言語	げんご	language
4.			重要な	じゅうような	important
		14	何よりも	なによりも	more than anything
			実際に	じっさいに	actually
5.	◇		政治	せいじ	politics
6.	◇		歴史	れきし	history
		15	広島	ひろしま	Hiroshima
			原爆ドーム	げんばくどーむ	Atomic Bomb Dome (Hiroshima Peace Memorial)
7.			意見	いけん	opinion
8.	◇	16	積極的に	せっきょくてきに	actively
9.			行動（する）	こうどう（する）	to act; to move [*vi.*]
		17	深く	ふかく	deeply
10.			実感（する）	じっかん（する）	to realize
		18	メリット	めりっと	merit; advantage
			多様な	たような	various; diverse
11.	◇		価値観	かちかん	values
	◇		[～に] 触れる	ふれる	to touch; to encounter
12.	◇	19	寮	りょう	dormitory
	◇	20	生活様式	せいかつようしき	lifestyle
		21	体験（する）	たいけん（する）	to experience
			[～を] 通じて	つうじて	through; via
		22	自分自身	じぶんじしん	oneself
13.	◇	23	経験を積む	けいけんをつむ	to gain experience
14.	◇		視野を広げる	しやをひろげる	to broaden one's perspective
		24	以前	いぜん	past; previous time
			[～と／に] 比べる	くらべる	to compare with/to
15.			[～に] 自信がつく	じしんがつく	to gain confidence in
		27	授業料	じゅぎょうりょう	tuition
	◇	28	生活費	せいかつひ	living expenses
			十分な	じゅうぶんな	enough; sufficient
		30	母語	ぼご	mother tongue
	◇		非常に	ひじょうに	very; greatly; extremely
16.	◆		残念な	ざんねんな	unfortunate; disappointing

		31	自然に	しぜんに	naturally; effortlessly
			正しい	ただしい	correct; true
17.		32	むだにする	むだにする	to waste [*vt.*]
18.	◆	33	確かに	たしかに	certainly; indeed
19.		35	なかなか〜ない	なかなか〜ない	cannot easily ~
			[〜に] ついていく	ついていく	to keep up with
20.	◆		成績	せいせき	grade; result
		37	時には	ときには	sometimes
	◆		[〜と] 一緒に	いっしょに	together with
21.			時間を過ごす	じかんをすごす	to spend time
	◆	38	遠い	とおい	far
			ホームシックになる	ほーむしっくになる	to get homesick
	◆		[〜が] 済む	すむ	to finish; to end [*vi.*] (See 文型・表現 6「〜ないで済む／〜ずに済む」)
		40	遅れる	おくれる	to be late; to fall behind
		41	自由に	じゆうに	freely
		42	場合	ばあい	case; circumstance
			〜先	〜さき	one's destination
22.	◇	43	単位	たんい	credit
			事前に	じぜんに	in advance
		44	時期	じき	time; period
			就職活動	しゅうしょくかつどう	job hunting
		45	[〜が] 重なる	かさなる	to overlap [*vi.*]
23.	◇		交換（する）	こうかん（する）	to exchange
		46	対象	たいしょう	target
			本格的に	ほんかくてきに	on a full scale; in full swing
		47	海外	かいがい	overseas
24.	◇		企業	きぎょう	company
25.	◇		[〜に] 在学（する）	ざいがく（する）	to be in school
			優先的に	ゆうせんてきに	preferentially
26.	◇	48	採用（する）	さいよう（する）	to hire; to employ
		50	集める	あつめる	to collect [*vt.*]
27.			[〜に] 帰国（する）	きこく（する）	to return to one's country

▶ 第 4 課・読み物 1 ▸▸▸▸▸ 覚える単語と例文

🎧 5.Tango_L4-1

1. 現在　以前は東京(とうきょう)に住んでいましたが、現在は大阪(おおさか)にいます。
2. 日常生活　この映画を見ると、日本の日常生活がよくわかる。
3. 気軽に　サラさんは何でも気軽に話せる友達だ。
4. 重要な　今日は重要なミーティングがあるので、休めません。
5. 政治　大学で日本の政治について勉強したい。
6. 歴史　歴史から学べることは多い。
7. 意見　リーさんの意見はキムさんのとは違います。

8. 積極的に　クラスメートと積極的に日本語で話すようにしましょう。
9. 行動（する）　私はグループで行動するのが苦手です。
10. 実感（する）　新しい単語を覚える難しさを実感しています。
11. 価値観　価値観が似(に)ている人と結婚したいです。
12. 寮　寮とホームステイ、どちらのほうがいいと思いますか。
13. 経験を積む　インターンシップをして経験を積みたいと思っている。
14. 視野を広げる　留学で視野を広げることができました。
15. [〜に] 自信がつく　アメリカに留学すれば、自分の英語力に自信がつくでしょう。
16. 残念な　残念ですが、東京に行けなくなりました。
17. むだにする　ずっと寝(ね)ていて、週末をむだにしてしまった。
18. 確かに　あの店の料理は確かにおいしいですが、少し高いです。
19. なかなか〜ない　日本語がなかなか上手にならない。
20. 成績　毎日がんばって勉強したら成績が上がった。
21. 時間を過ごす　家族とゆっくり時間を過ごしたいです。
22. 単位　今学期は単位をいくつ取っていますか。
23. 交換（する）　クリスマスに友達とプレゼントを交換した。
24. 企業　東京には多くの企業が集まっている。
25. [〜に] 在学（する）　弟はイギリスの大学に在学中です。
26. 採用（する）　アルバイトの人がやめた後、新しい人が採用されました。
27. [〜に] 帰国（する）　留学中の山田(やまだ)さんが日本に帰国するのは、来年の３月だそうです。

第4課 読み物2 留学生の日本体験

◆ 新出漢字がある単語（読み書き） ◇ 新出漢字がある単語（読みだけ） ＿ 新出漢字

	漢	行	単語	読み	意味
28.		5	[〜に] あこがれる	あこがれる	to long for
	◆	6	練習（する）	れんしゅう（する）	to practice
		7	初日	しょにち	first day
			一日中	いちにちじゅう	all day
29.			おじぎ	おじぎ	bow
		8	かしこまりました	かしこまりました	Certainly.
			あいさつ	あいさつ	greetings
30.		9	きちんと	きちんと	neatly; accurately
		11	社員	しゃいん	employee of a company
31.		12	代表（する）	だいひょう（する）	to represent
32.	◆		[〜に／と] 接する	せっする	to attend to
		13	どうりで	どうりで	no wonder
33.	◇	14	礼儀正しい	れいぎただしい	polite
34.	◇	15	内容	ないよう	description; content
		16	ホール	ほーる	hall
			出す	だす	to put out [*vt.*]
			ホールに出す	ほーるにだす	to let someone serve customers
35.		17	楽な	らくな	easy
36.	◇	18	[〜に] 苦労（する）	くろう（する）	to have trouble; to have a hard time
		19	様子	ようす	condition
37.	◇		[〜に] 対応（する）	たいおう（する）	to serve; to respond
38.	◆	21	頼む	たのむ	to ask; to request
		22	[〜が] 残る	のこる	to remain; to be left [*vi.*]
39.	◇	23	片づけ	かたづけ	cleaning up
			決まり	きまり	agreement; rule
		26	一流の	いちりゅうの	first-class; top-ranking
40.	◇	27	勤勉さ	きんべんさ	diligence
	◆	31	熱心に	ねっしんに	enthusiastically
41.	◇		[〜に] 驚く	おどろく	to get surprised
		32	暇な	ひまな	not busy
			おしゃべり	おしゃべり	chatter
42.	◆	34	教育（する）	きょういく（する）	to educate; to train (employee)
	◆		プロ意識	ぷろいしき	professionalism
43.	◆		意識（する）	いしき（する）	to be concious of; to be aware of
		36	〜を通して	〜をとおして	through ~
		39	一面	いちめん	one side; an aspect
44.			期待（する）	きたい（する）	to expect
45.		40	有意義な	ゆういぎな	significant; meaningful

28. [～に] あこがれる	山中(やまなか)教授にあこがれて医学部に入ることにしました。
29. おじぎ	母はおじぎをしながらお礼を言った。
30. きちんと	作文は最後まできちんと書いてください。
31. 代表(する)	クラスメートがオリンピックの日本代表に選ばれた。
32. [～に／と] 接する	人と接することができるアルバイトがしたい。
33. 礼儀正しい	彼女はあいさつを忘れない礼儀正しい人だ。
34. 内容	だれもその手紙の内容を知らない。
35. 楽な	お金の心配がない楽な生活がしたいと思いますか。
36. [～に] 苦労(する)	大学1年生の時は、友達をつくるのに苦労しました。
37. [～に] 対応(する)	国際化に対応するため、この会社では社員に語学留学をさせている。
38. 頼む	友達の結婚式でスピーチを頼まれた。
39. 片づけ	私のルームメートは部屋の片づけが苦手なので、大変です。
40. 勤勉さ	日本人の勤勉さはとても有名だ。
41. [～に] 驚く	日本に来て、コンビニが多いことに驚いた。
42. 教育(する)	学校より家での教育のほうが大切だと思う。
43. 意識(する)	スピーチをする時は、発音を意識して話すようにしています。
44. 期待(する)	来年は給料(きゅうりょう)が上がるだろうと期待している。
45. 有意義(ゆういぎ)な	留学中は、できるだけ有意義(ゆういぎ)な時間を過ごしたい。

第5課 読み物1 回転ずし入門（にゅうもん）

◆ 新出漢字がある単語（読み書き）　◇ 新出漢字がある単語（読みだけ）　＿ 新出漢字

	漢	行	単語	読み	意味
		0	回転ずし	かいてんずし	sushi-go-round
	◆		入門	にゅうもん	introduction
1.	◇	1	高級な	こうきゅうな	expensive; high-class
			変える	かえる	to change (something) [*vt.*]
		3	ネタ	ねた	ingredient (for sushi)
2.	◇		新鮮な	しんせんな	fresh
3.	◇	4	看板	かんばん	signboard
4.			つい	つい	unintentionally; automatically
5.		8	[～が] 回る	まわる	to turn around; to go around [*vi.*]
			ベルトコンベア	べるとこんべあ	belt conveyor
		9	[～が] 目に入る	めにはいる	to come into view [*vi.*]
		10	次々と	つぎつぎと	continuously; one after another
6.	◇	12	豊富な	ほうふな	abundant
7.	◆	13	～限定	～げんてい	limited; ~ only
			洋風	ようふう	Western style
8.			変わった	かわった	different; unusual
9.		14	～以外	～いがい	except ~
			サイドメニュー	さいどめにゅー	side menu
10.	◆		[～が] 増える	ふえる	to increase [*vi.*]
		16	通常	つうじょう	usually; normally
			～ごとに	～ごとに	every ~
	◇	20	時間帯	じかんたい	period of time (in a day)
11.	◆		行列	ぎょうれつ	line; queue
12.	◆	21	置く	おく	to put
		22	人数	にんずう	number of people
		23	タッチパネル	たっちぱねる	touchscreen
			入力（する）	にゅうりょく（する）	to enter
		24	カウンター席	かうんたーせき	counter seat
			ボックス席	ぼっくすせき	booth
		25	[～が] 空く	あく	to become available; to become vacant [*vi.*]
13.	◆		順番に	じゅんばんに	in order
14.	◆		呼ぶ	よぶ	to call (someone's name); to summon
	◇	27	湯のみ	ゆのみ	Japanese teacup
15.	◇	28	粉末	ふんまつ	powder
			ティーバッグ	てぃーばっぐ	tea bag
16.	◇		[～に] 付く	つく	to be attached to; to be connected to [*vi.*]
		29	ノズル	のずる	nozzle; faucet
17.	◇		（お）湯	（お）ゆ	hot water
			注ぐ	そそぐ	to pour; to fill one's cup
18.	◆		押す	おす	to push
		30	しょうゆ	しょうゆ	soy sauce
			わさび	わさび	*wasabi*
			お口直し	おくちなおし	palate cleanser
			ガリ	がり	pickled ginger

			酢漬け	すづけ	pickles
		31	しょうが	しょうが	ginger
	◆	33	便利な	べんりな	convenient
	◆	36	画面	がめん	screen
			にぎり	にぎり	hand-pressed sushi
	◇		巻物	まきもの	sushi roll
19.			おすすめ	おすすめ	recommendation
20.	◇	38	詳しい	くわしい	detailed
21.	◇	41	表示（する）	ひょうじ（する）	to show; to display
22.	◇	45	繰り返す	くりかえす	to repeat
		48	しばらくすると	しばらくすると	after a little while
			注文品	ちゅうもんひん	ordered thing
		49	[～に] のる	のる	to be put on [*vi.*]
			流れる	ながれる	to flow
			[すしが] 流れてくる	ながれてくる	to come down (revolving conveyor belt carries plates of sushi to)
		50	一味違う	ひとあじちがう	to be somewhat different
			本場	ほんば	the home; the best place

▶第５課・読み物１›››››覚える単語と例文

🎧5.Tango_L5-1

1. 高級な　高級な料理と言えば、フランス料理だろう。
2. 新鮮な　海に近い町では、新鮮な魚が食べられる。
3. 看板　あの看板は絵も文字もとても芸術的だ。
4. つい　リビングで勉強していると、ついテレビを見てしまう。
5. [～が] 回る　自転車に乗った人たちが湖(みずうみ)の周(まわ)りを回っていた。
6. 豊富な　彼女は教師(きょうし)としての経験が豊富だ。
7. ～限定　このレストランは季節限定のメニューがたくさんある。
8. 変わった　変わったデザインのＴシャツを買った。
9. ～以外　日本語以外にどんな外国語が話せますか。
10. [～が] 増える　中国語(ちゅうごくご)を勉強する人が増えているそうだ。
11. 行列　人気のレストランの前にはいつも行列ができる。
12. 置く　机(つくえ)の上に本を置いた。
13. 順番に　寮では順番にトイレをそうじすることになっている。
14. 呼ぶ　マイケルは友達から「マイキー」と呼ばれている。
15. 粉末　粉末スープはすぐ飲めて便利です。
16. [～に] 付く　コートに付いていたボタンがなくなってしまった。
17. （お）湯　お湯を入れて３分待つと、カップラーメンができる。
18. 押す　このドアは押してください。引(ひ)いても開(あ)きません。
19. おすすめ　この店のおすすめは、シーフードピザです。

20. 詳しい　　詳しいことは、明日説明します。
21. 表示(する)　　画面をタッチすると、メニューが表示される。
22. 繰り返す　　漢字を覚えるには、何度も繰り返し書くことが大切です。

第5課　読み物2　肉じゃがの作り方

◆ 新出漢字がある単語（読み書き）　◇ 新出漢字がある単語（読みだけ）　＿ 新出漢字

	漢	行	単語	読み	意味
		0	肉じゃが	にくじゃが	*nikujaga* (simmered meat, potatoes and onions)
	◇	1	家庭	かてい	home; family
			家庭料理	かていりょうり	home cooking
23.	◆		定番	ていばん	standard
24.	◇	4	甘辛い	あまからい	sweet and salty
25.	◇	5	材料	ざいりょう	ingredients; materials
			～分	～ぶん	for ~ people
		6	じゃがいも	じゃがいも	potato
			だし	だし	soup; stock
		7	にんじん	にんじん	carrot
			大さじ	おおさじ	tablespoon (15 cc)
	◇	8	玉ねぎ	たまねぎ	onion
			砂糖	さとう	sugar
		9	牛肉	ぎゅうにく	beef
	◆		薄切り	うすぎり	thin slice
			みりん	みりん	sweet rice wine for cooking
	◇	10	サラダ油	さらだゆ／さらだあぶら	salad oil
26.	◇	11	皮	かわ	skin; coat
27.			むく	むく	to peel [*vt.*]
		12	大きさ	おおきさ	size
28.	◇		縦に	たてに	vertically
29.			半分	はんぶん	half
30.	◇	13	幅	はば	width
31.	◆		薄く	うすく	thinly
			スライス(する)	すらいす(する)	to slice
		15	なべ	なべ	pot
32.			熱する	ねっする	to heat up
33.			いためる	いためる	to (stir-)fry
34.		17	加える	くわえる	to add [*vt.*]
35.			軽く	かるく	lightly
		18	中火	ちゅうび	medium heat
36.	◇		煮る	にる	to boil; to simmer [*vt.*]
37.	◆	19	表面	ひょうめん	surface
			アク	あく	scum
	◆	21	弱火	よわび	low heat
38.		22	[～が] こげる	こげる	to get burned [*vi.*]

39.			様子を見る	ようすをみる	to watch; to see how it goes
			火	ひ	flame; fire
40.	◇		調整（する）	ちょうせい（する）	to adjust
41.	◇	23	完成（する）	かんせい（する）	to complete
		26	かつお節	かつおぶし	shaved dried bonito
			こんぶ	こんぶ	kelp
	◇		[〜を] 煮出す	にだす	to extract the flavor of ~ by boiling
	◇		汁	しる	soup; juice
		27	うまみ	うまみ	*umami*; savoriness
			溶かす	とかす	to melt; to dissolve
42.	◆	29	余る	あまる	to remain
			和風	わふう	Japanese style
		30	カレールー	かれーるー	curry roux
	◇	31	煮込む	にこむ	to simmer; to stew
43.	◆	33	捨てる	すてる	to throw away

▶第５課・読み物２ ▸▸▸▸▸ 覚える単語と例文

5.Tango_L5–2

23. 定番　父が作ってくれる定番の料理はカレーだ。
24. 甘辛い　子どもたちは甘辛いソースが好きだ。
25. 材料　じゃがいもや玉ねぎなどの材料でシチューを作った。
26. 皮　りんごを食べる時、皮も一緒に食べますか。
27. むく　母はりんごの皮をとても上手にむく。
28. 縦に　日本語の小説は縦に書いてあることが多いが、横書きもある。
29. 半分　このクラスの半分は留学生だ。
30. 幅　この道は幅が広いので運転しやすい。
31. 薄く　にんじんを薄く切ってください。
32. 熱する　フライパンを熱してから油を入れる。
33. いためる　肉と野菜（やさい）を一緒にいためてください。
34. 加える　最後にカレールーを加えると、カレーができます。
35. 軽く　毎日軽く朝ご飯を食べてから学校に行きます。
36. 煮る　長時間弱火で煮たシチューはおいしいです。
37. 表面　DVD の表面が汚れていて、映画が見られなかった。
38. [〜が] こげる　肉がこげて黒くなってしまった。
39. 様子を見る　熱が下がるかどうか、明日の朝まで様子を見ましょう。
40. 調整（する）　週末のパーティーに行くためにスケジュールを調整した。
41. 完成（する）　日本一高いビルが完成した。
42. 余る　パーティーで料理がたくさん余ってしまった。
43. 捨てる　火曜日と金曜日がゴミを捨てる日だ。

第6課 読み物1 投書文を読む

とうしょぶん

◆ 新出漢字がある単語（読み書き） ◇ 新出漢字がある単語（読みだけ） ＿ 新出漢字

	漢	行	単語	読み	意味
1.	◆	0	投書（する）	とうしょ（する）	to write to a newspaper
2.	◇	1	包装（する）	ほうそう（する）	to package; to wrap
		2	愛知県	あいちけん	Aichi Prefecture
3.		3	来日（する）	らいにち（する）	to come to Japan
		6	ペットボトル	ぺっとぼとる	plastic bottle
	◇		雑誌	ざっし	magazine
		7	リサイクル（する）	りさいくる（する）	to recycle
4.	◇		資源	しげん	resource
	◇		資源ゴミ	しげんごみ	recyclable waste
5.	◆	8	[～が] 燃える	もえる	to burn [*vi.*]
	◆		燃えるゴミ	もえるごみ	burnable waste
			[～が] 分かれる	わかれる	to get separated [*vi.*]
6.		9	分別（する）	ぶんべつ（する）	to separate; to sort
7.		10	[～が] 気になる	きになる	to be on one's mind; to worry
		11	過剰な	かじょうな	excessive
		12	箱	はこ	box
			クッキー	くっきー	cookie
8.	◇	13	包む	つつむ	to wrap
		14	～ずつ	～ずつ	each ~ (e.g., 一つずつ one by one)
		15	ビニール	びにーる	plastic; vinyl
		19	確実に	かくじつに	definitely; certainly
	◇	20	包装紙	ほうそうし	wrapping paper
9.	◆	21	結局	けっきょく	after all; eventually
10.	◆	23	商品	しょうひん	merchandise; product
11.	◇	24	袋	ふくろ	bag
12.	◆		疑問	ぎもん	doubt; question
		26	[～が] ぬれる	ぬれる	to get wet [*vi.*]
	◇	27	紙袋	かみぶくろ	paper bag
13.	◇		丁寧に	ていねいに	carefully; politely
		28	かける	かける	to cover; to put something on [*vt.*]
		29	～に対する	～にたいする	to; toward; for; concerning
			気づかい	きづかい	concern; consideration
		32	やりすぎ	やりすぎ	overkill; overdone
14.		35	考え直す	かんがえなおす	to reconsider

▶ 第6課・読み物1 ▸▸▸▸▸ 覚える単語と例文

5.Tango_L6-1

1. 投書（する）　いつか日本の新聞に投書したい。
2. 包装（する）　友達からのプレゼントはいつもきれいに包装されている。
3. 来日（する）　毎日、多くの外国人観光客が来日している。
4. 資源　紙は大切な資源だから、リサイクルしましょう。
5. [～が] 燃える　山火事で近所の家が燃えてしまった。

6. 分別（する）　ゴミはきちんと分別して出すようにしている。

7. ［～が］気になる　期末試験のことが気になって寝られない。

8. 包む　肉をレタスで包んで食べるとおいしい。

9. 結局　スーパーに行ったが、結局何も買わなかった。

10. 商品　今は様々な商品がインターネットで買える時代だ。

11. 袋　この袋は小さすぎて、買った本が全部は入らない。

12. 疑問　自分で考えて疑問を持つことはとても大切だ。

13. 丁寧に　あの先生はいつも丁寧に教えてくださる。

14. 考え直す　大学に行こうと思ったが、考え直して働くことにした。

第6課　読み物2　大学生の声

◆ 新出漢字がある単語（読み書き）　◇ 新出漢字がある単語（読みだけ）　＿ 新出漢字

	漢	行	単語	読み	意味
		1	早期	そうき	early
15.	◆		［～に］賛成（する）	さんせい（する）	to approve; to agree
16.	◆		［～に］反対（する）	はんたい（する）	to oppose; to disagree
		2	育てる	そだてる	to educate; to train [*vt.*]
17.	◇	3	制度	せいど	system
		4	すでに	すでに	already
			全国的に	ぜんこくてきに	nationwide
		5	今後	こんご	from now; hereafter
			～化	～か	change to ~; ~ization
18.	◆		［～が］進む	すすむ	to proceed; to advance [*vi.*]
19.	◆	6	関心	かんしん	interest
			ますます	ますます	more and more
	◇	7	現状	げんじょう	current state
20.	◆	11	第一に	だいいちに	first
21.			習得（する）	しゅうとく（する）	to acquire
22.	◇		年齢	ねんれい	age
23.	◇		超える	こえる	to exceed; to be over
24.	◆	12	関係	かんけい	relation; connection
			関係がある	かんけいがある	to be related
		13	スポンジ	すぽんじ	sponge
25.	◇		吸収（する）	きゅうしゅう（する）	to absorb
		14	発音（する）	はつおん（する）	to pronounce
26.	◆	15	［～に］効果的な	こうかてきな	effective
27.	◇	18	抵抗感	ていこうかん	reluctance; resistance
	◆	19	恥ずかしい	はずかしい	to be shy; to feel embarrassed
		22	一般的に	いっぱんてきに	basically; generally
28.	◇		周り	まわり	surroundings; surrounding people

29.	◇	23	失敗(する)	しっぱい(する)	to fail
30.	◇		恐れる	おそれる	to be afraid of; to fear
		26	国際感覚	こくさいかんかく	cosmopolitan outlook
			身につける	みにつける	to learn; to acquire
		27	自国	じこく	one's home country
		28	受け入れる	うけいれる	to accept
31.	◇	31	活躍(する)	かつやく(する)	to play an active part
32.	◇		可能性	かのうせい	possibility
			[~が]広がる	ひろがる	to spread; to open [*vi.*]
33.	◆	36	述べる	のべる	to state; to express
34.		37	[~が]発達(する)	はったつ(する)	to develop
35.	◇		[~に]影響(する)	えいきょう(する)	to influence; to affect
		38	不十分な	ふじゅうぶんな	deficient
			どちらも	どちらも	both
36.		40	表現(する)	ひょうげん(する)	to express
37.	◇		混乱(する)	こんらん(する)	to get confused
		41	感情	かんじょう	feeling; emotion
38.	◇	42	論理的に	ろんりてきに	logically
39.		44	意思	いし	will; volition
		45	塾	じゅく	cram school
		46	いやいや	いやいや	unwillingly
		47	無理に	むりに	forcedly; by constraint
	◇	48	英語嫌いな	えいごぎらいな	English-averse
		51	ふだん	ふだん	usually
	◇	54	先輩	せんぱい	one's senior
40.		55	本気で	ほんきで	seriously
41.		56	[~が]上達(する)	じょうたつ(する)	to improve [*vi.*]
42.	◆	59	主張(する)	しゅちょう(する)	to insist; to claim

▶ 第6課・読み物2 ›››››› 覚える単語と例文

🎧 5.Tango_L6-2

15. [~に]賛成(する)　「宿題は必要ない」という意見には賛成できない。

16. [~に]反対(する)　税金(ぜいきん)を上げることには反対だ。

17. 制度　時代が変われば、新しい制度が必要になるだろう。

18. [~が]進む　今後、情報化社会がさらに進むだろう。

19. 関心　日本語クラスにもアニメに関心がない学生はいる。

20. 第一に　居酒屋の特徴を三つ紹介する。第一に、安いことだ。

21. 習得(する)　外国語を習得するのはとても大変で、時間がかかる。

22. 年齢　女性に年齢を聞くのは失礼だ。

23. 超える　去年、この町に住む外国人の数が5万人を超えた。

24. 関係　彼と彼女の関係は、これからどうなるのだろう。

25. 吸収（する）	このシャツは、汗(あせ)をよく吸収するので気持ちがいい。
26. ［～に］効果的な	ダイエットに一番効果的なのは運動だろう。
27. 抵抗感	若者は変化や新しいものに抵抗感がない。
28. 周り	祖母(そぼ)が住んでいる家の周りには何もない。
29. 失敗（する）	失敗しても、あきらめないで続けるつもりだ。
30. 恐れる	間違えることを恐れてはいけない。
31. 活躍（する）	この会社では65歳以上の人も活躍している。
32. 可能性	今度の台風は日本に来る可能性が高い。
33. 述べる	スーパーの24時間営業(えいぎょう)について、意見を述べてください。
34. ［～が］発達（する）	科学が発達したおかげで、私たちの生活は便利になっている。
35. ［～に］影響（する）	私に最も影響をあたえたのは、中学の時の先生です。
36. 表現（する）	外国語で自分の気持ちを表現するのは簡単ではない。
37. 混乱（する）	頭(あたま)が混乱していて、何も考えられません。
38. 論理的に	この本は論理的に書かれているので、わかりやすい。
39. 意思	外国語で自分の意思を伝えるのは難しい。
40. 本気で	本気で医者になりたいから、私は毎日10時間勉強している。
41. ［～が］上達（する）	日本人の友達のおかげで、日本語が上達した。
42. 主張（する）	高校生たちは「制服は必要ない」と主張した。

4技能でひろがる
中級日本語
カルテット Ⅰ

QUARTET:
INTERMEDIATE JAPANESE
ACROSS THE FOUR LANGUAGE SKILLS

■ 漢字リスト

[読み物にある単語] ◆読み書き ◇読みだけ

読み物1

No.	漢字	Meaning	読み	単語	画数
001	賞	prize; reward	ショウ	◇～賞（～しょう）~ Award; ~ Prize ◇受賞（じゅしょう）receiving an award	(15) 賞
002	取	take	シュ と	取得（しゅとく）acquisition ◆取る（とる）to win (a prize); to take	(8) 取
003	興	interest; spring up	キョウ	◇興味（きょうみ）interest	(16) 興
004	環	ring	カン	◇環境（かんきょう）environment	(17) 環
005	境	border	キョウ さかい	◇環境（かんきょう）environment 県境（けんざかい）prefectural border	(14) 境
006	優	gentle; superior	ユウ やさ	優秀（ゆうしゅう）excellent ◇優しい（やさしい）gentle; kind	(17) 優
007	例	example	レイ たと	例（れい）example ◆例えば（たとえば）for example	(8) 例
008	絵	picture	エ カイ	◇絵（え）picture; drawing; painting 絵画（かいが）picture	(12) 絵
009	直	direct; straight	チョク なお	直接（ちょくせつ）directly ◇直す（なおす）to fix	(8) 直
010	秒	second	ビョウ	◇秒（びょう）second	(9) 秒

No.	漢字	Meaning	Reading	Vocabulary	Stroke order
011	晩	evening; late	バン	◆晩（ばん）evening; night ◆晩ご飯（ばんごはん）dinner	(12) 丨 冂 日 日 日′ 日ク 日ク 晗 晗 晗 晚 晩
012	美	beauty	ビ うつく	美人（びじん）beautiful woman ◇美しい（うつくしい）beautiful	(9) 丶 丷 䒑 ⺷ 𦍌 𦍌 羊 美 美
013	芸	art	ゲイ	◇芸術的な（げいじゅつてきな）artistic	(7) 一 十 艹 廿 芒 芸 芸
014	術	means; art; skill	ジュツ	◇芸術的な（げいじゅつてきな）artistic ◇手術（しゅじゅつ）surgery ◇技術（ぎじゅつ）technology	(11) ノ 彡 彳 彳 彳 彳 休 休 休 術 術
015	愛	love; affection	アイ	◇愛する（あいする）to love	(13) ノ ⺈ ⺈ 爫 爫 爫 爫 悉 悉 悉 爱 愛 愛
016	紹	introduce	ショウ	◇紹介（しょうかい）introduction	(11) く 幺 幺 糸 糸 糸 紹 紹 紹 紹 紹
017	介	mediate	カイ	◇紹介（しょうかい）introduction	(4) ノ 人 介 介
018	得	ability; obtain	トク え	◆得意な（とくいな）good at 得る（える）to obtain	(11) ノ 彡 彳 彳 彳 彳 彳 得 得 得 得
019	就	install; get a job	シュウ	◇就職（しゅうしょく）getting employed	(12) 丶 亠 亠 亠 古 亨 亨 京 京 就 就 就
020	職	job	ショク	◇就職（しゅうしょく）getting employed	(18) 一 丅 F F E 耳 耳 耳 耳 耳 聀 聀 聀 聀 聀 職 職 職

単語リスト
漢字リスト

No.	Kanji	Meaning	Reading	Vocabulary	Strokes
021	際	limit; case; verge	サイ	◆国際（こくさい）international	(14) 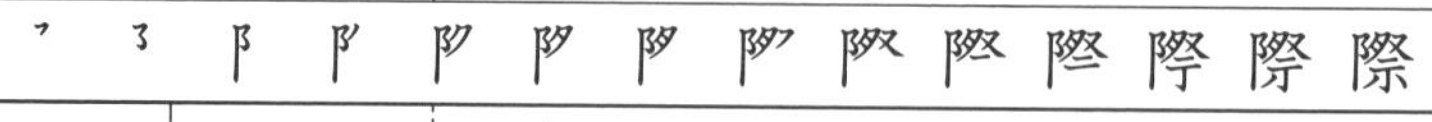
022	祭	festival	サイ まつ	◇映画祭（えいがさい）film festival 夏祭り（なつまつり）summer festival	(11) 
023	受	accept	ジュ う	◇受賞（じゅしょう）receiving an award ◇受ける（うける）to get; to receive	(8) 
024	葉	leaf	ヨウ は	紅葉（こうよう）autumn leaves ◇言葉（ことば）word; language	(12) 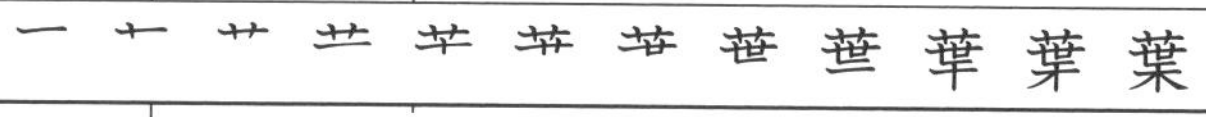
025	将	commander	ショウ	◆将来（しょうらい）future	(10) 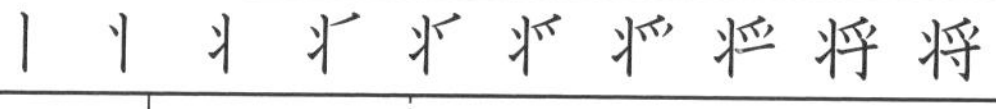
026	難	difficult	ナン むずか	困難（こんなん）difficulty ◆難しい（むずかしい）difficult	(18) 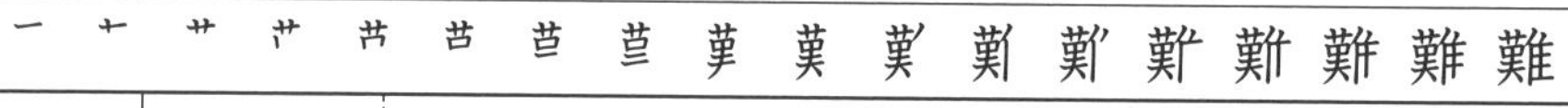
027	助	help	ジョ たす	助詞（じょし）particle ◆助ける（たすける）to save; to help	(7) 
028	夢	dream	ム ゆめ	夢中（むちゅう）absorbed in; frantic ◇夢（ゆめ）dream	(13) 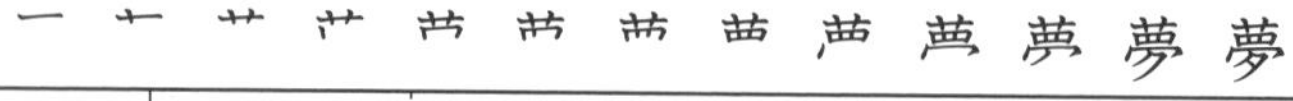
029	身	body	シン み	◇出身（しゅっしん）one's hometown 身近な（みぢかな）familiar	(7) 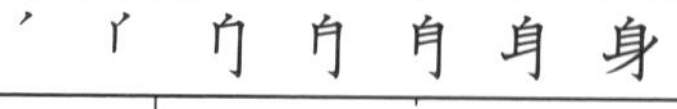
030	決	fix; settle; decide	ケツ き	◆決心（けっしん）determination ◆決して～ない（けっして～ない）never; definitely not ◆決める（きめる）to set; to decide	(7) 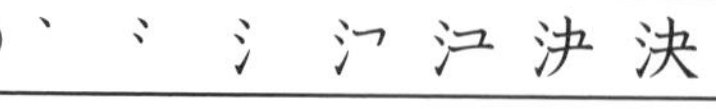

No.	漢字	Meaning	Reading	Vocabulary	Strokes
031	法	law; method	ホウ	◇方法（ほうほう）method; means; way 法律（ほうりつ）law	(8) 丶 冫 氵 氵 汁 注 法 法
032	苦	bitter; pain	ク くる にが	苦労（くろう）trouble; hardship ◇苦しむ（くるしむ）to suffer ◇苦手な（にがてな）poor at	(8) 一 十 艹 艹 芊 芊 苦 苦
033	由	reason	ユウ	◇理由（りゆう）reason	(5) 丨 冂 巾 由 由
034	性	nature; sex	セイ	◇性格（せいかく）personality; character 性別（せいべつ）sex; gender	(8) 丶 丷 忄 忄 忙 性 性 性
035	格	character	カク	◇性格（せいかく）personality; character 本格的に（ほんかくてきに）on a full scale; in full swing	(10) 一 十 才 木 朩 杉 柊 柊 格 格
036	講	lecture	コウ	◇講演（こうえん）lecture; speech 講義（こうぎ）lecture	(17) 丶 亠 亠 言 言 言 言 言 訁 訁 訁 訁 誰 講 講 講 講
037	演	act	エン	◇講演（こうえん）lecture; speech 演じる（えんじる）to act	(14) 丶 冫 氵 氵 氵 泞 泞 涫 涫 渖 渖 演 演 演
038	必	certain; necessary	ヒツ かなら	◆必要な（ひつような）necessary ◆必ず（かならず）certainly; always	(5) 丶 ソ 义 必 必
039	簡	letter; brevity	カン	◆簡単な（かんたんな）easy; simple	(18) ノ ト 𥫗 𥫗 竹 竹 筒 筒 筒 筒 筒 筒 簡 簡 簡 簡 簡 簡
040	単	single; simple	タン	◆簡単な（かんたんな）easy; simple 単位（たんい）credit	(9) 丶 丷 丷 丷 当 当 当 単 単

No.	Kanji	Meaning	Reading	Examples
041	標	mark; sign	ヒョウ	◇目標（もくひょう）goal; objective 標準（ひょうじゅん）standard
		(15) 一 十 オ 木 木 木 柯 柵 標 標 標 標 標 標 標		
042	技	skill; art; craft	ギ わざ	◇技術（ぎじゅつ）technology 技（わざ）skill; trick
		(7) 一 十 才 扌 扌 技 技		
043	要	necessary	ヨウ い	◆必要な（ひつような）necessary 要る（いる）to need
		(9) 一 ㄱ 冂 两 覀 覀 要 要 要		
044	尊	esteem	ソン とうと	◆尊敬（そんけい）respect 尊い（とうとい）precious; noble
		(12) 丶 丷 䒑 产 acknowledged 酋 酋 酋 酋 尊 尊 尊		
045	敬	respect	ケイ	◆尊敬（そんけい）respect 敬語（けいご）honorific language
		(12) 一 十 艹 芍 芍 芶 苟 苟 苟 敬 敬 敬		

[読み物にある単語] ◆読み書き ◇読みだけ

読み物1

No.	漢字	Meaning	Reading	Words
046	願	desire; prayer	ガン ねが	願望（がんぼう）desire ◆お願い（おねがい）request; favor
		(19) 一 厂 厂 厂 厂 厂 厂 厂 戸 原 原 原 原 原 原 願 願 願 願		
047	冷	cold	レイ つめ	冷水（れいすい）cold water ◇冷たい（つめたい）cold (thing/people)
		(7) 丶 冫 冫 冫 冷 冷 冷		
048	吹	blow	スイ ふ	吹奏楽（すいそうがく）wind(-instrument) music ◇吹く（ふく）to blow
		(7) 丨 口 口 口 吖 吹 吹		
049	寒	cold	カン さむ	寒暖（かんだん）hot and cold ◆寒い（さむい）cold (weather)
		(12) 丶 丶 宀 宀 宀 宀 宀 宀 宀 実 寒 寒		
050	降	fall; descend; surrender	コウ ふ お	降下（こうか）descent ◆降る（ふる）to fall; to come down 降りる（おりる）to get off
		(10) ㇇ 阝 阝 阝 阝 阝 陉 降 降 降		
051	慣	custom; get used to	カン な	◇習慣（しゅうかん）custom ◇慣れる（なれる）to get used to
		(14) 丶 丶 忄 忄 忄 忄 忄 忄 忄 慣 慣 慣 慣 慣		
052	和	peace; harmony; Japan	ワ なご	◆和食（わしょく）Japanese food 和む（なごむ）to feel relaxed; to calm down
		(8) 丿 二 千 千 禾 禾 和 和		
053	実	substance; truth; actual	ジツ みの	◆実は（じつは）actually 実る（みのる）to bear fruit
		(8) 丶 丶 宀 宀 宀 宀 実 実		
054	交	intercourse; exchange; cross	コウ まじ	◇交流（こうりゅう）exchange; interchange 交える（まじえる）to include; to exchange
		(6) 丶 亠 亠 六 交 交		
055	流	flow; wander; style	リュウ なが	◇交流（こうりゅう）exchange; interchange 流れる（ながれる）to flow
		(10) 丶 氵 氵 氵 氵 浐 浐 済 済 流		

No.	Kanji	Meaning	Reading	Examples	Stroke order
056	課	allot; section	カ	◇国際交流課（こくさいこうりゅうか）International Relations Division	(15) 丶 亠 亖 言 言 言 言 訁 訂 訂 誀 諤 課 課 課
057	伝	convey; transmit; legend	デン つた	伝言（でんごん）message ◆手伝う（てつだう）to help; to assist ◆伝える（つたえる）to convey (a message) to	(6) ノ 亻 亻 仁 伝 伝
058	異	different; unusual	イ こと	◇異文化（いぶんか）different culture ◇異なる（ことなる）to differ	(11) 丨 冂 冊 田 田 甲 里 畀 畢 異 異
059	役	service; role	ヤク	◆役に立つ（やくにたつ）to be useful	(7) ノ 彡 彳 彳 役 役 役
060	申	state; declare	シン もう	申告（しんこく）declaration ◇申し込む（もうしこむ）to apply for ◇申し訳ない（もうしわけない）sorry	(5) 丨 冂 日 日 申
061	込	crowded; packed	こ	◇申し込む（もうしこむ）to apply for	(5) ノ 入 入 込 込
062	忙	busy	ボウ いそが	多忙（たぼう）very busy ◆忙しい（いそがしい）busy ◆お忙しいところ（おいそがしいところ）while you are busy	(6) 丶 丷 忄 忄 忙 忙
063	突	thrust	トツ つ	◇突然の（とつぜんの）sudden 突く（つく）to thrust	(8) 丶 丷 宀 宀 空 空 突 突
064	然	nature; yes	ゼン	◇突然の（とつぜんの）sudden	(12) ノ ク タ タ 夕 夘 外 然 然 然 然 然
065	訳	translation	ヤク わけ	訳す（やくす）to translate ◇申し訳ない（もうしわけない）sorry	(11) 丶 亠 亖 言 言 言 言 訁 訂 訳 訳

No.	漢字	Meaning	Reading	Examples
066	返	return	ヘン かえ	◆返事（へんじ）reply 返す（かえす）to return
		(7) 一 厂 万 反 反 返 返		
067	季	season	キ	◇季節（きせつ）season
		(8) ノ 二 千 禾 禾 秂 季 季		
068	節	season; section	セツ	◇季節（きせつ）season ◇その節（そのせつ）at that time; on that occasion
		(13) ノ 𠂉 𠂉 竹 竹 竹 笞 笞 笞 笪 笪 節 節		
069	礼	courtesy; politeness; salutation	レイ	◆お礼（おれい）gratitude 失礼（しつれい）impoliteness
		(5) ヽ ラ ネ ネ 礼		
070	拝	worship; bow	ハイ	◇拝啓（はいけい）Dear Sir/Madam [a letter salutation] 参拝（さんぱい）visiting a shrine/temple
		(8) 一 扌 扌 扌 扌 扌 拝 拝		
071	啓	enlighten; state	ケイ	◇拝啓（はいけい）Dear Sir/Madam [a letter salutation]
		(11) 一 ラ ョ 戸 戸 户 所 敀 啓 啓 啓		
072	暑	hot; summer	ショ あつ	残暑（ざんしょ）heat of late summer ◆暑い（あつい）hot (weather)
		(12) 丨 冂 日 日 旦 早 星 昇 昇 暑 暑 暑		
073	頃	time; about	ころ	◇頃（ころ）when; the time
		(11) ノ ヒ 匕 匕 匕 呃 呃 頃 頃 頃 頃		
074	過	pass; spend	カ す	過去（かこ）past ◇過ごす（すごす）to spend one's time
		(12) 丨 冂 冂 冂 冎 冎 咼 咼 咼 咼 過 過		
075	短	short; brief	タン みじか	短期（たんき）short term ◆短い（みじかい）short
		(12) ノ 𠂉 𠂉 午 矢 矢 矢 知 知 知 短 短		

No.	Kanji	Meaning	Reading	Examples
076	期	time; period	キ	◇期間（きかん）a period of time
		(12) 一 十 廾 廾 甘 甘 其 其 其 期 期 期		
077	科	course of study	カ	◇教科書（きょうかしょ）textbook
		(9) ノ 二 千 禾 禾 禾 禾 科 科		
078	準	standard	ジュン	◇準備（じゅんび）preparation
		(13) 丶 丶 氵 氵 氵 氵 氵 氵 氵 淮 淮 準 準		
079	備	provide; preparation	ビ そな	◇準備（じゅんび）preparation 備える（そなえる）to prepare
		(12) ノ イ 亻 仁 什 件 伊 伊 併 併 備 備		
080	合	combine; join; match	ゴウ あ	合流（ごうりゅう）confluence ◆知り合う（しりあう）to get to know
		(6) ノ 人 亼 今 合 合		
081	解	solve; melt; understand	カイ と	◇理解（りかい）understanding 解く（とく）to solve
		(13) ノ ク 介 角 角 角 角 角 角 角 角 解 解		
082	深	deep	シン ふか	深夜（しんや）midnight ◇深まる（ふかまる）to deepen
		(11) 丶 丶 氵 氵 氵 氵 氵 氵 浑 深 深		
083	公	public	コウ おおやけ	◇公園（こうえん）park 公の（おおやけの）public
		(4) ノ 八 公 公		
084	園	garden; park	エン その	◇公園（こうえん）park 花園（はなぞの）flower garden
		(13) 丨 冂 冂 冂 冂 冂 冂 冂 冂 冂 冂 園 園		
085	酒	sake; wine; liquor	シュ さけ	日本酒（にほんしゅ）Japanese sake ◆酒（さけ）liquor; sake ◇居酒屋（いざかや）Japanese-style pub
		(10) 丶 丶 氵 氵 氵 汀 沥 洒 酒 酒		

086 居	be; live; sit	キョ い	居住地（きょじゅうち）settlement ◇居酒屋（いざかや）Japanese-style pub
	(8)		一 コ 尸 尸 尸 尸 居 居
087 達	lead; deliver	タツ タチ	達する（たっする）to reach ◇友達（ともだち）friend
	(12)		一 十 土 土 圭 圭 幸 幸 幸 達 達 達
088 誘	invite; induce	ユウ さそ	誘惑（ゆうわく）temptation ◇誘う（さそう）to invite (someone) to
	(14)		丶 亠 亖 言 言 言 言 訁 訂 訢 訴 誘 誘 誘
089 機	machine; chance	キ	◆機会（きかい）chance; opportunity
	(16)		一 十 才 木 杉 杉 桦 桦 桦 樂 機 機 機 機 機 機
090 具	equipment; tool	グ	◇敬具（けいぐ）sincerely yours [a closing greeting in letters] 家具（かぐ）furniture 具体的な（ぐたいてきな）concrete
	(8)		丨 冂 冃 月 目 且 具 具

単語リスト
漢字リスト

［読み物にある単語］ ◆読み書き ◇読みだけ

読み物1

No.	漢字	Meaning	Reading	Vocabulary	Strokes
091	登	climb; attendance	ト トウ のぼ	◆登山（とざん）mountain climbing ◇登録（とうろく）registration ◆登る（のぼる）to climb	(12)
092	訪	visit	ホウ おとず	訪問（ほうもん）visiting ◆訪れる（おとずれる）to visit (a place)	(11)
093	県	prefecture	ケン	◆〜県（〜けん）~ Prefecture ◇県境（けんざかい）prefectural border	(9)
094	象	shape; elephant	ショウ ゾウ	◇象徴（しょうちょう）symbol 象（ぞう）elephant	(12)
095	徴	sign; symbol	チョウ	◇象徴（しょうちょう）symbol ◇特徴（とくちょう）characteristic	(14)
096	札	card; bill	サツ ふだ	◇札（さつ）bill; note 値札（ねふだ）price tag	(5)
097	録	record; catalog	ロク	◇登録（とうろく）registration 録音（ろくおん）sound recording	(16)
098	客	guest; customer	キャク	◇登山客（とざんきゃく）mountain climber	(9)
099	報	news; report	ホウ	◆情報（じょうほう）information	(12)
100	般	type	ハン	◆一般的な（いっぱんてきな）general	(10)

No.	漢字	Meaning	Reading	Vocabulary	Strokes
101	約	promise; approximately	ヤク	◇約（やく）about; approximately ◇予約（よやく）reservation	(9) … 約 約
102	選	choose; select	セン えら	選挙（せんきょ）election ◆選ぶ（えらぶ）to choose	(15) … 巽 選 選
103	頂	top; peak	チョウ いただ	◇山頂（さんちょう）summit 頂く（いただく）to receive; to take; to eat [humble]	(11) 一 丁 … 頂 頂
104	泊	lodge; berth	ハク と	二泊（にはく）two nights ◆泊まる（とまる）to stay	(8) … 泊 泊 泊
105	光	light; shine	コウ ひかり	◇ご来光（ごらいこう）rising sun 光（ひかり）light	(6) … 光
106	参	visit; join	サン まい	◇参加（さんか）participation 参る（まいる）to go [humble]	(8) … 参 参
107	加	add; increase	カ くわ	◇参加（さんか）participation 加える（くわえる）to add	(5) フ カ … 加 加
108	予	previously	ヨ	◇予約（よやく）reservation	(4) … 予
109	装	wear; pretend	ソウ よそお	◇服装（ふくそう）clothes　包装（ほうそう）packing; wrapping 包装紙（ほうそうし）wrapping paper 装う（よそおう）to pretend	(12) … 装 装
110	限	limit; restriction	ゲン かぎ	限界（げんかい）limit ◆限る（かぎる）to limit 〜とは限らない（〜とはかぎらない）not necessarily	(9) … 限 限 限

No.	Kanji	Meaning	Readings	Examples
111	岩	rock	ガン いわ	岩石（がんせき）stones and rocks ◇岩（いわ）rock
		(8) 丨 凵 山 屵 屵 岩 岩 岩		
112	点	dot; score	テン	◆点（てん）point
		(9) 丨 ⺊ 卜 占 占 占 点 点 点		
113	他	other	タ ほか	他国（たこく）other countries ◇その他に（そのほかに）other than that; in addition
		(5) ノ 亻 仂 他 他		
114	箱	box; case	はこ	◇ゴミ箱（ごみばこ）trash can
		(15) ノ ⺈ ⺮ ⺮ ⺮ ⺮ 竺 笁 笁 笁 箱 箱 箱 箱 箱		
115	汚	dirty; stain; pollute	オ よご	汚染（おせん）pollution ◇汚す（よごす）to make something dirty 汚れる（よごれる）to become dirty
		(6) 丶 冫 氵 汀 汚 汚		
116	値	value; price	チ ね	価値（かち）value ◇値段（ねだん）price
		(10) ノ 亻 仁 什 仟 佰 侑 侑 値 値		
117	段	steps; degree	ダン	◇値段（ねだん）price
		(9) ノ 亻 ⺁ 乍 臣 段 段 段 段		
118	仲	relations; terms	チュウ なか	仲介（ちゅうかい）intermediation ◇仲よくなる（なかよくなる）to make friends with
		(6) ノ 亻 仆 仲 仲 仲		
119	数	number; count	スウ かず	数学（すうがく）mathematics ◇数（かず）number
		(13) 丶 丷 䒑 半 米 米 类 娄 娄 娄 数 数 数		
120	求	want; request	キュウ もと	求人（きゅうじん）recruitment ◆求める（もとめる）to seek; to want
		(7) 一 十 寸 才 求 求 求		

読み物2

No.	Kanji	Meaning	Reading	Vocabulary	Strokes
121	種	seed; kind	シュ たね	◆種類（しゅるい）kinds 種（たね）seed	(14)
122	類	kind; type	ルイ	◆種類（しゅるい）kinds	(18)
123	席	seat; place	セキ	◇席（せき）seat	(10)
124	普	general; common	フ	◇普通の（ふつうの）normal; ordinary	(12)
125	量	quantity	リョウ	◇量（りょう）quantity	(12)
126	放	let go; release	ホウ はな	◇飲み放題（のみほうだい）all you can drink 放す（はなす）to let go	(8)
127	覚	sense; remember	カク おぼ	感覚（かんかく）sense ◆覚える（おぼえる）to remember; to memorize	(12)
128	額	forehead; amount; frame	ガク	◇金額（きんがく）amount of money; price 全額（ぜんがく）total amount	(18)
129	個	piece (counter for small objects)	コ	◆個室（こしつ）private room	(10)
130	打	beat; hit	ダ う	打者（だしゃ）batter ◇打ち上げ（うちあげ）party celebrating the finish of a project, event, etc.	(5)

No.	Kanji	Meaning	Reading	Examples
131	疲	get tired	ヒ つか	疲労（ひろう）fatigue ◆疲れる（つかれる）to get tired; to get exhausted
		(10) 丶 亠 广 广 疒 疒 疒 疒 疲 疲		
132	息	breath	ソク いき	休息（きゅうそく）rest; repose ◇息抜き（いきぬき）breather; relaxation
		(10) 丿 亻 白 白 自 自 自 息 息 息		
133	抜	pull out	バツ ぬ	抜群の（ばつぐんの）outstanding ◇息抜き（いきぬき）breather; relaxation
		(7) 一 十 扌 扌 扐 抜 抜		
134	消	vanish; extinguish	ショウ け	◇解消（かいしょう）(stress) relief 消す（けす）to erase; to extinguish
		(10) 丶 丶 氵 氵 氵 氵 氵 消 消 消		
135	独	alone	ドク ひと	◇独特な（どくとくな）unique; original; distinctive 独り（ひとり）alone
		(9) 丿 犭 犭 犭 犭 犭 独 独 独		

読み物1

No.	漢字	Meaning	Reading	Vocabulary
136	座	sitting; gathering	ザ すわ	◇座談会（ざだんかい）round-table talk 座る（すわる）sit down
		(10) 丶 亠 广 广 庅 庅 庅 座 座 座		
137	談	talk; story	ダン	◇座談会（ざだんかい）round-table talk 相談（そうだん）consultation
		(15) 丶 亠 亠 言 言 言 言 言 言' 訁' 訟 訟 談 談 談		
138	現	appear; current	ゲン あらわ	◇現在（げんざい）currently; present time 現れる（あらわれる）to appear
		(11) 一 丁 干 王 玑 玑 玥 玥 珇 玾 現		
139	在	be; exist	ザイ	◇現在（げんざい）currently; present time ◇在学（ざいがく）being in school 存在（そんざい）existence
		(6) 一 ナ 才 在 在 在		
140	常	ordinary; common	ジョウ つね	◆日常生活（にちじょうせいかつ）daily life ◇非常に（ひじょうに）very; greatly 常に（つねに）always
		(11) 丨 丷 丷 ⺍ 尚 尚 尚 常 常 常 常		
141	軽	light; easy	ケイ かる	軽食（けいしょく）light meal ◆気軽に（きがるに）freely; readily 軽い（かるい）light
		(12) 一 厂 冃 百 亘 亘 車 軒 軽 軽 軽 軽		
142	僕	I (male)	ボク	◇僕（ぼく）I [used among men]
		(14) ノ イ イ' イ'' イ'' 僕 僕 僕 僕 僕 僕 僕 僕 僕		
143	政	govern	セイ	◇政治（せいじ）politics 政策（せいさく）policy
		(9) 一 丅 下 正 正 正 政 政 政		
144	治	govern; rule; recover	ジ チ なお	◇政治（せいじ）politics 治安（ちあん）public peace and order 治る（なおる）to recover
		(8) 丶 冫 氵 氵 氵 治 治 治		
145	歴	passage of time; successive	レキ	◇歴史（れきし）history
		(14) 一 厂 厂 厂 厂 厂 厂 厤 厤 厤 厤 歴 歴 歴		

No.	漢字	Meaning	Reading	Examples
146	史	history	シ	◇歴史（れきし）history
		(5) 丨 冂 口 中 史		
147	積	accumulate; load	セキ つ	◇積極的に（せっきょくてきに）actively ◇経験を積む（けいけんをつむ）to gain experience
		(16) 丿 二 千 禾 禾 秆 秆 秸 秸 秸 稍 積 積 積 積 積		
148	極	go to extremes; end	キョク きわ	◇積極的に（せっきょくてきに）actively 極める（きわめる）to master
		(12) 一 十 才 木 木 朾 朾 杆 杆 柘 极 極		
149	価	price; value	カ	◇価値観（かちかん）values 物価（ぶっか）prices
		(8) 丿 亻 亻 仁 佰 佰 価 価		
150	観	observe; see	カン	◇価値観（かちかん）values
		(18) 丿 亠 亠 午 矢 矢 牟 奔 奔 奔 奞 雀 雀 雀 雀 雀 雀 観		
151	触	touch; feel	ショク ふ	接触（せっしょく）contact; touch ◇触れる（ふれる）to touch; to encounter
		(13) 丿 ク 夕 角 角 角 角 角 角 角 触 触 触		
152	寮	dormitory	リョウ	◇寮（りょう）dormitory
		(15) 丶 丷 宀 宀 宊 宊 宊 宊 宊 寮 寮 寮 寮 寮 寮		
153	式	ceremony; formula; system	シキ	◇生活様式（せいかつようしき）lifestyle 卒業式（そつぎょうしき）graduation ceremony
		(6) 一 二 亍 工 式 式		
154	視	watch; regard	シ	◇視野を広げる（しやをひろげる）to broaden one's perspective 重視（じゅうし）setting great store in; emphasis 視点（してん）viewpoint
		(11) 丶 ラ ネ ネ ネ 礼 初 祁 祖 視 視		
155	費	expenses; cost	ヒ つい	◇生活費（せいかつひ）living expenses 費やす（ついやす）to spend
		(12) 一 コ ヨ 弓 弗 弗 弗 曹 曹 曹 曹 費		

No.	漢字	Meaning	Reading	Vocabulary	Stroke order
156	非	non-; un-; not	ヒ	◇非常に（ひじょうに）very; greatly; extremely	(8) 丿 亅 彐 彐 非 非 非 非
157	念	think	ネン	◆残念な（ざんねんな）unfortunate; disappointing	(8) ノ 人 亼 今 今 念 念 念
158	確	certainty; sure	カク たし	確認（かくにん）confirmation ◆確かに（たしかに）certainly; indeed	(15) 一 ア 不 石 石 石 石' 石' 矿 矿 矿 碎 碓 確 確
159	成	be completed; achieve	セイ な	◆成績（せいせき）grade; result 成る（なる）to become	(6) ノ 厂 万 成 成 成
160	績	spin; achievement	セキ	◆成績（せいせき）grade; result	(17) ㇜ 幺 幺 糸 糸 糸 糸 紸 紸 紸 紸 績 績 績 績 績 績
161	緒	cord; string	ショ	◆一緒に（いっしょに）together with	(14) ㇜ 幺 幺 糸 糸 糸 糸 紸 紸 紸 紸 緒 緒 緒
162	遠	distant; far	エン とお	遠距離（えんきょり）long distance ◆遠い（とおい）far	(13) 一 十 土 圥 吉 吉 声 袁 袁 袁 遠 遠 遠
163	済	relieve; finish	サイ す	経済（けいざい）economy ◆済む（すむ）to finish; to end	(11) 丶 冫 氵 氵 汁 汶 济 済 済 済 済
164	位	rank; position; grade	イ くらい	◇単位（たんい）credit 一位（いちい）first place 位（くらい）grade; rank	(7) ノ イ イ 仁 什 位 位
165	換	change	カン か	◇交換（こうかん）exchange 置き換える（おきかえる）to replace	(12) 一 十 扌 扌 扌 扌 拚 拚 拚 換 換 換

番号	漢字	意味	読み	語彙
166	企	plan; plot	キ くわだ	◇企業（きぎょう）company 企てる（くわだてる）to plot; to scheme
		(6) ノ 𠆢 个 仐 仚 企		
167	採	choose; take	サイ と	◇採用（さいよう）hiring; employment 採る（とる）to employ; to adopt
		(11) 一 十 扌 扌 扌 扌 扌 扌 抨 採 採		
168	練	train	レン	◆練習（れんしゅう）practice
		(14) ㇛ 幺 幺 糸 糸 糸 紅 紅 絅 絅 絅 綀 練 練		
169	接	contact; join; touch	セツ	◆接する（せっする）to attend to 接客（せっきゃく）service
		(11) 一 十 扌 扌 扌 扌 扌 拉 接 接 接		
170	儀	ceremony; rule	ギ	◇礼儀正しい（れいぎただしい）polite
		(15) ノ イ イ 亻 亻 亻 亻 佯 佯 佯 佯 佯 儀 儀 儀		
171	容	form; content	ヨウ	◇内容（ないよう）description; content
		(10) 丶 丷 宀 宀 穴 穸 宊 㝐 容 容		
172	労	work; labor; toil	ロウ いた	◇苦労（くろう）having trouble; having a hard time 労わる（いたわる）to take good care of
		(7) 丶 丷 ⺍ 𭕄 𭕄 学 労		
173	応	respond; meet	オウ こた	◇対応（たいおう）serving; response 応える（こたえる）to respond
		(7) 丶 亠 广 广 応 応 応		
174	頼	ask for; request	ライ たの	依頼（いらい）ask; request ◆頼む（たのむ）to ask; to request
		(16) 一 厂 币 币 申 束 束 束 束 束 頼 頼 頼 頼 頼 頼		
175	片	one side; piece	ヘン かた	断片（だんぺん）fragment ◇片づけ（かたづけ）cleaning up
		(4) ノ ノ 片 片		

漢字	意味	読み	語彙
176 勤	work; try hard	キン つと	◇勤勉さ（きんべんさ）diligence 勤める（つとめる）to work (at/for)
(12) 一 十 廾 廿 芇 苩 茾 堇 堇 堇 勤 勤			
177 熱	hot; heat	ネツ あつ	◆熱心に（ねっしんに）enthusiastically 熱する（ねっする）to heat up 熱い（あつい）hot
(15) 一 十 土 夫 夫 坴 坴 坴 埶 埶 埶 埶 熱 熱 熱			
178 驚	surprise; shock	キョウ おどろ	驚異（きょうい）wonder; miracle ◇驚く（おどろく）to get surprised
(22) 一 十 廾 艹 芍 芍 苟 苟 苟 苟 苟 敬 敬 敬 敬 敬 敬 驚 驚 驚 驚 驚			
179 育	bring up; grow up; train	イク そだ	◆教育（きょういく）education; training (employee) 育てる（そだてる）to raise; to bring up
(8) 丶 亠 云 云 夳 育 育 育			
180 識	discern; sight; consciousness	シキ	◆プロ意識（ぷろいしき）professionalism ◆意識（いしき）consciousness; awareness 知識（ちしき）knowledge
(19) 丶 亠 亠 亖 言 言 言 訁 訁 訁 訁 訁 訁 訁 訁 訁 識 識 識			

［読み物にある単語］ ◆読み書き ◇読みだけ

読み物1

No.	漢字	意味	読み	単語
181	門	gate	モン	◆入門（にゅうもん）introduction 専門書（せんもんしょ）specialized book 正門（せいもん）front gate
		(8)	丨 𠃍 ⼫ 戸 戸 門 門 門	
182	級	class; grade	キュウ	◇高級な（こうきゅうな）expensive; high-class
		(9)	く 幺 幺 糸 糸 糸 糹 級 級	
183	鮮	clear; fresh	セン	◇新鮮な（しんせんな）fresh 鮮度（せんど）freshness
		(17)	ノ ク ク 各 各 角 角 角 魚 魚 魚 魚 鮮 鮮 鮮 鮮 鮮	
184	看	care; watch	カン	◇看板（かんばん）signboard
		(9)	一 二 三 手 手 看 看 看 看	
185	板	board	バン いた	◇看板（かんばん）signboard 板（いた）board
		(8)	一 十 才 木 木 朾 板 板	
186	豊	abundant; rich	ホウ ゆた	◇豊富な（ほうふな）abundant 豊かな（ゆたかな）abundant
		(13)	丨 口 巾 曲 曲 曲 曲 豊 豊 豊 豊 豊 豊	
187	富	wealth; rich	フ とみ	◇豊富な（ほうふな）abundant 富（とみ）wealth
		(12)	' 〃 宀 宀 宀 宀 宀 富 富 富 富 富	
188	定	fixed; constant	テイ さだ	◆～限定（～げんてい）limited; ~ only ◆定番（ていばん）standard 定める（さだめる）to set; to define
		(8)	' 〃 宀 宀 宁 宇 定 定	
189	増	increase	ゾウ ふ	増加（ぞうか）increase ◆増える（ふえる）to increase
		(14)	一 十 土 土 土 土 増 増 増 増 増 増 増 増	
190	帯	belt; band	タイ おび	◇時間帯（じかんたい）period of time (in a day) 携帯電話（けいたいでんわ）mobile phone 帯（おび）belt
		(10)	一 十 廿 卅 卅 帯 帯 帯 帯 帯	

No.	Kanji	Meaning	Reading	Vocabulary
191	列	line; row	レツ	◆行列（ぎょうれつ）line; queue
		(6) 一 ア 万 歹 歹 列		
192	置	put; place	チ お	位置（いち）position; location ◆置く（おく）to put
		(13) 丶 冖 冖 罒 罒 罒 罒 罕 罟 罟 罟 罝 置		
193	順	submit; order; series	ジュン	◆順番に（じゅんばんに）in order 書き順（かきじゅん）stroke order
		(12) 丿 川 川 川 川 川 川 川 順 順 順 順		
194	呼	call; exhale	コ よ	呼吸（こきゅう）breathing ◆呼ぶ（よぶ）to call
		(8) 丨 口 口 口 口 口 口 呼		
195	湯	hot water	トウ ゆ	銭湯（せんとう）public bath ◇湯のみ（ゆのみ）Japanese teacup ◇湯（ゆ）hot water
		(12) 丶 冫 氵 氵 氵 氵 沪 温 浧 湯 湯 湯		
196	粉	flour; powder	フン こな	◇粉末（ふんまつ）powder 粉（こな）powder
		(10) 丶 丷 丷 半 米 米 米 米 粉 粉		
197	付	attach	フ つ	添付（てんぷ）attachment ◇付く（つく）to be attached to; to be connected to
		(5) ノ イ 仁 付 付		
198	押	press; push	オウ お	押収（おうしゅう）seizure ◆押す（おす）to push
		(8) 一 十 扌 扌 扣 扣 押 押		
199	便	mail; transport; convenience	ベン たよ	◆便利な（べんりな）convenient 便り（たより）letter; news
		(9) ノ イ 仁 仁 佰 佰 佰 便 便		
200	利	profit; advantage	リ	◆便利な（べんりな）convenient
		(7) 一 二 千 禾 禾 利 利		

No.	Kanji	Meaning	Readings	Examples	Strokes
201	面	face; surface	メン おも	◆画面（がめん）screen ◆表面（ひょうめん）surface 面白い（おもしろい）interesting	(9)
202	巻	volume; scroll	カン まき	一巻（いっかん）the first volume ◇巻物（まきもの）sushi roll	(9)
203	詳	minute; details; fine	ショウ くわ	詳細（しょうさい）details ◇詳しい（くわしい）detailed	(13)
204	示	show; express	ジ しめ	◇表示（ひょうじ）display; showing 示す（しめす）to show	(5) 一 二 亍 亓 示
205	繰	reel; count	く	◇繰り返す（くりかえす）to repeat 繰り上げる（くりあげる）to move up; to advance	(19)
206	庭	garden	テイ にわ	◇家庭（かてい）home; family 庭（にわ）garden	(10)
207	甘	sweet	カン あま	甘味料（かんみりょう）sweetener ◇甘辛い（あまからい）sweet and salty	(5) 一 十 廾 甘 甘
208	辛	pungent; bitter	シン から	香辛料（こうしんりょう）spice ◇甘辛い（あまからい）sweet and salty	(7)
209	材	material; talent	ザイ	◇材料（ざいりょう）ingredients; materials	(7) 一 十 才 木 木 村 材
210	玉	jewel; pearl	ギョク たま	玉砕（ぎょくさい）honorable defeat ◇玉ねぎ（たまねぎ）onion	(5) 一 丁 干 王 玉

読み物2

No.	漢字	Meaning	Reading	Vocabulary	Strokes
211	薄	thin	ハク うす	薄情（はくじょう）cruel; heartless ◆薄切り（うすぎり）thin slice ◆薄く（うすく）thinly	(16)
212	油	oil	ユ あぶら	◇サラダ油（さらだゆ／さらだあぶら）salad oil 油（あぶら）oil	(8)
213	皮	skin; leather	ヒ かわ	皮膚（ひふ）skin ◇皮（かわ）skin; coat	(5)
214	縦	length; vertical	ジュウ たて	縦断（じゅうだん）crossing vertically/longitudinally ◇縦に（たてに）vertically	(16)
215	幅	width	フク はば	全幅（ぜんぷく）full width ◇幅（はば）width	(12)
216	煮	boil	シャ に	煮沸（しゃふつ）boiling ◇煮る（にる）to boil; to simmer ◇煮出す（にだす）to extract the flavor of ~ by boiling ◇煮込む（にこむ）to simmer; to stew	(12)
217	弱	weak	ジャク よわ	弱点（じゃくてん）weakness ◆弱火（よわび）low heat 弱い（よわい）weak	(10)
218	整	arrange	セイ ととの	◇調整（ちょうせい）adjustment 整える（ととのえる）to put in order; to arrange	(16)
219	完	complete; perfect	カン	◇完成（かんせい）completion	(7)
220	汁	juice	ジュウ しる	果汁（かじゅう）fruit juice ◇汁（しる）soup; juice	(5)

221 余	remainder; the rest	ヨ あま	余分（よぶん）extra ◆余る（あまる）to remain
	(7) ノ 𠆢 亼 亼 今 余 余		
222 捨	throw away	シャ す	四捨五入（ししゃごにゅう）rounding off a number ◆捨てる（すてる）to throw away
	(11) 一 十 扌 扌 扌 扌 扌 拴 拴 捨 捨		

[読み物にある単語] ◆読み書き ◇読みだけ

No.	漢字	Meaning	読み	単語	筆順
223	投	throw	トウ な	◆投書（とうしょ）writing to a newspaper 投げる（なげる）to throw	(7) 一 十 扌 扌 扌 投 投
224	包	wrap; cover	ホウ つつ	◇包装（ほうそう）packaging; wrapping ◇包装紙（ほうそうし）wrapping paper ◇包む（つつむ）to wrap	(5) ノ 勹 句 句 包
225	雑	miscellaneous; sloppy; messy	ザツ	◇雑誌（ざっし）magazine	(14) ノ 九 九 卆 卆 杂 杂 杂 杂 杂 新 新 雑 雑
226	誌	record; magazine	シ	◇雑誌（ざっし）magazine	(14) 丶 亠 亠 亠 言 言 言 計 計 計 誌 誌 誌 誌
227	資	fund; nature	シ	◇資源（しげん）resource ◇資源ゴミ（しげんごみ）recyclable waste 資料（しりょう）(informational) materials; data	(13) 丶 冫 冫 冫 次 次 次 資 資 資 資 資 資
228	源	source	ゲン みなもと	◇資源（しげん）resource ◇資源ゴミ（しげんごみ）recyclable waste 源（みなもと）sources	(13) 丶 丶 氵 氵 厂 厂 厂 沥 沥 源 源 源 源
229	燃	burn	ネン も	燃料（ねんりょう）fuel ◆燃える（もえる）to burn ◆燃えるゴミ（もえるごみ）burnable waste	(16) 丶 丷 火 火 火 火 火 火 火 炒 炒 燃 燃 燃 燃 燃
230	局	part	キョク	◆結局（けっきょく）after all; eventually 郵便局（ゆうびんきょく）post office	(7) 一 コ 尸 月 局 局 局
231	商	trade; merchant; business	ショウ	◆商品（しょうひん）merchandise; product 商業（しょうぎょう）commerce	(11) 丶 亠 亠 亠 产 产 产 商 商 商 商
232	袋	bag	ふくろ	◇袋（ふくろ）bag ◇紙袋（かみぶくろ）paper bag	(11) ノ イ 仁 代 代 代 代 袋 袋 袋 袋

No.	Kanji	Meaning	Reading	Vocabulary	Stroke order
233	疑	doubt	ギ うたが	◆疑問（ぎもん）doubt; question 疑う（うたがう）to doubt	(14) ⺊ ㇏ 㠯 ⺒ 𠂤 𠤎 𠤏 𡿧 𢀓 𢀖 𢀗 𢀘 𢀙 疑
234	丁	youth; servant; polite	テイ	◇丁寧に（ていねいに）carefully; politely	(2) 一 丁
235	寧	peaceful; calm	ネイ	◇丁寧に（ていねいに）carefully; politely	(14) ` 丶 宀 宀 宀 宀 宀 宓 宓 寍 寍 寍 寍 寧
236	賛	praise; dedication; agree	サン	◆賛成（さんせい）approval; agreement	(15) 一 二 夫 夫 夫 夫 㚘 㚘 㚘 賛 賛 賛 賛 賛 賛
237	反	return; disobey	ハン	◆反対（はんたい）opposition; disagreement	(4) 一 厂 万 反
238	制	regulation; control	セイ	◇制度（せいど）system 制服（せいふく）uniform	(8) ノ 𠂉 𠂉 牛 告 制 制 制
239	進	advance	シン すす	進学（しんがく）going on to higher education ◆進む（すすむ）to proceed; to advance	(11) ノ イ 亻 仁 什 件 隹 隹 隹 進 進
240	関	barrier; bolt	カン かか	◆関心（かんしん）interest ◆関係（かんけい）relation; connection 関わり（かかわり）involvement	(14) 丨 Г 尸 尸 尸 門 門 門 門 門 門 閂 関 関
241	状	condition	ジョウ	◇現状（げんじょう）current state 状態（じょうたい）state; condition 推薦状（すいせんじょう）recommendation letter 状況（じょうきょう）situation	(7) 丨 丬 丬 丬 壮 状 状
242	第	(ordinal prefix)	ダイ	◆第一に（だいいちに）first	(11) ノ 𠂉 𠂉 𥫗 𥫗 𥫗 竺 笋 笫 第 第

読み物2

No.	漢字	Meaning	Reading	Examples	Strokes
243	齢	age	レイ	◇年齢（ねんれい）age	(17) … 齢
244	超	exceed; super	チョウ こ	超特急（ちょうとっきゅう）super express ◇超える（こえる）to exceed; to be over	(12) … 超
245	係	connection; involve	ケイ かかり	◆関係（かんけい）relation; connection 係の人（かかりのひと）person in charge	(9) … 係
246	吸	inhale	キュウ す	◇吸収（きゅうしゅう）absorption 吸い上げる（すいあげる）to suck up	(6) … 吸
247	収	receive; payment	シュウ	◇吸収（きゅうしゅう）absorption 収入（しゅうにゅう）income	(4) … 収
248	効	effect; efficiency	コウ き	◆効果的な（こうかてきな）effective 効く（きく）to be effective	(8) … 効
249	抵	resist	テイ	◇抵抗感（ていこうかん）reluctance; resistance	(8) … 抵
250	抗	resist; oppose	コウ	◇抵抗感（ていこうかん）reluctance; resistance	(7) … 抗
251	恥	shyness; shame	チ は	羞恥心（しゅうちしん）sense of shame ◆恥ずかしい（はずかしい）to be shy; to feel embarrassed	(10) … 恥
252	周	round; surround	シュウ まわ	周囲（しゅうい）circumference; environment ◇周り（まわり）surroundings; surrounding people	(8) … 周

No.	Kanji	Meaning	Reading	Examples
253	失	lose; error; failure	シツ うしな	◇失敗（しっぱい）failure 失う（うしなう）to lose
		(5) ノ ⺈ 二 牛 失		
254	敗	be defeated	ハイ やぶ	◇失敗（しっぱい）failure 敗れる（やぶれる）to be defeated
		(11) 丨 冂 冃 冃 目 目 貝 貝 貝 敗 敗		
255	恐	fear; fright	キョウ おそ	恐怖（きょうふ）fear ◇恐れる（おそれる）to be afraid of; to fear
		(10) 一 丅 工 𢀜 巩 巩 巩 恐 恐 恐		
256	躍	jump; leap	ヤク おど	◇活躍（かつやく）playing an active part 躍る（おどる）to leap; to hop
		(21) 丨 冂 口 口 卩 ⻊ ⻊ 跀 跀 跀 跀 跀 踋 踋 踋 踋 躍 躍 躍 躍 躍		
257	可	possible; permit; good	カ	◇可能性（かのうせい）possibility 許可（きょか）permission
		(5) 一 丁 丅 叮 可		
258	能	talent; faculty; ability	ノウ	◇可能性（かのうせい）possibility 能力（のうりょく）ability
		(10) ㇜ 厶 ⺊ 台 育 育 育 能 能 能		
259	述	state; mention	ジュツ の	述語（じゅつご）predicate ◆述べる（のべる）to state; to express
		(8) 一 十 才 木 朮 朮 述 述		
260	影	shadow; shape	エイ かげ	◇影響（えいきょう）influence 影（かげ）shadow
		(15) 丨 口 日 日 早 早 早 昌 景 景 景 景 景 影 影		
261	響	sound; reverberate	キョウ ひび	◇影響（えいきょう）influence 響く（ひびく）to sound; to be echoed
		(20) 乡 乡 乡 郷 郷 郷 郷 郷 郷 郷 郷 郷 郷 郷 郷 響 響 響 響 響		
262	混	mix	コン ま	◇混乱（こんらん）confusion 混じる（まじる）to become mixed
		(11) 丶 冫 氵 氵 沪 沪 沪 浬 混 混 混		

263 乱	disorder; riot	ラン	◇混乱（こんらん）confusion 内乱（ないらん）civil war
	(7) ノ 二 千 千 舌 舌 乱		
264 論	argument; discussion; thesis	ロン	◇論理的に（ろんりてきに）logically 論文（ろんぶん）thesis
	(15) 、 亠 亖 言 言 言 言 訁 訃 訃 訡 訡 論 論 論		
265 嫌	hate; dislike	ケン いや きら	嫌悪（けんお）hate 嫌がる（いやがる）to dislike; to be unwilling to do ◇英語嫌いな（えいごぎらいな）English-averse
	(13) 𡿨 女 女 女 女 女 婵 婵 婵 嫌 嫌 嫌 嫌		
266 輩	fellow; people	ハイ	◇先輩（せんぱい）one's senior 後輩（こうはい）one's junior
	(15) 丿 ㇇ ㇌ ㇌ 非 非 非 非 非 非 背 背 背 輩 輩		
267 張	stretch	チョウ は	◆主張（しゅちょう）insistence; claim 張る（はる）to stretch; to extend
	(11) ㇇ ㇇ 弓 引 引 弝 弝 弫 張 張 張		

	No.	Kanji	Meaning	Reading	Examples	Stroke order
①	268	氷	ice	ヒョウ こおり	氷点（ひょうてん）freezing point ◇氷（こおり）ice	(5) 亅 亅 氵 氺 氷
	269	干	dry; concern; perpetrate	カン ほ	若干名（じゃっかんめい）small number of people ◇干す（ほす）to dry	(3) 一 二 干
	270	毛	hair	モウ け	毛髪（もうはつ）hair (on the head) ◇毛（け）hair	(4) ノ 二 三 毛
	271	老	old age	ロウ お	◇老人（ろうじん）old person 老いる（おいる）to grow old	(6) 一 十 土 耂 老 老
②	272	姓	surname	セイ	◇姓名（せいめい）full name	(8) く 女 女 女 女 妵 姓 姓
	273	紅	crimson; red	コウ べに	◇紅葉（こうよう）autumn leaves 口紅（くちべに）lipstick	(9) く 幺 幺 糸 糸 糸 糸 紅 紅
	274	帳	book; album; curtain	チョウ	◇手帳（てちょう）pocket diary	(11) 丨 冂 巾 巾 帄 帄 帄 帳 帳 帳 帳
	275	郊	suburbs; country	コウ	◇郊外（こうがい）suburbs	(9) 丶 亠 亠 六 交 交 交 郊 郊
	276	凍	freeze	トウ こお	◇凍結（とうけつ）freezing 凍る（こおる）to freeze	(10) 丶 冫 冫 冫 冫 凍 凍 凍 凍 凍
	277	招	invite	ショウ まね	◇招待（しょうたい）invitation 招く（まねく）to invite	(8) 一 十 扌 扌 扌 扌 招 招

No.	漢字	Meaning	Reading	Examples	Stroke order
③ 278	倍	times	バイ	◇二倍（にばい）twice; double	(10) ノ イ 亻' 亻亠 亻亠 亻亣 亻立 倍 倍 倍
279	伺	visit	うかが	◇伺う（うかがう）to visit; to ask (a superior)	(7) ノ イ 们 伺 伺 伺 伺
280	億	one hundred million	オク	◇一億（いちおく）one hundred million	(15) ノ イ 亻' 亻亠 亻亠 亻亣 亻立 亻音 億 億 億 億 億 億 億
281	停	stop	テイ と	◇バス停（ばすてい）bus stop 停まる（とまる）to stop	(11) ノ イ 亻' 亻亠 亻亠 亻亩 亻亩 亻亭 停 停 停
282	健	health	ケン すこ	◇健康（けんこう）health 健やかな（すこやかな）healthy	(11) ノ イ 亻コ 亻ヨ 亻ヨ 亻ヨ 亻聿 律 健 健 健
④ 283	林	forest; wood	リン はやし	植林（しょくりん）tree planting ◇林（はやし）wood; forest	(8) 一 十 才 木 木一 村 林 林
284	森	forest	シン もり	森林（しんりん）forest ◇森（もり）forest	(12) 一 十 才 木 木 本 来 来 森 森 森 森
285	杯	winecup	ハイ	◇三杯（さんばい）three cups	(8) 一 十 才 木 木一 杓 杯 杯
286	柔	soft; gentle	ジュウ やわ	◇柔道（じゅうどう）judo ◇柔らかい（やわらかい）soft; gentle	(9) フ マ 予 予 矛 柔 柔 柔 柔
287	植	plant	ショク う	◇植物（しょくぶつ）plant ◇植える（うえる）to plant	(12) 一 十 才 木 木一 木十 木† 柿 植 植 植 植

No.	漢字	Meaning	Reading	Examples
⑤ 288	糖	sugar; sweetened	トウ	◇無糖（むとう）sugarless　砂糖（さとう）sugar
		(16) 丶 丷 丷 半 米 米 米 粁 粁 粐 粐 粐 糖 糖 糖 糖		
289	等	equal	トウ ひと	◇不平等（ふびょうどう）inequality 等しい（ひとしい）equal
		(12) ノ 𠂉 𠂉 𥫗 𥫗 竹 竺 竺 笙 笙 等 等		
290	印	stamp; printing	イン しるし	◇好印象（こういんしょう）good impression 印（しるし）sign
		(6) ノ 𠂆 F E 𠨍 印		
291	再	again	サイ ふたた	◇再～（さい～）re- 再び（ふたたび）again
		(6) 一 厂 冂 币 再 再		
292	検	investigate; examine	ケン	◇再検査（さいけんさ）re-examination
		(12) 一 十 才 木 木 朩 朩 朩 枪 枪 検 検		
293	熟	ripen; mature	ジュク う	◇未熟な（みじゅくな）immature 熟れる（うれる）to ripen
		(15) 丶 亠 亠 亡 古 亨 亨 享 孰 孰 孰 孰 熟 熟 熟		
⑥ 294	筆	brush; wrting	ヒツ ふで	◇筆者（ひっしゃ）author 筆（ふで）writing brush
		(12) ノ 𠂉 𠂉 𥫗 𥫗 竹 竺 竺 筀 筀 筀 筆		
295	駐	stay; resident	チュウ	◇駐車場（ちゅうしゃじょう）parking lot
		(15) 丨 厂 冂 冃 冃 馬 馬 馬 馬 馬 馬 馬 馯 駐 駐		
296	辞	word; address; resign	ジ や	◇辞書（じしょ）dictionary 辞める（やめる）to resign
		(13) ノ 二 千 千 舌 舌 舌 舌 舌 舌 辞 辞 辞		
297	籍	writing; record	セキ	◇書籍化（しょせきか）compiling into book format 国籍（こくせき）nationality
		(20) ノ 𠂉 𠂉 𥫗 𥫗 竹 竺 竺 竺 笋 笋 笋 笋 笋 箝 箝 箝 籍 籍 籍		

⑦

No.	Kanji	Meaning	Reading	Vocabulary	Stroke order
298	含	include; hold	ガン ふく	含有（がんゆう）contain ◇含む（ふくむ）to contain	(7) ノ 人 亼 今 今 含 含
299	告	tell; announce; inform	コク つ	◇告白（こくはく）confession; indictment 告げる（つげる）to notice; to inform	(7) ノ ⺈ 牛 生 牛 告 告
300	命	life; destiny; command	メイ いのち	生命（せいめい）life ◇命（いのち）life	(8) ノ 人 亼 个 合 合 命 命
301	叫	shout; scream	キョウ さけ	絶叫（ぜっきょう）shout ◇叫ぶ（さけぶ）to shout	(6) 丨 ㄇ 口 口l 叫 叫
302	喫	drink; smoke; eat	キツ	◇喫茶店（きっさてん）coffee shop	(12) 丨 ㄇ 口 口一 口十 口丰 口丰 口丰刀 口丰刃 口丰刃 喫 喫

⑧

No.	Kanji	Meaning	Reading	Vocabulary	Stroke order
303	晴	clear	セイ は	晴天（せいてん）fine weather ◇晴れ（はれ）fine weather	(12) 丨 ㄇ 日 日 日一 日十 日丰 日丰 日丰 晴 晴 晴
304	曇	cloudy	ドン くも	曇天（どんてん）cloudy weather ◇曇り（くもり）cloudiness	(16) 丶 ㄇ 日 日 日 旦 旦 旦 旦 旦 旦 旦 旦 曇 曇 曇
305	星	star	セイ ほし	星座（せいざ）constellation ◇星（ほし）star	(9) 丨 ㄇ 日 日 旦 旦 早 星 星
306	暖	warmth; heat	ダン あたた	暖冬（だんとう）mild winter ◇暖かい（あたたかい）warm	(13) 丨 ㄇ 日 日 日ノ 日ㄗ 日ㄗ 日ㄗ 日爫 日爫 日爰 日爰 暖
307	替	be replaced	タイ か	交替（こうたい）change 着替え（きがえ）change of clothes ◇両替（りょうがえ）currency exchange	(12) 一 二 キ 夫 夫一 夫二 夫夫 夫夫 替 替 替 替

	No.	Kanji	Meaning	Reading	Examples
⑨	308	減	decrease; reduce	ゲン へ	減少（げんしょう）decrease ◇減る（へる）to decrease
			(12)	丶 冫 氵 氵 汇 沂 沂 洉 洉 減 減 減	
	309	離	separate; leave	リ はな	◇離婚（りこん）divorce 離れる（はなれる）to separate
			(18)	丶 亠 亠 文 文 这 卤 卤 卤 离 离 离 离 离 离 離 離 離	
	310	抽	extract; abstract	チュウ	◇抽象的な（ちゅうしょうてきな）abstract 抽出（ちゅうしゅつ）extraction
			(8)	一 十 扌 扌 扪 抽 抽 抽	
	311	房	chamber; room; tassel	ボウ ふさ	◇冷房（れいぼう）air conditioning ◇暖房（だんぼう）heating 一房（ひとふさ）a bunch
			(8)	一 ㇇ 彐 戸 戸 戸 房 房	
⑩	312	撮	photograph	サツ と	撮影（さつえい）photographing; filming ◇撮る（とる）to take (a picture)
			(15)	一 十 扌 扌 扣 押 押 押 押 押 撮 撮 撮 撮 撮	
	313	泣	crying; weeping	キュウ な	号泣（ごうきゅう）wailing ◇泣く（なく）to cry
			(8)	丶 冫 氵 氵 汁 汁 泣 泣	
	314	鳴	cry; sing; howl	メイ な	悲鳴（ひめい）scream ◇鳴く（なく）(an animal) makes a sound
			(14)	丨 口 口 口 叮 叩 叩 响 鸣 鳴 鳴 鳴 鳴 鳴	
	315	革	leather; renew	カク かわ	革命（かくめい）revolution ◇革（かわ）leather
			(9)	一 十 廾 廿 廿 芦 芦 苣 革	
	316	聖	saint; holy; sacred	セイ	◇聖歌（せいか）sacred song
			(13)	一 丅 F F 耳 耳 耳 耶 耶 聖 聖 聖 聖	
	317	為	do; for	イ ため	◇行為（こうい）act; behavior 為（ため）benefit; sake; advantage
			(9)	丶 ソ ナ 为 為 為 為 為 為	

	No.	漢字	Meaning	読み	Words	Strokes
⑪	318	追	run after	ツイ お	追求（ついきゅう）pursuit ◇追う（おう）to chase; to pursue	(9)
	319	逃	run away; escape	トウ に	逃走（とうそう）escape ◇逃げる（にげる）to run away	(9)
	320	途	way; road	ト	◇途中（とちゅう）on the way	(10)
	321	退	retreat; recede; withdraw	タイ しりぞ	◇退学（たいがく）leaving school 退く（しりぞく）to retreat; to withdraw	(9)
	322	適	suit	テキ	◇適当な（てきとうな）suitable	(14)
⑫	323	許	forgive; permit	キョ ゆる	許可（きょか）permission ◇許す（ゆるす）to forgive; to allow	(11)
	324	訓	teaching; lead; guide	クン	◇訓練（くんれん）training; drill	(10)
	325	詞	word; writing	シ	◇歌詞（かし）lyrics	(12)
	326	誤	mistake; error	ゴ あやま	◇誤解（ごかい）misunderstanding 誤る（あやまる）to make a mistake	(14)
	327	警	warn; guard	ケイ	◇警察（けいさつ）police	(19)

4技能でひろがる　中級日本語カルテット I ［別冊］
Quartet: Intermediate Japanese Across the Four Language Skills I [Supplement]

First edition: July 2019
9th printing: February 2024

English copyreading: Umes Corp.
Layout, typesetting and cover art: Hirohisa Shimizu (Pesco Paint)
Printing: Koho Co., Ltd.

Published by The Japan Times Publishing, Ltd.
2F Ichibancho Daini TG Bldg., 2-2 Ichibancho, Chiyoda-ku, Tokyo 102-0082, Japan
Website: https://jtpublishing.co.jp

ISBN978-4-7890-1695-7

Printed in Japan

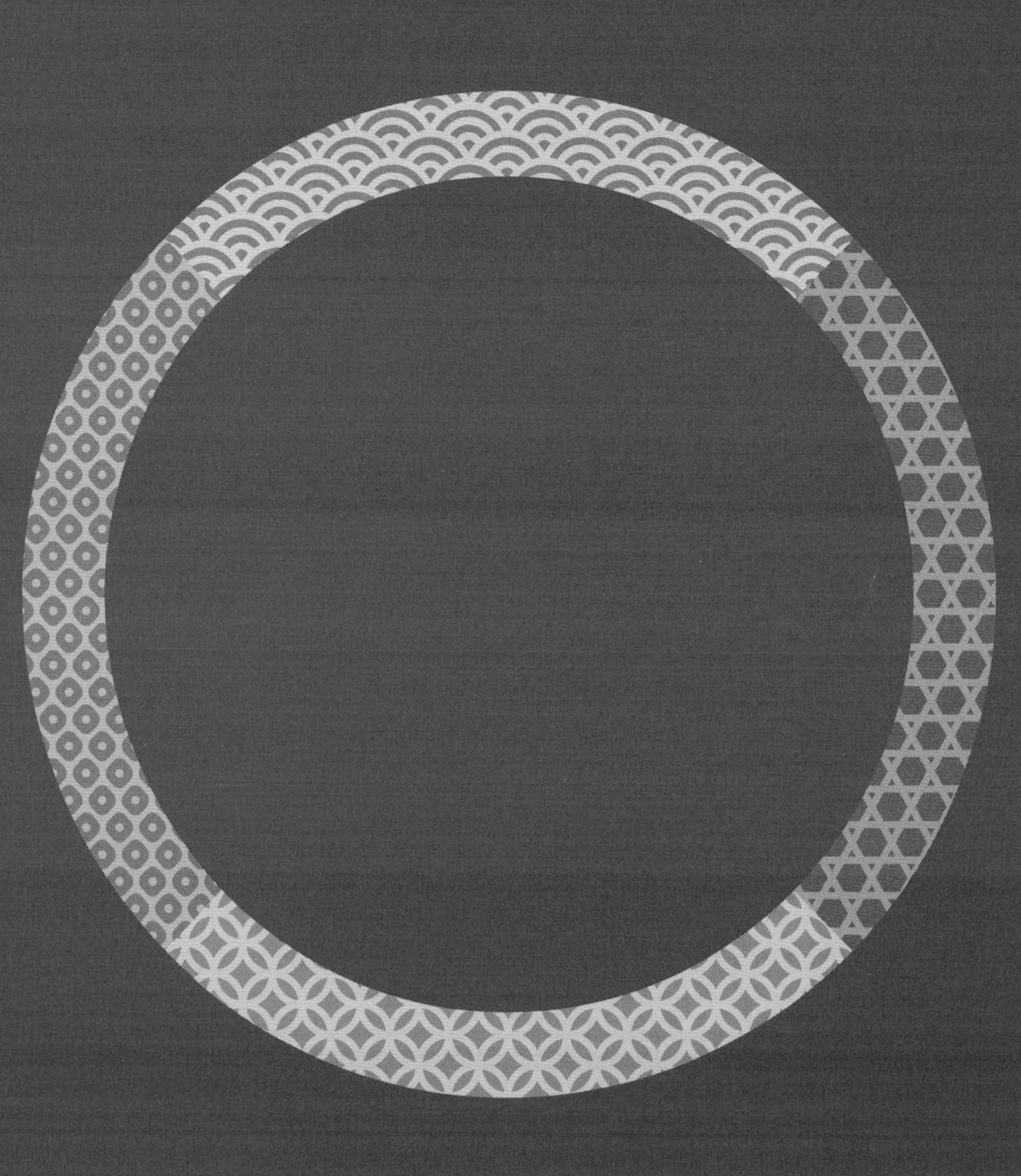